EDAF

MADRID - MÉXICO - BUENOS AIRES - SAN JUAN

ANNE KATHERINE

CUANDO SE ATRAVIESA LA LINEA

Cómo establecer límites sanos en las relaciones

PSICOLOGÍA Y AUTOAYUDA

Título original:
WHERE TO DRAW THE LINE

© De la traducción:
JULIA FERNÁNDEZ TREVIÑO, Psicóloga Clínica.

© 2000. Anne Katherine, M.A.
© 2003. De esta edición, Editorial EDAF, S. A., por acuerdo con Simon & Schuster, Inc.

Cubierta: Ricardo Sánchez

Editorial Edaf, S.A.
Jorge Juan, 20. 28001 Madrid
http://www.edaf.net
edaf@edaf.net

Edaf y Morales, S. A.
Oriente, 180, n.° 279. Colonia Moctezuma, 2da. Sec.
C.P. 15530. México D.F.
Edaf@edaf-y-morales.com.mx
http://www.edaf-y-morales.com.mx

Edaf del Plata, S.A.
Chile, 2222
1227 Buenos Aires, Argentina.
edaf1@speedy.com.ar

Edaf Antillas, Inc.
Av. J.T. Piñero, 1594
Caparra Terrace
San Juan, Puerto Rico (00921-1413)
E-mail: forza@coqui.net

Enero 2003

Depósito legal: M. 2,985-2003
ISBN: 84-414-1239-1

PRINTED IN SPAIN   IMPRESO EN ESPAÑA
Imprime: COFAS, S.A.

A todos los seres queridos que tengo en mi corazón:

Sherry Ascher
Frances West
Barbara Blackburn
Jill Shea
Shirley Averett

y

A los antiguos compinches

Abe (Anne Briel Weston)
Cassie (Cassandra Major)
Dusty (Karen Riggs Selby)
Jabber (Judy Burns)

Y a todos aquellos que forman el tejido de mi amada comunidad:

The Admiral's Cove Bridge y Liverpool Society Confort Zone

Índice

Agradecimiento multitudinario

*En nuestra era, el camino hacia lo sagrado pasa
necesariamente por el mundo de la acción.*

DAG HAMMARSKJÖLD

Agradezco:

Al Creador por haberme ofrecido la bendición de la vida.

A mis seres queridos por creer en aquello que no podía ver por
mí misma.

A mi familia que, a pesar de haber pasado varias pruebas, llegó
a tiempo, especialmente a mamá y papá, al tío Bud y a la tía Marji.

A mi comunidad por proporcionarme alegría y diversión.

A mis clientes por reclamar lo mejor de mí.

A los lugares sagrados de la Tierra, en particular Camp Koch,
Northern Hills, Hollyhock, Delphi y la Isla.

A mis maestros, en especial a la doctora Jean Houston, a Marge
Felder, MA, y a Cody Sontag, MS, por haberme enseñado el camino hacia los espacios en los que el alma se expande.

A Scott Edelstein, mi honorable agente «con límites», una persona de bien.

A Caroline Sutton, mi encantadora editora, que mediante el
movimiento de un pincel es capaz de mover montañas.

A Christine Lockhart, que realiza el increíble y asombroso trabajo de mantenerme en orden.

A Rabbitt Boyer, un extraordinario gurú de los ordenadores,
quien —a medianoche— rescató a mi impresora que sufría convul-
siones y que, a pesar de lo terrible que pueda ser un problema, siempre dice: «Esto no es grave. Podemos arreglarlo».

Y a Laura Blankenship y Roxy Etherton, quienes —dos semanas antes de la fecha de entrega de este libro, cuando mi casa se
convirtió en un lugar inhabitable— me ofrecieron generosa y amablemente cobijo y un espíritu positivo.

Advertencia

CUANDO usted trate con personas de bien, le será de gran ayuda fijar los límites de esa relación no solo en beneficio de su propia vida, sino también de la de ellas. Sin embargo, existen algunas personas que son peligrosas o que estiman excesivamente su poder o su control, de manera que cuando alguien establece un claro límite verbal lo consideran como un desafío que deben superar.

Si alguien le ha dado motivos para que usted le tema, tenga sumo cuidado al establecer un límite en dicha relación. Antes de decidir cuáles serán los límites que desea fijar, evalúe en primer lugar los riesgos para su propia persona. Si cree que usted, sus hijos, su casa o sus posesiones podrían resultar amenazados por el hecho de haber establecido límites verbales, quizá debería imponer un límite físico distanciándose de dicha persona o quizá a través de un traslado. Si usted vive con o trabaja para una persona que podría amenazarlo, en el caso de que decidiera poner límites en dicha relación, hable con una tercera persona para que le aconseje qué es lo mejor que puede hacer. Utilice toda la ayuda que necesite de otras personas que sean sinceras y le merezcan toda su confianza para preservar su seguridad e integridad.

Capítulo 1

¿Qué son los límites?

DETÉNGANSE un momento. Conéctese con la tierra y experimente la espiral de su vida. Usted no ha llegado hasta este punto por casualidad. Son sus propias elecciones las que lo han traído hasta aquí.

Es usted quien ha creado esta vida permitiendo que ciertas personas entraran en ella y excluyendo a otras, consagrando su tiempo a las cuestiones importantes y dedicando algunas horas a objetivos menores, ocupándose de todas aquellas actividades a las que ha ofrecido su energía y también de las presiones que ha tenido que soportar.

Cualquier decisión que haya tomado en su vida, lo ha conducido, paso a paso, hasta esta situación. Para decirlo brevemente, sus límites —o sus defensas— han creado un corredor a través del cual ha transcurrido su vida.

¿Qué es un límite? Un límite es una frontera que favorece la integridad. En el nivel más elemental, su piel marca sus límites físicos. Si está dañada, la integridad de su cuerpo resulta amenazada. Sus células mantienen su forma debido a que existe una membrana que las contiene. Sus nervios están protegidos por una vaina y su cerebro por la sangre y los huesos.

Existen muchos otros límites que también podrían ser suyos y cuya función es proteger todos los aspectos valiosos de su vida, sus relaciones, su tiempo, su casa, su forma personal de hacer las cosas, sus hijos, sus prioridades, su salud y su dinero. Estos límites, que no son visibles, se mantienen en su lugar como efecto de las decisiones que usted toma y de las acciones que realiza.

Por medio de los límites que establece, usted protege la integridad de su día, de su energía y de su espíritu, la salud de sus relaciones y los deseos de su corazón. Mediante sus elecciones usted modela cada día de su vida. Cuando viola sus propios límites o permite que otra persona lo haga, su energía y su autoconfianza se desmoronan.

Un límite es como una membrana que mantiene intacto a un organismo. Deja pasar las cosas positivas y mantiene alejado todo aquello que es pernicioso. De este modo funciona de una forma muy diferente a una defensa, que rechaza indiscriminadamente todas las cosas.

Los límites proporcionan una brújula moral. Nos mantienen en el camino correcto. Protegen nuestras partes sensibles e importantes.

Observe las áreas de su vida que funcionan satisfactoriamente y gozan de integridad. Dicha integridad se debe a la presencia de los límites que usted ha establecido con el fin de protegerlas.

Los límites pueden mejorar cualquier área de su vida que sea conflictiva. Independientemente de que el organismo sea usted, su cuerpo, su salud, una relación de amistad, su matrimonio, su trabajo o su energía, es posible fortalecer su integridad mediante los límites.

Este libro es un manual sobre los límites. Puede ayudarle a descubrir cuáles son las paredes que faltan, así como también las reglas o hábitos que lo confinan en un determinado lugar, impidiéndole ocuparse de espacios más amplios. También pondrá al descubierto las defensas que usted haya podido erigir en vez de haber establecido unos límites sanos, defensas que pueden ser sumamente dañinas para usted y sus relaciones.

Todos tomamos constantemente decisiones: cómo usar este o aquel minuto, aceptar o rechazar un determinado pedido, satisfacer las necesidades de un amigo o inclinarnos por un pequeño descanso. Las pequeñas decisiones son las que pueden desgastar nuestras vidas aunque también pueden potenciar o sabotear la misión que tenemos en la vida.

Este libro le enseñará a manejar las demandas de la vida diaria protegiendo su tiempo y su energía para que pueda dedicarlos a las cuestiones que son verdaderamente importantes. Le ayudará a ver las cosas con más claridad para que sea capaz de decidir qué es lo que desea incluir en su vida y excluir de ella. De este modo será capaz de rellenar los espacios en blanco con las personas, actividades y proyectos que sean verdaderamente importantes para usted.

Usted es la única persona que puede cambiar su vida.

Capítulo 2

Límites de tiempo

S ARAH se había tomado el día libre para embalar todos los objetos de su cocina. Había vendido su casa y tenía cinco días para mudarse. Este era su último gran proyecto. Solo disponía de ese día para hacerlo porque a partir del día siguiente solo tendría las noches libres para terminar de organizar las cosas.

Tenía problemas para iniciar su tarea. La cocina era lo único que faltaba antes de la mudanza, que simbolizaba el final de un periodo de su vida. Pronto acabarían los trámites de su divorcio. Estaba a punto de abandonar una casa que adoraba. En la cocina había muchos objetos que le recordaban su felicidad pasada —el florero para bulbos que ella y su marido habían adquirido cierto domingo que habían salido de compras, los platos que habían elegido juntos el primer año de su matrimonio, viejas tarjetas de Navidad amontonadas en el fondo de un cajón que albergaba toda clase de objetos.

Sarah puso una música animada, se sirvió un café bien cargado y comenzó a guardar los vasos con la esperanza de que una tarea sencilla la ayudaría a ponerse finalmente en movimiento. Y no estaba equivocada. Pasados unos minutos se encontró guardando los utensilios de cocina con una sorprendente rapidez.

De pronto sonó el timbre. Era Michele Freeland que pasaba por su casa para ver si necesitaba algo. A Sarah le caía muy bien aquella amable y extrovertida vecina que evidentemente tenía la intención de sentarse a charlar un rato con ella. Sarah la invitó a pasar y pronto se enfrentó con un dilema. Michele era divertida y le encantaba hablar. Conversar con ella siempre resultaba interesante, pero

Sarah no quería perder el ritmo que finalmente había conseguido. Sin embargo, Michele había venido para ayudarla. Le ofrecía una oreja amiga y un corazón compasivo para que Sarah pudiera expresar sus sentimientos. Sarah sabía por propia experiencia que una conversación con Michele podía durar varias horas y no era precisamente lo que le apetecía hacer en aquel momento.

¿Qué haría usted?

1. Dejarlo todo y sentarse a charlar con Michele durante horas.
2. No darle a Michele ninguna oportunidad de entrar en la casa.
3. Invitarla a pasar ofreciéndole una taza de café, conversar durante una hora y luego concluir amablemente la conversación.
4. Pedirle a Michele que lo/a ayude a embalar.

Cualquiera de las opciones anteriores sería una respuesta correcta, según cuál fuera el procedimiento elegido y el grado en el que usted privilegiara sus propias prioridades.

Lo que hizo Sarah fue lo siguiente. Mientras invitaba a Michele a entrar en la casa, evaluó rápidamente cuál era su mayor necesidad. Si hubiera estado vencida por la pena, hubiera aceptado de buena gana hablar con Michele, pues era una persona comprensiva a la que podía confiar sus secretos.

Sin embargo, decidió que en aquel momento no necesitaba ningún consuelo y que ni siquiera necesitaba su ayuda para terminar de guardar sus cosas. Sarah quería aprovechar la tarea de seleccionar todos aquellos objetos cargados de recuerdos como una forma de elaborar su separación.

También decidió que no despacharía inmediatamente a Michele. Sarah confiaba en su propia habilidad para interrumpir la conversación cuando lo creyera conveniente y deseaba pasar un rato con aquella persona tan amable antes de abandonar el vecindario.

De manera que le ofreció una taza de café y se sintió reconfortada cuando, sentadas a la mesa, hablaron de lo doloroso que resulta ocuparse de ciertos recuerdos íntimos. Michele le ofreció su ayuda, pero Sarah le explicó con toda claridad los motivos por los que prefería hacerlo sola. Cuando su reloj interno indicó que ya era «suficiente» interrumpió la conversación diciendo: «Ahora quiero seguir con lo que estaba haciendo. Me has ayudado mucho y me siento preparada para continuar con mi tarea».

Michele volvió a ofrecerse para ayudarla a embalar, y Sarah se lo agradeció una vez más, pero insistió en que todo aquello formaba parte de su proceso de separación y que deseaba hacerlo sola. Se despidieron con un abrazo.

Disfrutar de la compañía de su vecina y ser capaz de dar prioridad a sus necesidades fue realmente positivo para Sarah, que se sintió menos sola mientras rebuscaba en el cajón. Y también sintió que había manejado correctamente la situación, pues había sabido proteger sus propias necesidades.

El tiempo marca el paso de la vida

El tiempo es una mercancía muy valiosa. Pagamos por el tiempo de otra persona cuando necesitamos una canguro o preparamos nuestra declaración de la renta. Leemos libros que nos enseñan a manejar mejor el tiempo. Repartimos nuestro tiempo entre aquellos que lo demandan, y en ocasiones dedicamos más tiempo a los extraños que a los seres queridos. Casi nunca tenemos tiempo suficiente para nosotros mismos.

¿Utiliza usted sus minutos sabiamente si al pasar junto a un arbusto de lilas no se acerca a disfrutar del aroma de sus flores? ¿Puede sentir el movimiento fluido de sus músculos mientras pasa de un acontecimiento a otro? ¿Se detiene a contemplar a un bebé, a mirar los ojos de un perro o a observar las cabriolas de un gato?

Mi hermana es una de las personas más delicadas del mundo. Por encima de todas las cosas siempre ha valorado al individuo. Para ella ninguna tarea es tan importante como sentarse y conversar con cualquier persona que se acerca a ella. Es capaz de abandonar cualquier tarea o proyecto para comunicarse con otra persona. Y al hacerlo es consecuente con los valores que son más importantes para ella.

Yo soy diferente. Me ocupo especialmente de todas las cosas que deseo y necesito hacer, dedico mi tiempo a cada una de las tareas que me interesan y luego me ocupo de desarrollar metódicamente mi proyecto. Adoro a las personas que hay en mi vida y me aseguro de tener tiempo para estar con ellas, pero también necesito muchos momentos de silencio, reflexión y soledad. Establezco los límites para poder disfrutar de ambas experiencias.

Los amigos acuden todo el tiempo a casa de mi hermana e inevitablemente reciben una cálida bienvenida. En mi casa, solo los vecinos llaman a mi puerta sin invitación y saben que no deben venir a visitarme en los momentos que dedico a la creatividad.

Tanto mi hermana como yo hemos creado el tipo de vida que mejor se adapta a nuestra forma de ser. Y ninguna de las dos se ha equivocado.

Algunas personas necesitan ocuparse de sus tareas antes de relajarse con sus amigos; otras se sienten cómodas dejando pendientes sus ocupaciones. Una determinada persona puede tomarse un tiempo para relajarse antes de iniciar un proyecto, mientras que a otra le resulta imposible hacerlo hasta que esté concluido.

Mi hermana y yo tenemos enfoques diferentes, pero ambas tenemos una vida satisfactoria. *Cuando usted sea capaz de organizar su propio tiempo ordenando sus actividades de una forma sana, su propia vida funcionará correctamente, incluso aunque su forma de ser diste mucho de ser el método racional y eficiente que pretende enseñarle un libro que trata sobre la forma de administrar el tiempo.*

Asuma la autoridad sobre el tiempo

Su tiempo es su vida. Usted es la autoridad final y absoluta que decide cómo debe utilizar su tiempo.

Evidentemente, usted puede elegir «vender» parte de su tiempo a una persona u organización. Luego esa persona —su jefe, un cliente, etc.— tendrá autoridad sobre una parte definida de su tiempo.

Sin embargo, su tiempo es suyo y de nadie más. En última instancia, usted utiliza su propia vida mediante las decisiones que adopta. Nadie tiene tanta importancia para usar su tiempo como usted mismo y nadie pagará las consecuencias de esas decisiones tanto como usted.

Nos hacemos daño cuando dedicamos nuestro tiempo, los minutos de nuestra vida, a actividades que no concuerdan con nuestros propios valores. Todos necesitamos evaluar nuestras propias verdades en relación con el uso del tiempo, conocer con claridad nuestros propios sentimientos y valores y proteger el tiempo que necesitamos para nosotros mismos.

Las personas tienden a caer en actitudes extremas como, por ejemplo, la de ofrecer todo su tiempo a otros o no ofrecerlo en absoluto, sin gozar de la menor flexibilidad. Ambos extremos pueden constituir un problema. Una programación rígida de las actividades implica descartar cualquier cambio de decisión o negarse a incluir una determinada necesidad que pueda surgir en el proceso porque produce tensión y distancia. Por otro lado, una agenda que se desmorona fácilmente, un plan que se modifica cada vez que cambia el viento, puede significar que los minutos de su propia vida se consumen en atender las necesidades ajenas. No prestar ninguna atención al uso de su propio tiempo hace que su vida se funda como la nieve.

Opciones

Algunas personas organizan su tiempo, y otras no. Hay quienes programan sus tareas con flexibilidad y otros rígidamente. Una persona a la que los demás consideran rígida puede sentir que es organizada y que tiene el control de su vida. Una persona que parece desorganizada puede considerarse flexible y sentir que está disponible para los demás.

No hay una única forma correcta de ser. La amplia gama existente permite encontrar el equilibrio entre la protección del propio tiempo y la atención de las necesidades de las personas queridas. Asumir una actitud extremista en cualquiera de ambas direcciones puede obstaculizar la intimidad, tanto con uno mismo como con los demás. Para disfrutar de un momento íntimo con los demás se requiere ser flexible y abierto y estar disponible. Y si usted desea estar a solas consigo mismo debe ser capaz de tener tiempo para ocuparse de sí mismo y gozar de momentos de paz e inactividad.

Unos límites de tiempo sanos incluyen saber cómo crear un programa de actividades equilibrado, cuándo modificar lo que se ha programado y cuándo mantener la idea inicial y también cómo alterar los compromisos cuando sus propias necesidades personales requieren atención.

Usted, por ejemplo, había decidido salir a cenar con Rosa y ahora descubre que precisamente esa noche tiene una imperiosa necesidad de estar solo. Si le comunica respetuosamente a Rosa cuál es la situación y en la misma conversación le sugiere que se encuentren otro día, le transmitirá el mensaje de que le apetece verla y estar con ella, y al mismo tiempo tendrá oportunidad de ocuparse de sus necesidades inmediatas. Sin embargo, cancelar o modificar repetidas veces sus citas con Rosa puede ser un motivo para que ella se aparte de la relación. Acaso ya no lo considere un amigo íntimo porque ha aprendido a no contar con usted

El mejor enfoque sería conocer cuánto tiempo y energía puede dedicar a los amigos, y luego programar sus encuentros de forma que concuerden con sus propias necesidades y evitar así el hecho de tener que cambiar constantemente sus citas. (Es posible que ocasionalmente tenga que acudir a una cita simplemente porque se percató demasiado tarde de que estaba cansado y cambiar de planes a última hora puede ocasionarle un problema. Y algunas veces quizá simplemente se vea obligado a cancelar una cita aunque sea en el último minuto.)

La cuestión es que no siempre se pueden resolver las cosas como uno desea. No existe una forma perfecta de equilibrar sus propias necesidades con su deseo de tener buenos amigos. Pero pronto descubrirá que su agenda ha mejorado si se atiene a la intención de ser respetuoso consigo mismo y con los demás cuando se trata de utilizar su propio tiempo.

Al tomar conciencia de sus patrones de conducta, prestar atención a las consecuencias de sus decisiones y adaptarlas hasta conseguir el equilibrio, usted se sentirá menos agobiado, más descansado y estará más disponible.

Ahora, obsérvese. ¿Dónde se situaría? ¿Del lado de la rigidez o del caos?

Si no le preocupa que lo interrumpan ni lo distraigan de sus tareas porque esta actitud refleja sus propios valores, no existe ningún problema. ¿Pero acaso renuncia usted a disfrutar de los minutos de su vida porque no sabe cómo hacer para ocuparse de lo que es realmente importante para usted?

Por otro lado, ¿se ocupa usted tan rígidamente de sus planes, objetivos e ideas que consigue que quienes lo rodean se sientan ignorados o menospreciados? Si vive solo y se atiene a sus planes independientemente de lo que suceda, esto no supondrá ningún contratiempo. Pero si vive en pareja o tiene hijos, entonces su estilo de vida tiene un impacto sobre otras personas.

Cuando el uso de nuestro propio tiempo influye en el reloj de arena de otra persona, esto se convierte en un tema que tiene que ver con las relaciones, por lo tanto, los límites que intervienen en este caso son mucho más complejos.

Puntualidad

Si usted se compromete a encontrarse con alguien a una determinada hora, está creando un contrato con esa persona. Cada minuto que se demore estará utilizando una parte de la vida de esa persona.

Llegar tarde con frecuencia afecta las relaciones. Su retraso malgasta el tiempo de la persona que lo está esperando y puede crear distancia y fricción.

Tengo amigos que son muy puntuales y que le dan mucha importancia a la puntualidad, y cuando tengo una cita con ellos me esmero en ser puntual; con otros amigos, nos concedemos un periodo de gracia de quince minutos, y con los que siempre llegan tarde también suelo llegar tarde.

Cuando era joven a menudo llegaba tarde a todos lados —una combinación de una vida difícil de manejar, de perfeccionismo, de una tendencia a la postergación y de una falta de comprensión del efecto que mi falta de puntualidad tenía en los demás. A medida que he saneado mi vida, me he vuelto más puntual.

Este hecho me ayudó a darme cuenta de que es más fácil llegar temprano que llegar puntualmente. La puntualidad requiere precisión; llegar exactamente en el momento indicado requiere una perfecta coordinación entre marcharse de un lugar, abrirse paso a través del tráfico y encontrar aparcamiento. Es más sencillo aspirar a ese vago espacio, comúnmente definido como llegar temprano.

La puntualidad se define en parte por la propia cultura y subcultura. En algunas culturas se considera que la impuntualidad es insultante; en otras se utiliza el tiempo de un modo más fluido que incluye una banda ancha de minutos en vez de un punto determinado del reloj.

Incluso la región en la que usted vive puede marcar una diferencia. Llegar pronto a una fiesta en Seattle puede significar que encuentre a la anfitriona en la ducha. Llegar tarde a una fiesta en el Medio Oeste puede suponer el riesgo de que se haya terminado. Cuando se mezclan miembros de culturas diferentes, pueden insultarse mutuamente sin tener la menor intención de hacerlo por el mero hecho de llegar temprano o tarde.

¿Qué es lo que sucede cuando usted llega tarde? ¿Es usted desorganizado? ¿No sabe anticiparse a la situación? ¿Se distrae o se siente interrumpido? ¿Acaso intenta hacer demasiadas cosas? ¿Deja muchas cosas para el último minuto? ¿Se siente inquieto por la cita, lamenta tener que marcharse de casa? ¿Acaso no tiene suficiente ayuda para las cosas que debe hacer? ¿O simplemente no le preocupa ser puntual?

Si es usted una persona puntual y tiene un amigo que suele llegar tarde a sus citas, piense en sus propias necesidades. Hable con su amigo y comuníquele cómo se siente, señale cuál es el mensaje que él le transmite con su actitud y lo que usted desearía modificar.

Si ese amigo sigue llegando tarde, usted puede llegar tarde a su vez con el fin de actuar en consecuencia con la costumbre de su amigo. También puede poner un límite para el tiempo de espera y, cuando pase el tiempo previsto, marcharse sin esperar a su amigo.

Poner un límite para la cantidad de tiempo que está dispuesto a tolerar puede resultar liberador. Al respetar dicho límite, usted mantiene la autoridad sobre su propio tiempo.

Límites de tiempos sanos

Los límites de tiempo sanos son de alguna manera flexibles y le permiten tomar una nueva decisión basada en sus prioridades y en sus obligaciones reales en relación con los demás. También son relativamente firmes y protegen su programa de actividades de interrupciones que realmente no requieren su atención.

Su mayor obligación en el uso de su tiempo se refiere a sí mismo, de manera que usted debe llenar los días de su vida con las actividades y proyectos que reflejen sus valores más profundos. Los límites de tiempo protegen dichos proyectos creando unos límites que le permiten ocuparse de las cosas que más le interesan.

Cuando llenamos nuestra vida de obligaciones imaginadas, actividades innecesarias y distracciones que solo sirven para matar el tiempo, diluimos el poder de nuestra vida.

Usted tiene la responsabilidad final del uso de su tiempo. Al final de su vida, ninguna de las excusas ni de las defensas tendrán relevancia. Lo único que será verdaderamente importante es que habrá invertido su tiempo ocupándose de las experiencias que deseaba tener.

Capítulo 3

Defensas frente a límites

CUANDO Rachel Wannamaker entró en la clase de Kimiko de Seth Greenbank, él no consiguió apartar sus ojos de ella. Su cabello enmarcaba su rostro como cortinas de satén. Sus ojos, de un azul oceánico, lo atrajeron tan profundamente que no fue capaz de pensar en nada más importante que el hecho de estar dentro de ellos.

No fue el coraje lo que lo impulsó a invitarla a tomar un café al final de la clase. Simplemente, fue incapaz de contenerse del mismo modo que las plumas son incapaces de caer en línea recta.

La gracia que detectó en sus gestos no hacían más que representar algo real: que ella poseía una gracia interior. Él no pudo resistirse. Se enamoró perdidamente de ella. Se casaron pocas semanas antes de que él se embarcara rumbo a Vietnam.

Jamás albergó la más ligera preocupación de que Rachel pudiera abandonarlo. Confiaba absolutamente en ella. No se sentía exactamente un héroe, pero estaba dispuesto a renunciar a algunos años de su vida para participar en una experiencia dramática en nombre de su país; pensaba que estaba haciendo méritos frente a Dios y también frente a las mujeres, en especial ante Rachel.

Mientras que él creía en las tradiciones y era fiel a ellas, los ciudadanos de su país estaban abandonando el barco. La población estaba en contra de la guerra y los políticos la apoyaban. Pocos fueron los que se acordaron de los jóvenes que no tenían más opción que estar allí.

Rachel continuada escribiéndole cartas de amor y de apoyo, pero también le contaba algunas incomprensibles actividades que tenían lugar en la Facultad de Derecho, tal como manifestaciones de protesta y una petición que ella misma había enviado para poner de manifiesto la falta de legalidad de la guerra que él estaba librando. Ella lo amaba profundamente, pero aborrecía lo que estaba haciendo y consideraba que no tenía ningún valor.

Todo esto carecía de sentido para él. Cuando terminó su servicio volvió a un país que no conseguía reconocer y a una esposa que no comprendía. A duras penas consiguió encontrar rastros de la chica a la que había despedido antes de marcharse en la mujer desenvuelta que fue a recibirlo al aeropuerto. Mientras él la añoraba en medio del fango y del terror, ella se había convertido en una fuente inagotable de recursos que desafiaba sin ningún temor a cualquier persona o institución que pretendiera avasallar a su «pequeño chico».

Siguieron juntos dando tumbos durante varios años, tuvieron dos hijos, una hipoteca y un estilo de vida suburbano. Finalmente, tras una década repleta de acusaciones por su falta de participación en el matrimonio, Rachel pidió el divorcio y él se quedó en la calle.

Ella nunca le había sido sexualmente infiel, pero lo había abandonado al convertirse en una persona diferente con puntos de vista extraños. Su mente le había sido infiel.

El divorció traumatizó a Seth, que necesitó varios años para organizar una vida que le resultara satisfactoria. Estableció su propia empresa de contabilidad y formó parte de un grupo de radioaficionados. Con las actividades sociales de su grupo y la visita de sus hijas cada dos fines de semana, su vida estaba llena.

Fue entonces cuando apareció Becky Race en su vida. Era una nueva empleada contratada por su oficina, un manojo de energía con una hermosa melena de color castaño. Poco tiempo después comenzaron a salir juntos. Él afirmaba que ella era una persona maravillosa, y ella obviamente estaba loca por él. Era una cocinera increíble y trataba a sus hijas con ternura. Parecía sensato casarse con ella.

Ella siguió siendo la misma persona después de la boda. Si él esperaba que ella demostrara lo que valía, Becky verdaderamente se comportó como si perteneciera a la Cruz Roja. Era amable, femenina, estaba llena de energía y su corazón era generoso, especialmente con él.

Seth no tenía ninguna queja. Y ella tenía solamente una. Percibía que él no terminaba de entregar su corazón.

Seth sabía que podía confiar en ella, que ella estaba entregada en cuerpo y alma a él, pero no podía dejar salir su corazón de la caja donde lo había protegido. No podía arriesgarse a disfrutar del espontáneo y despreocupado goce de amar debido a que había experimentado su relación anterior como una amputación que lo había sumido en la mayor oscuridad. Ocasionalmente ella hacía alguna cosa que lograba conmoverlo a tal punto que casi podía sentir que había abierto su corazón. Sin embargo, en cuanto lo embargaba ese impulso volvía a endurecerse.

Cuando tenía setenta y ocho años y estaba sentado en la oscuridad de la casa funeraria junto a su amada Becky que reposaba fría y silenciosa en medio de un montón de flores, su corazón se rompió por segunda vez y no solo por la mujer que acababa de perder sino también por no haber sido capaz de disfrutar de todos aquellos años de amor.

Para muchos de nosotros, nuestro primer amor, generalmente exuberante, terminó mal. Éramos jóvenes, inocentes, faltos de experiencia e ignorábamos cuán frágil puede ser el amor. La primera vez que se nos rompió el corazón sufrimos una gran desilusión. Nunca nos habíamos imaginado que algo nos podía doler tanto sin tener siquiera una herida visible.

Algunos de nosotros reaccionamos frente a aquella situación tomando la decisión de proteger nuestro corazón a partir de ese momento, a menudo de una forma inconsciente. Posiblemente volveríamos a enamorarnos, pero jamás de una manera tan apasionada.

Otras situaciones pueden arrojar resultados similares. Por ejemplo cuando una persona en la que hemos confiado plenamente nos decepciona, las consecuencias pueden ser devastadoras. Independientemente de la edad que tengamos cuando esto sucede, esta situación puede servir para establecer los parámetros de los futuros riesgos que nos atreveremos a afrontar —y no solo con esa persona en particular, sino con cualquier otra.

Cuando nos protegemos de la posibilidad de volver a repetir una situación penosa —bloqueando ciertos sentimientos (o una cierta intensidad de los sentimientos) o al no permitirnos reincidir en una relación en la que expresamos nuestra confianza, nuestros deseos o nuestro amor—, nos protegemos dentro de una fortaleza, es decir, en un estado defensivo del ser. Aun cuando la pérdida original tenga lugar cuando uno es tan joven como para no ser totalmente consciente de lo que sucede, se puede erigir una defensa.

Una defensa puede ser una afirmación o una acción. Adoptamos una actitud defensiva cuando nos mantenemos detrás de algún tipo de protección unilateral con el fin de impedir un sentimiento que no soportamos experimentar otra vez. Nos ocuparemos de las actitudes defensivas en el capítulo 5.

Nos enorgullecemos de nuestra percepción consciente, pero el instinto y la supervivencia tienen una vida propia aparentemente separada de nuestros geniales cerebros pensantes. Podemos tomar la sincera decisión de ser más abiertos o de permitir que el goce forme parte de nuestra vida —y nuestra intención puede ser muy vigorosa—, pero si una sombra que se acerca tiene alguna semejanza con algo que nos sucedió en el pasado, podemos levantar nuestras defensas sin que intervenga el pensamiento consciente. Existen formas de restituir esta programación, y aunque no son violentas requieren compromiso y paciencia.

Como la mayoría de los bebés, Helen llegó al mundo con una gran capacidad receptiva frente a todo lo que pasaba a su alrededor. Desde el principio tuvo necesidades físicas y emocionales: que la alimentaran, que le cambiaran el pañal, que mantuvieran su cuerpo caliente eran sensaciones muy agradables pero de ninguna manera suficientes. También necesitaba que la tomaran en brazos, que la acariciaran y la acunaran. Necesitaba sentirse segura y conectada con otro ser humano.

Su psique atravesó la niebla en busca de un corazón que respondiera a sus necesidades, como si tuviera un cable y necesitara que alguien lo enchufara. Desgraciadamente, la madre de Helen no tenía una toma de corriente. Ella misma tenía un cable que necesitaba enchufar y un bebé lleno de necesidades no era la mejor compañía.

En cierta ocasión en que la pequeña Helen llegó a su casa con una herida que chorreaba sangre, su madre salió corriendo a llamar a un vecino. En otro momento, Helen volvió a casa con un ojo negro por haberse peleado con el matón del vecindario y su madre se limitó a preguntarle qué había hecho ella para provocarlo. Cierto día que jugaba con su hermana mayor y esta se cayó y se rompió un brazo, su madre culpó a Helen, que entonces tenía tres años, de lo que había ocurrido (y siguió haciéndolo durante cuarenta años).

La madre de Helen necesitaba que alguien la cuidara. Se enfadaba con Helen por tener esas incómodas necesidades y por crear situaciones en las que su presencia era necesaria.

En el fondo, Helen era una niña que sufría. Necesitar a aquella mujer recubierta de Teflón la hacía sufrir mucho, de modo que su psique decidió que no volvería a necesitarla nunca más.

Durante los siguientes cuarenta años, Helen vivió la vida de un modo automático. Tomó grandes decisiones. Se casó con un buen hombre, tuvo una vida cómoda y fue muy popular, pero se pasó media vida sin sentir absolutamente nada.

La empalizada que había construido a su alrededor cubría una gran extensión. No solo dejó de necesitar a los demás, sino que también bloqueó el contacto con su ser interior. No experimentaba ningún goce, ninguna pena, paz ni emoción, y su corazón tampoco se colmaba de felicidad. No se preocupaba por establecer un contacto emocional con ninguna persona y tampoco lo aceptaba cuando alguien se lo ofrecía.

Cuando somos niños podemos optar por asumir una actitud defensiva si las circunstancias que nos rodean nos parecen peligrosas, hostiles o desvalorizantes. El abuso o la explotación emocional, el rechazo o el abandono emocional, la falta de apoyo en las diferentes etapas del desarrollo —cualquiera de estos comportamientos pueden llevarnos a organizar nuestro sistema defensivo para protegernos.

Bastiones trepadores, o cómo se despliegan las defensas

Vamos a analizar una conducta simple que es absolutamente natural en la infancia: la de hacer preguntas. Si Franna es ridiculizada cada vez que formula una pregunta, ¿qué cree usted que sucederá?

• Hará más preguntas.
• Hará menos preguntas.
• Dejará de ser curiosa.

Ella hará menos preguntas, quizá incluso deje de hacer preguntas. El riesgo es que su mecanismo de autoprotección se expanda más allá del mero hecho de formular preguntas y bloquee el proceso de preguntar. Ella incluso puede resistirse a la sensación que experimenta frente a algo que la maravilla, bloqueando su curiosidad y su interés por lo desconocido.

Todos somos genios de la supervivencia. Podemos bloquear todo lo que está dentro de nosotros porque nos conduce a una experiencia de dolor, traición o abandono. Si somos rechazados cuando buscamos afecto, podemos abandonar la búsqueda. Si nos tratan duramente cada vez que nos afirmamos como individuos, podemos experimentar el temor de ser diferentes excepto cuando nos encontremos en presencia de una persona o de un grupo que valora nuestras diferencias.

Los padres que asumen actitudes defensivas producen hijos con actitudes defensivas

La adolescencia fue una etapa de pruebas para Gerry. Su padre era frío y bebía mucho, y siempre descargaba su mal genio con el. Glen era capaz de darle un bofetón simplemente porque había colocado el cubo de la basura dos centímetros a la derecha del lugar habitual o se olvidaba de quitar sus cuadernos de la mesa del comedor.

Cuando Gerry entró en la adolescencia con su habitual componente de rebelión, se acercó a un territorio peligroso. Su padre no toleraría que él usara unos tejanos que parecieran bolsas ni que llevara el pelo largo.

De modo que Gerry dio un giro interesante. Se transformó en un chico formal. Comenzó a usar traje y pantalones ajustados. Se refugió en la biblioteca y se convirtió en un concienzudo estudiante. En su interior ardía de ira y de odio contra su padre, pero lo transformó en una competencia a muerte. Conseguiría vencer a su padre en el plano económico.

Gerry era moderadamente inteligente, pero debido a su persistente determinación logró que se le abrieran muchas puertas, le ofrecieron diversas oportunidades y supo aprovecharlas. Finalmente, a la edad de treinta y cinco años, consiguió su verdadero objetivo: había logrado vencer a su padre en el plano económico, cultural y social. Tenía una casa más grande, un coche más grande, muebles de mejor calidad y una esposa que no tenía ojeras.

Una vez conseguido su objetivo, Gerry podía haberse relajado y haber disfrutado de la vida que había construido. Pero no lo hizo. Todavía estaba lleno de rabia y de odio, y se defendía de su violencia interna y de la antigua violencia de su padre manteniéndose en carrera, trabajando una enorme cantidad de horas que lo privaron de disfrutar de sus hijos y echando mano de tramposas manipulaciones que ponían fuera de combate a sus competidores. En nombre de la rentabilidad hizo mucho daño a los demás en un momento en que ya no tenía ninguna necesidad de preocuparse.

Samuel tuvo un padre muy parecido. En su casa tampoco tenía espacio para convertirse en una persona independiente, pero su forma de resolver la situación fue muy diferente. Su horno interno también ardía de ira, pero en lo profundo de su ser se sentía pequeño y débil aun cuando sus músculos sobresalían de una camiseta de talla extra grande. Se unió a una pandilla de chavales pendencieros y se convirtió en uno de ellos. Juntos acosaban a los más débiles como, por ejemplo, a niñas inocentes; cuando estaba con ellos amenazaba a chicos más jóvenes que pertenecían a diferentes razas, y también a maestros con poca experiencia. Pero a solas se ponía nervioso, de manera que pasaba la mayor parte del tiempo con su pandilla.

Cuando se convirtió en un adulto, también pasó de un grupo a otro, hasta que finalmente se integró en el de bebedores que se reunían en el bar. Aún estaba lleno de ira y se sentía indefenso, y además maltrataba a su esposa y a su hijo.

Gerry y Samuel maltrataban a las personas de una forma diferente, pero ambos hacían daño. Sus esfuerzos por protegerse a sí mismos traspasó el límite de bloquear las experiencias positivas y sabotear la intimidad. También descargaron su ira con los demás.

Los daños de Gerry eran más sutiles y globales. Tomaba una decisión y treinta familias se irían a la calle. Los daños de Samuel eran más obvios y cercanos. Aterrorizaba a su mujer y a su hijo, y, de presentarse la ocasión, a un adolescente con una paliza o una violación. Ninguno de los dos comprendía las raíces de su rabia ni el alcance de la ruina que causaba en otros.

Los límites frente a una persona que asume una actitud defensiva

Usted puede fijar ciertos límites para protegerse de otra persona que asume una actitud defensiva. Antes de decidir qué tipo de límites debe establecer, evalúe en primer lugar su propio riesgo. Algunas personas que presentan estas características son peligrosas: se defienden atacando a los demás. Si usted, sus hijos, su casa o sus posesiones pueden resultar amenazados por el hecho de haber establecido límites verbales, esto es enormemente significativo. Si a usted no le parece seguro hablar con alguien, puede albergar pocas esperanzas de resolver su relación con esa persona de una forma sana. Cree un límite físico —por medio de una actitud distante o quizá con una mudanza— e insista en que es indispensable un cambio genuino y sostenido en la relación y una prueba consistente de que se ha producido un cambio positivo antes de colocarse nuevamente en el ámbito de acción de dicha persona.

Independientemente de lo adversa que haya sido la infancia de una persona, no es admisible que haga daño a los demás, ya sea física o emocionalmente, mediante una acción mezquina o una observación cortante. Una persona que se comporta de esta forma lo está explotando y abusa de la relación que mantienen al utilizarlo para descargar sus sentimientos negativos.

Algunas personas tienen la tendencia de dar prioridad a los demás y a sus relaciones, y aunque esto pueda parecer muy noble no es sano: ni para usted, ni para ellos, ni para la relación. En toda relación usted siempre debe ser la prioridad. Colóquese en primera fila (y privilegie la seguridad de sus hijos, si los tiene). No se arriesgue a sufrir futuros maltratos. Y si desea tener una vida propia, quizá deba abandonar esa relación.

Si usted vive con alguien que se protege de la bondad y la intimidad, el placer y el entretenimiento, pero que no es una persona peligrosa ni emocional ni físicamente, entonces tiene más opciones. Usted tiene el derecho de hablar francamente con esa persona y pedirle que cambie. Comunicarle cuáles son sus límites personales en relación con su actitud defensiva —ofreciendo ejemplos que ilustren de qué forma esa actitud influye en la relación y el estilo de vida que comparten— es una forma adecuada de acotar la situación.

Usted no tiene ninguna obligación de modificar su vida para poder compartirla con una persona que asume una postura defensiva. No tiene que dejar que una actitud semejante obstaculice su propia experiencia. Si la otra persona persiste en su conducta, usted aún puede optar por tener una existencia plena y vital. Proteja su gozo. Elija la vida.

Usted es la fortaleza

Si es usted quien actúa de acuerdo con sus defensas, el camino más rápido para conquistar el placer es hacer una terapia con un profesional experimentado. También existen programas y clases que le enseñarán a modificar su conducta por sus propios medios. Algunos de dichos programas, particularmente los de doce pasos (si tiene la fortuna de tener alguna adicción o un comportamiento compulsivo), son milagrosamente eficaces y tienen muy buenos antecedentes. (Aunque es penoso tener una adicción, muchas de las personas que están en los programas de recuperación se sienten agradecidas, porque gracias a su adicción han encontrado una nueva manera de vivir. Los programas de doce pasos ofrecen un camino para corregir la conducta, y los principios que se enseñan allí se pueden utilizar para quebrantar una actitud defensiva.)

Cuando usted compara el coste de hacerlo solo con la posibilidad de encontrar ayuda en un programa eficaz o acudiendo a un terapeuta, recuerde considerar la situación en términos de tiempo. ¿Cuántos años ha perdido ya? ¿Cuánto más desea sacrificar?

Piense cuántos meses le llevaría construir una casa por sí mismo en comparación con lo que tardaría en hacerla con la ayuda de algunos amigos y utilizando un buen libro de bricolaje. El proceso sería mucho más rápido si además trabajara con un contratista experimentado.

Cuando se trata de un cambio psicológico, emprenderlo a solas puede llevar décadas. Compárelo con las siguientes opciones, cada una de los cuales le reportará cambios positivos durante el primer año. Con un programa eficaz (y sin la supervisión de un profesional), puede conquistar una vida placentera en un plazo de cinco a diez años. Un profesional cualificado puede ayudarlo a encontrar el camino de la transformación en un plazo de tres a siete años. Si combina un buen programa con la ayuda de un profesional, es posible que al cabo de dos o tres años su vida haya dado un vuelco. (Todo esto si suponemos que usted dirá la verdad, colaborará en el proceso y hará un esfuerzo.)

¿En qué sentido ayudan los límites?

Los límites le ofrecen seguridad sin que usted deba apartarse de las cosas que verdaderamente le interesan. Compare la diferencia que existe entre los límites y las defensas en el siguiente ejemplo:

Las defensas

Cuando Perry caminaba en dirección al edificio ya estaba enfadado. Estas reuniones obligatorias destinadas a conocer personas nuevas eran una pérdida de tiempo. Nunca había conocido a nadie interesante en aquellas fiestas.

Al entrar se dirigió directamente a la mesa donde estaba el ponche con la intención de tener algo en la mano, y luego se instaló en una mesa vacía que había en un rincón. Se dedicó a observar hoscamente cómo se saludaban los invitados. Y todo lo que vio eran farsantes, trepadores sociales y mujeres cuyo único deseo era conquistar a un hombre.

Una mujer joven y atractiva se acercó hasta su mesa. «¿Le importa que me siente?», le preguntó.

Él se encogió de hombros. «Como quiera.»

Ella se sentó y preguntó: «¿Cuál es su ocupación en este ámbito?».

«La programación.»

«¿Está trabajando en algún proyecto interesante?»

«No.»

«He estado estudiando el sistema Norami. Es increíble. Procesa los datos con la velocidad de un relámpago. Me lo estoy pasando muy bien, pero me lleva mucho tiempo aprenderlo, es muy complejo.»

«Yo lo encuentro muy sencillo.»

Ella parpadeó. «¿Y qué es lo que le gusta hacer cuando está fuera de este ambiente?»

«No mucho.»

«Lamento haberlo molestado.» Se puso de pie y se alejó rápidamente.

Cuando actuamos de un modo defensivo podemos incluso sabotear las interacciones más rudimentarias que podían haber dado paso a una relación, por el mero hecho de evitar a los demás, negarnos a mirar a otra persona directamente a los ojos, responder a sus preguntas de una forma cortante, no ofrecerle ninguna información, no mostrarle ningún interés, malinterpretar su ofrecimiento de amistad y rechazar de plano aquellas conversaciones en las que el contenido no es tan importante como el intento de relacionarse con la otra persona.

Los límites

Mientras Barry se dirigía al edificio se sentía nervioso. Estas reuniones obligatorias destinadas a conocer nuevas personas eran extraordinarias para las personas extravertidas, pero él no formaba parte de ese grupo. Entró en la sala y se encaminó directamente a la mesa donde se servía el ponche con la intención de tener algo en la mano, y luego se instaló en una mesa vacía que había en un rincón. Observó que los invitados se saludaban con naturalidad. Le hubiera encantado poder hacer lo mismo.

Una joven y atractiva mujer se acercó hasta su mesa. «¿Le importa si me siento?», preguntó.

«En absoluto, excepto por mi extraordinaria timidez.»

Ella sonrió y se sentó. Tenía una sonrisa muy dulce. «¿Es usted tímida?»

Soy tan tímida, que la misma Barbara Walters se quedaría sin preguntas en un plazo de cinco minutos, respondió mientras se reía nerviosamente. Era una risa encantadora. «¿A qué se dedica usted?»

«A la programación.»

«¿Está trabajando en algún proyecto interesante?»

«¡Ya lo creo! Estoy trabajando duramente en Y Tres K»

«¿Y *Tres* K?»

«Puedo ser tímido, pero creo que se deben planificar las cosas con la debida anticipación.»

Ella rio abiertamente. Él pensó que hacerla reír podría ser una vocación que merecía la pena.

Ella dijo: «He estado estudiando el sistema Norami. Es increíble. Procesa los datos con la rapidez de un relámpago. Me lo estoy pasando muy bien, pero me lleva mucho tiempo aprender el sistema. Es muy complicado».

«Yo adoro ese sistema. Merece la pena dedicar un tiempo a aprenderlo. Si tiene alguna dificultad, estaría muy contento de poder ayudarla. ¿Qué es lo que le gusta hacer cuando no está en este ambiente?»

Ella se acercó a él y susurró: «Me encanta la jardinería. ¿Y usted?».

«Siempre quise aprender jardinería.»

Cuando establecemos correctamente los límites no tenemos ninguna necesidad de cerrarnos frente a las personas ni a las posibilidades. Fijar los límites nos ofrece la opción de dejar entrar en nuestra vida a otras personas que en el futuro pueden ser verdaderamente importantes para nosotros.

Los límites se pueden utilizar de dos formas: para evitar las acciones de las personas que nos han herido y para incluir a aquellas que han demostrado ser merecedoras de su confianza. En otras palabras, los límites previenen los daños y promueven los beneficios. Barry demostró con su actitud el aspecto inclusivo de los límites al ser receptivo frente a un comentario acertado que pronunció aquella joven y atractiva mujer con el fin de entablar una conversación. Por el contrario, Perry impidió que se desarrollara una relación potencial debido a su actitud defensiva.

Los límites discriminan. En contraste, las defensas tienen la desafortunada característica de excluir simultáneamente lo bueno y lo malo.

Con un *kit* de herramientas para fijar los límites, usted presta atención a las acciones que lo desvalorizan y aprende a evitarlas. En su primera cita con Max él desmerece su opinión sobre el determinismo dialéctico. Esto es una bandera roja. Expresar un desacuerdo es aceptable. Tener diferentes opiniones añade interés a una conversación. Pero desautorizar su opinión por considerarla inferior, no es admisible. La respuesta de Max es una advertencia para que usted detecte una actitud de desprecio, de desconsideración o de falta de respeto. Si usted corrobora que su interlocutor asume esa actitud, puede tomar distancia u observar cómo se comporta cuando usted pone un límite. Por ejemplo: «¿Te das cuenta de que tiendes a despreciar mis opiniones? Haz el favor de tener respeto por mis ideas».

Antes de telefonear a su madre, que se caracteriza por rechazarlo constantemente, recuerde ampliar sus límites. Si ella hace un comentario a través del que manifiesta su rechazo, usted puede responderle con una afirmación que marca un límite o concluir de inmediato la conversación.

Al apartarse de las situaciones en las que usted o sus decisiones son rechazados, usted envía a su psique el mensaje de que asume su propia protección y que no le será necesario exponerse a una alerta roja para cuidar de sí mismo.

También puede ayudarse a sí mismo reemplazando una actitud defensiva con el establecimiento de unos límites sanos al dejar entrar en su vida a personas de bien. Cuando un amigo demuestra ser fiable, véalo con frecuencia. Arriésguese un poco más. Analice en qué situaciones lo tratan con amabilidad. Preste atención cuando alguien le inspira confianza. Cuando usted sea capaz de discriminar con mayor facilidad a la gente que deja entrar en su vida, tendrá menos espacio para las personas dañinas y comenzará a relacionarse con personas positivas.

Hace algunos años controlábamos las malas hierbas de nuestro jardín con un veneno tan tóxico que resultaba amenazador para la vida de ciertos pájaros. Ahora podemos controlar las malas hierbas con productos cuya acción es muy específica. Antes solíamos deshacernos de todas las bacterias que había en nuestro cuerpo cuando teníamos que curarnos un dedo inflamado. Ahora utilizamos los antibióticos con mucho cuidado. Hemos aprendido que las medidas drásticas en gran escala tienen un coste enorme.

Asumir una actitud defensiva es igualmente caro. Analice el coste que ha tenido para usted dicha actitud. ¿Cuántas oportunidades, experiencias y personas ha perdido por culpa de su actitud defensiva? Haga una lista.

Mediante los límites, usted puede protegerse de diversas formas específicas y conscientes sin necesidad de estar armado hasta los dientes. Usted puede evitar exponerse a las personas que lo maltratan y, por otro lado, fomentar los contactos con aquellas personas que tienen el potencial para convertirse en seres queridos.

Capítulo 4

Límites en la comunicación

Usted no conquista el consentimiento de otra persona
haciéndole callar.

Hacer una petición

KELLY es íntima amiga de Salvatore, el marido de Anita. Cuando Anita y Sal se separaron, Kelly, que no era la «otra» mujer, aconsejó a Salvatore que pidiera el divorcio. Sal y Anita superaron sus diferencias y se reconciliaron, pero Anita ya no volvió a confiar en Kelly y no tenía el menor interés de ser su amiga.

12 de agosto de 1998

Anita, soy Kelly. Cuando visito a las personas de tu ciudad suelen preguntarme qué es lo que pienso del nuevo hogar de Anita, y yo tengo que decirles que todavía no me han invitado a visitarlo. Conozco a muchas personas de tu vecindario. Supongo que simplemente debo decirles que me rehúyes sin tener ningún motivo.

14 de agosto de 1998

Kelly, soy Anita. Estoy en medio de un gran proyecto con una fecha de entrega inmediata. En este momento no puedo ponerme a pensar cómo hablar contigo de este asunto.

15 enero de 1999

Anita, soy Kelly. Han pasado seis meses. Quizá esté equivocada, pero tengo la impresión de que ibas a llamarme cuando terminaras el proyecto en el que estabas trabajando.

20 de enero de 1999

Querida Kelly:

El verano pasado me amenazaste con hablar mal de mí en el pueblo si no te invitaba a mi casa. Aparentemente te parece inexplicable que no te haya pedido que vinieras a visitarnos. Creo que es mejor que recordemos cómo te comportaste previamente conmigo.

1. Dejaste un mensaje en mi contestador diciéndome que mi marido quería el divorcio. (Marzo de 1997.)
2. Escribiste una carta a Salvatore afirmando que si intentaba solucionar nuestro matrimonio ya no seguirías siendo su amiga. (Junio de 1997.)
3. Entraste en mi apartamento con él mientras yo estaba en un retiro para convencerlo de que me dejara una nota diciendo que quería el divorcio y que ya no deseaba tener ningún contacto conmigo. (Agosto 1997.)

A través de estos actos creo que has dejado muy claro lo que pensabas de mí. No hay absolutamente nada en tu comportamiento que me transmita el mensaje de que estaría a salvo en tu compañía.

En la única conversación que mantuvimos en el lapso de tiempo que media entre dichos acontecimientos y el momento presente, intenté expresarte lo dolida que me sentía por tu actitud, y tú afirmaste que lo habías hecho porque tu esposo te había obligado.

Sinceramente, esto no es suficiente para que yo me sienta segura de que en el futuro no serás un motivo de sufrimiento para mí.

Antes de poder sentarme a hablar contigo, necesitaría escucharte reconocer lo que has hecho y que me aseguraras que jamás volverás a hacerme un sabotaje semejante.

Y especialmente necesitaría saber que si yo no me comportara como tú quieres, no estarías diciendo infamias sobre mí en mi vecindario ni resultarías una amenaza para todo aquello que yo valoro.

Anita.

14 de marzo de 1999

Anita, soy Kelly. No sé por dónde comenzar a responder tu carta. Sería mucho mejor que nos encontráramos para charlar.

17 de marzo de 1999

Querida Kelly:
Lo que te dije en mi última carta no ha cambiado en absoluto. Todavía necesitaría ciertas cosas de ti antes de poder sentirme lo suficientemente segura como para hablar contigo.

Si necesitas una aclaración, vuelve a leer mi carta anterior.

Si te preocupa lo que pueda suceder si nos encontramos casualmente en mi nuevo vecindario —ya que tenemos muchos amigos comunes—, te comunico que pienso comportarme de un modo educado y cívico. Jamás he hablado con ninguno de nuestros amigos comunes de los desacuerdos que existen entre nosotras.

Lo único que deseo es que tú hagas lo mismo.

¿Qué es lo que pretendes obtener de nuestro encuentro? ¿Qué es lo que esperas conseguir?

Anita.

5 de abril de 1999

Anita, soy Kelly. Acabo de recibir tu carta este fin de semana. Fue un tremendo error por mi parte entrometerme en la relación que tienes con tu marido. Todo lo demás fue una consecuencia de esa situación.

De cualquier modo, ya no tiene importancia.

Al leer la información precedente, ¿cuáles son los límites y los errores relacionados con los límites que ha podido identificar? ¿Sería usted capaz de comprender el problema de la comunicación inicial de Kelly sin conocer ninguno de los sucesos anteriores?

Vamos a volver atrás. Inténtelo:

«Anita, soy Kelly. Cuando visito a las personas de tu ciudad, suelen preguntarme qué es lo que pienso del nuevo hogar de Anita, y yo tengo que decirles que todavía no me han invitado a visitarlo. Conozco a muchas personas de tu vecindario. Supongo que simplemente debo decirles que me rehúyes sin tener ningún motivo».

Kelly amenaza a Anita con hablar mal de ella en su nuevo vecindario si no hace lo que Kelly desea. Se trata de una violación de los límites. Utilizar una amenaza para conseguir un fin crea, evidentemente, una distancia en la relación.

Dado el contexto en que se inscribe, el primer mensaje es bastante notable. Tras un año de silencio entre las dos mujeres, esta es la primera vez que Kelly intenta comunicarse con Anita. La última vez que supo algo de ella fue cuando acompañaba a su marido mientras él le dejaba una nota comunicándole que le pedía definitivamente el divorcio.

¿Podría usted indicar qué es lo que falta en el mensaje de Kelly? Esta es una habilidad que merece la pena adquirir, pues le permitirá conocer algo más sobre los límites —al descubrir qué es lo que *no* se ha dicho o hecho. Lo que no se ha mencionado puede constituir un error en relación con los límites. Tratar de imaginar lo que falta puede ayudarnos a detectar una manipulación o explicar por qué una determinada relación parece haberse enfriado.

¿Qué es lo que falta en el mensaje inicial de Kelly? ¿Cuál de las siguientes opciones debería haber incluido?

1. Una petición clara.
2. Un reconocimiento de los sucesos que habían tenido lugar previamente.
3. Un reconocimiento del estado actual de su relación.
4. Algún tipo de cumplido en relación con Anita.

Las primeras tres opciones hubieran aumentado las oportunidades de Kelly de obtener un resultado satisfactorio. Para que este mensaje se convirtiera en una comunicación sana, ella tendría que haber hecho un pedido claro y directo y debería haber reconocido y aceptado la situación que existía realmente entre ellas y la importancia de los sucesos previos. Dado su distanciamiento, un cumplido hubiera parecido una actitud manipuladora y hubiera estado fuera de lugar.

A continuación ejemplifico cuál sería una forma sana de hacer un pedido:

«Anita, soy Kelly. Reconozco haber participado en diversos acontecimientos que probablemente te causaron mucho sufrimiento. Sé que he hecho cosas que te han herido. Soy amiga de Sal y ahora que ambos están otra vez juntos, me gustaría intentar arreglar las cosas contigo. Me encantaría conocer tu nueva casa y me resulta muy desagradable cuando nuestros amigos comunes me piden mi opinión sobre ella y yo no sé qué decirles. ¿Podrías considerar la posibilidad de que nos encontráramos para intentar resolver esta situación? Llámame cuando puedas, por favor. Adiós.»

LÍMITES SANOS EN LA COMUNICACIÓN, PRIMERA PARTE

- Si usted desea pedir algo, hágalo de una manera clara y directa.
- Si su petición no se ajusta a la naturaleza de su relación actual, acéptelo. Por ejemplo, si tiene un historial de discusiones interminables con la persona en cuestión y usted desea delimitar nuevas condiciones para la relación, acepte el estado actual de la situación y reconozca al mismo tiempo su deseo de cambiar las cosas.
- Recuerde que la otra persona tiene el derecho de rechazar su petición. Si lo hace, puede negociar con ella con el fin de encontrar alguna forma de considerar las necesidades de ambos.

Cómo responder a una petición

No estamos obligados a hacer todo aquello que otra persona desee que hagamos. Recuerde que usted es quien tiene la responsabilidad final de imprimir una dirección a su vida. Cuando alguien le pide algo, usted es la autoridad que debe decidir si es positivo para usted satisfacer una determinada demanda.

Es evidente que, en nombre de un valor superior, todos elegimos hacer cosas que —aunque provisionalmente nos resulten incómodas o supongan un enorme esfuerzo— a largo plazo nos reportarán la ventaja de sentirnos más cerca de la vida que deseamos tener. Quizá no me apetezca en absoluto sentarme en un puesto de la feria del condado para hablar de la crianza de los pollos, pero, en nombre de la felicidad de estos animales y por cumplir con mi compromiso con la comunidad, decido dedicarle una mañana.

Cuando alguien le pide algo, considere si es una buena forma de invertir su tiempo y su energía, y si el hecho de acceder a ese pedido será reconfortante para usted en algún sentido. Si no le parece positivo hacer exactamente lo que la otra persona le solicita, considere si puede resultar efectivo introducir alguna variación.

A modo de práctica, la próxima vez que alguien le pida algo usted puede hacer una contraoferta que ponga en marcha una negociación. En vez de responder rápidamente «sí» o «no», piense si puede modificar algo de dicha solicitud para que se adecue mejor a sus posibilidades y deseos.

En el intercambio inicial entre Anita y Kelly, por ejemplo, esta última formuló un pedido. Anita respondió con una contraoferta que fue una forma de abrir la negociación. Luego Kelly echó por tierra toda la situación al no aceptar esa nueva propuesta.

Cometió una serie de errores de comunicación que finalmente incidieron en el hecho de que no consiguiera lo que pretendía. Cuando analizamos los mensajes de Kelly, observamos que se niega en todo momento a reconocer lo que Anita le comunica.

Analice el siguiente intercambio de mensajes e intente descubrir qué es lo que falta.

20 de enero de 1999

Querida Kelly:

Antes de sentarme a hablar contigo, necesitaría escucharte reconocer lo que has hecho y asegurarme de que no volverás a hacerme ningún tipo de sabotaje.

14 marzo de 1999

Anita, soy Kelly. *¿Por qué simplemente no nos encontramos para conversar?*

Se trata de una manipulación por negación. Con su actitud, Kelly está diciendo: ignoraré las contraofertas, simularé que nunca se han pronunciado y seguiré adelante para conseguir lo único que me interesa.

El hecho de ignorar los límites es en sí mismo una respuesta. A veces tenemos la sensación de que la otra persona nos avasalla después de haberle dado un «no» por respuesta, entonces quizá no hemos sido muy claros. Podemos caer en la trampa de explicar una y otra vez lo que hemos dicho y mientras tanto dejamos que la otra persona se aproveche de nosotros.

Si usted se descubre intentando educar insistentemente a la otra persona, estará trabajando en exceso. Observe la forma en que Anita manejó la situación. Cuando Kelly ignoró su primera carta, Anita esencialmente le dijo: «Aunque has pasado por alto todo lo que te dije en mi carta anterior, lo que he afirmado sigue en pie. Léela otra vez si necesitas un recordatorio».

No tenemos ninguna obligación de asumir la responsabilidad cuando es la otra persona la que se niega a responder. Si observa que su interlocutor ignora el pedido que usted le hace, aunque sea totalmente razonable, su contraoferta o los límites que usted impone, preste atención. Es a *usted* a quien le está respondiendo. La otra persona actúa con desconsideración y está absolutamente justificado que usted imponga un límite más firme para defenderse.

Cuando Anita impuso ciertos límites —*hablaré contigo solo bajo ciertas condiciones*—, Kelly podía haber respondido con una propuesta de negociación, pero esa respuesta hubiera requerido que reconociera en primer lugar los límites que Anita había impuesto.

Por ejemplo: «Anita, veo que necesitas escucharme admitir que he hecho cosas que te han dolido. Estoy dispuesta a hacerlo, pero me gustaría poderlo hacer en persona y no a través del teléfono o de una carta.

»Lamento mucho haberte amenazado con hablar mal de ti. Fue una reacción impulsiva, y las palabras salieron de mi boca sin que realmente pretendiera decir algo semejante. Más tarde me arrepentí enormemente.

»Te prometo que no volveré a hablar con nadie de nuestros asuntos. Y quiero decirte que lamento haberlo hecho. Hace un año era absolutamente fiel a Sal y solo veía su sufrimiento. Pasé por alto el hecho de que eran dos las personas implicadas en el problema e ignoré el sufrimiento que te estaba causando.

»Por lo tanto, te pido que nos encontremos, aunque aún no soy capaz de ofrecerte todo lo que tú deseas».

Con esta buena disposición y el reconocimiento de la situación, Anita no solo podría sentirse segura, sino que también podría albergar la esperanza de que una conversación con Kelly representaba la posibilidad de encauzar positivamente su relación.

LÍMITES EN LA COMUNICACIÓN, SEGUNDA PARTE

- Reconozca cuál es la petición que le formula la otra persona —en caso de no comprenderla, pídale que se la aclare.
- Cuando alguien le hace una petición, antes de responder sí o no pregúntese si se beneficiaría de alguna manera en el caso de que se modificaran ciertas condiciones.
- Comunique los cambios que quiere proponer y establezca límites para la petición original.
- Analice si ha entrado en un proceso de negociación. Su contraoferta puede coincidir con otra oferta. Si ambas partes aceptan la variante propuesta, la negociación será positiva y tendrá excelentes oportunidades de obtener un resultado satisfactorio para los dos.
- Preste atención a lo que falta en la conversación. Si las preguntas razonables que usted formula no obtienen respuesta, o la otra persona ignora sus límites, sus condiciones o contraofertas, ya tiene una respuesta. En vez de insistir, concéntrese en sí mismo otra vez y recuerde lo que *usted* desea para manifestarlo con toda claridad.

Es positivo señalarle a la otra persona que está ignorando lo que usted dice. «Fred, te dije que no prepararía la cena para tus amigos del club de póquer a menos que hicieras la compra y fregaras los cacharros. Has ignorado mis condiciones y lo único que has conseguido es reducir tus oportunidades. No voy a encargarme de todo si tú no me ayudas.»

VIOLACIÓN DE LÍMITES EN LA COMUNICACIÓN

* Negarse a reconocer los límites que le ha impuesto la otra persona.
* Negarse a responder preguntas relacionadas con la petición.
* Ignorar las respuestas de la otra persona.
* Ignorar el contexto de la relación.
* Hacer una petición que es inapropiada para la relación (sin reconocer que es poco usual o inadecuado).

Cómo abordar las preguntar

Usted no está obligado a responder a todas las preguntas que le hagan. Si una persona le hace una pregunta que es inadecuada dada la naturaleza de la relación que mantiene con ella, no tiene ninguna obligación de responder. (Nos han educado de acuerdo con ciertas reglas sociales que dictan que debemos sacrificarnos en nombre de la cortesía.)

Observe de qué forma se puede responder a una misma pregunta según quién sea la persona que la formula:

De la tía Mabel (una entrometida de la que se puede esperar que divulgue su respuesta —distorsionándola considerablemente— entre personas que usted ni siquiera conoce):

«Eres una chica guapa, Evie, pero el aspecto físico no dura toda la vida. Tienes casi treinta años y deberías pensar en casarte. ¿Estás saliendo con alguien?».

«¿Y qué hay de ti, tía Mabel? El tío Fred murió hace ya mucho tiempo. ¿Le has echado el ojo a alguien?»

O, en el caso de que el tío Fred aún viva...: «¿Cuántas parejas conoces que estén felizmente casadas, tía Mabel?».

De alguien de su oficina con quien mantiene una relación distante:
«¿Estás casada?»

«¿Por qué lo preguntas?»

De una persona que acaba de conocer en una fiesta y que no le despierta ningún interés: «¿Sales con alguien?».

«Ese es mi pequeño secreto.»

O: «No nos conocemos lo suficiente como para que tenga que responderle».

De su madre, que tiene buenas intenciones, pero también una tendencia a despertar su ansiedad:

«¿Sales con alguien, cariño? Ya sabes, cuanto más esperes, menos peces habrá en el mar».

«Mamá, ahora mismo tengo varios candidatos haciendo fila.»

O: «Es verdad, mamá, quizá sea mejor que me dé prisa y me case con el primer borracho que vea. ¿Crees que sería mejor estar casada con un imbécil en vez de estar soltera y feliz?».

De su hermano, que siempre piensa que sabe qué es lo mejor para usted:

«¿Aún sigues saliendo con ese granjero que se llama Harold?».

«¿Acaso te refieres a esa persona estable, digna de confianza, formal y honrada que te presenté en la última reunión?»

De su mejor amiga, que sabe guardar las confidencias y se preocupa por usted:

«¿Sigues viendo a Harold?».

«Sí, y aunque me gusta mucho, a veces me preocupa el hecho de no sentirme muy entusiasmada cuando sé que voy a verlo.»

TÉCNICAS PARA EVITAR LAS PREGUNTAS INADECUADAS

- Responder con otra pregunta.
- Devolver la pregunta a la persona que la ha formulado.
- Llevar la pregunta hasta el caso extremo.
- Responder sin poner de manifiesto ninguna información íntima o personal.
- Preguntar al interlocutor por qué hace esa pregunta.

- Reconocer que no conoce suficientemente bien a la otra persona como para responder a su pregunta.
- Concluir la conversación.

Límites para la información

Usted es el único guardián de la información relacionada con su vida personal. Tenga cuidado para no revelar ninguna información delicada o personal a alguien que es mezquino, poco cuidadoso o que no merece su confianza. Considere las siguientes violaciones de límites:

Robar un momento de goce

Tras cinco años de trabajo duro, Mathews consiguió finalmente una promoción. Estaba realmente contento. Llamó a su padre con la esperanza de celebrar juntos ese feliz acontecimiento.

«Papá, me han ascendido al puesto de supervisor.»

«No entiendo por qué quieres trabajar en producción. Lo que realmente da dinero son los ordenadores.»

Mathews se sintió inmediatamente desmoralizado. Su padre había ignorado completamente su gran logro. El mensaje del padre de Mathews era: «Todavía no lo estás haciendo bien».

¿Cuál de las siguientes respuestas hubiera fomentado el goce de Mathews?

1. «¿Cuánto dinero te van a pagar?»
2. «A tu hermano mayor lo acaban de nombrar capitán. Deberías llamarlo para darle la enhorabuena.»
3. «Te ha llevado mucho tiempo conseguirlo.»
4. «Yo era propietario de una empresa cuando tenía tu edad.»
5. «¡Fantástico, hijo! Déjame que te invite a cenar para celebrarlo.»

La respuesta 5 es la única que ofrece apoyo a Mathews. Todas las demás le hubieran arrebatado este momento de gozo.

Si sabe que alguien es conocido por responder generalmente de una forma crítica o asumiendo una actitud de superioridad, no le comunique sus momentos de gozo, sus autorrevelaciones ni sus logros. Busque a alguien que esté verdaderamente de su lado.

La desvalorización

«Sis, me he dado cuenta de algo importante. Lo que más me gusta en el mundo son los niños. Voy a volver a estudiar para conseguir el título de maestra.»

«¿Qué te hace pensar que eso te hará feliz?»

Si, tras un prolongado proceso, usted descubre algo importante en relación con su vida, o comprende lo que le importa de verdad, comuníqueselo solamente a una persona que le inspire confianza. No se arriesgue a compartir un descubrimiento importante con alguien que no lo apreciará.

La usurpación

«¡Mamá, me han publicado el libro!»

«¡Vaya, Talia, eso es maravilloso! Creo que después de todo no te hemos educado tan mal. Me muero de impaciencia por contárselo a todas mis amigas.»

La madre de Talia asumió el mérito de su hija como si fuera propio. Va a contárselo a sus amigas, no por sentirse orgullosa de Talia, sino para adjudicarse la gloria y ensalzarse a sí misma, usurpando de este modo el mérito de su hija y también sus logros.

Si tiene parientes o amigos que solo piensan en sí mismos y escuchan lo que usted dice fijándose únicamente en lo que significa para ellos, espere para contarles sus buenas noticias hasta que haya experimentado todo el placer que le producen. Más tarde, cuando haya disfrutado plenamente de sus logros, la reacción de sus familiares ya no le afectará.

Comunique la información privada y confidencial a aquellas personas que usted sabe que pueden mantener un secreto. A veces las personas que son verdaderamente encantadoras se muestran tan cálidas y receptivas que sentimos el deseo de abrir nuestro corazón frente a ellas. Pero antes de ir demasiado lejos, asegúrese de que son capaces de mantener en secreto lo que les comunica. Independientemente de lo encantadora que pueda ser una persona, si en el pasado ha divulgado algo que para usted era muy íntimo, se arriesgará a seguir exponiéndose a esa situación si vuelve a confiar en ella.

Hablar demasiado

Hace poco tiempo en el programa de *Oprah Winfrey*, un hombre afirmaba esencialmente lo siguiente: «Las mujeres solo desean una cosa: la cartera de un hombre. Eso es todo lo que les preocupa. Si un hombre no tiene trabajo, olvídate, una mujer ya no se muestra interesada por él».

Este hombre tenía la cara roja, se inclinaba hacia delante en su asiento y hablaba en un tono tan alto como para que lo escucharan aquellos que se encontraban en la tribuna. Pero en el plató del *Show* de Ophra no hay tribuna. Las mujeres de la audiencia intentaban hablar con este hombre, pero él siempre las interrumpía y volvía a su tema favorito, del cual hemos hecho un pequeño resumen.

A partir de la poca información que he ofrecido sobre el tema, ¿puede usted transformarse en un «sabueso» de los límites y detectar las violaciones que se producen en esta situación?

Escoja una opción de la siguiente lista:

1. Expresar una opinión rotunda.
2. Hacer una afirmación global sobre un determinado grupo y oponerse a que alguien que pertenece a dicho grupo demuestre que la afirmación no es correcta.
3. Intimidar a alguien con el fin de hacerlo callar.

La opción 1 es el único ejemplo que no supone una violación de un límite. Muchos de nosotros tenemos opiniones rotundas. No hay nada de malo en ello. El problema surge cuando impedimos activamente que alguien exprese su opinión, en especial cuando comparte con nosotros una relación íntima.

El desvalorizador

Querido Steve:

Solo nos hemos visto dos veces: una cuando éramos niños y otra ya como adultos. Sin embargo, somos hermanos. Quizá sería conveniente que nos comunicáramos.

Al leer el último e-mail que me envió papá, me di cuenta de que estaba hablando con sus dos hijos. De modo que busqué en la lista de direcciones y pensé que Steson tenías que ser tú. Nunca había revisado la lista detenidamente con anterioridad porque me parecía que era algo privado.

Por tanto: ¡Hola! Se me ocurrió enviarte un mensaje para decirte que si en algún momento te apetece hablar directamente conmigo, me encantaría conocerte un poco más y saber cómo te va la vida.

Kristin

Kristin:

Nunca me había dado cuenta que SewSeam era tu dirección de correo electrónico ni que las cartas de papá también iban dirigidas a ti.

¿Privacidad en la red? No existe tal cosa.

¿Tienes ganas de conocerme? No estoy seguro de que ni tú ni yo deseemos eso, pero si algún día pasas casualmente por Tallahassee, podremos vernos.

Querido Steve:

Una persona puede respetar la intimidad de otra aunque el sistema en su conjunto no esté pensado para eso.

Hablaba sinceramente cuando decía que me gustaría conocerte mejor. No comprendo por qué crees que esto no es cierto, sin embargo respeto tu posición.

(¿Acaso alguien puede pasar casualmente por Tallahassee?)
Kristin.

Kristin:

Te ruego que no malinterpretes mi última observación.
Lo que pasa es que no soy precisamente una persona dulce y encantadora.
Mis compañeros del trabajo te podrían contar que estoy en camino de convertirme en un viejo cascarrabias.

Querido Steve:

¿Te divierte ser un cascarrabias?
Kristin.

Para: Kristin:

No soy realmente un cascarrabias; creo que sería más adecuado decir que soy franco y directo. Casi nunca me enfado y generalmente estoy de muy buen humor.

Este breve intercambio contiene diversos tipos de violaciones de la comunicación. A dos de ellas las denomino «bola de billar» y «golpea y corre».
Una conversación sana se parece a un partido de tenis. La persona A arroja una bola al hacer una afirmación. La persona B devuelve la bola con su respuesta y lo hace de un modo que incluye reconocer el significado de las palabras de A. Entonces la persona A devuelve la bola demostrando que acepta la respuesta de B. La conversación puede desplazarse hacia diferentes temas, pero cada respuesta se conecta de alguna manera con el comentario previo del interlocutor.
En una conversación del tipo «bola de billar», cada comentario sucesivo tiene una nueva dirección, que se conecta escasamente (o no) con el comentario previo, si es que realmente llega a tener relación con él. La persona A hace una afirmación. La persona B le da un nuevo giro a dicha afirmación y a continuación responde como si ese fuera el significado original. La persona A vuelve a pronunciar su mensaje original (con la intención de establecer una conversación que se parece a un partido de tenis), pero la persona B modifica nuevamente el sentido de la conversación y continúa en una

nueva dirección, ocupándose de sus propios pensamientos en vez de acatar el significado de las palabras de A.

¿Ha sido capaz de identificar las afirmaciones del tipo «bola de billar» entre Steve y Kristin?

A continuación expondré un ejemplo:

K.: Me gustaría conocerte mejor, no sé por qué piensas que eso no es cierto, pero estoy dispuesta a respetar tu posición.

S.: No malinterpretes mi última observación. Lo que pasa es que no soy precisamente una persona dulce y encantadora. Mis compañeros del trabajo te podrían contar que estoy en camino de convertirme en un viejo cascarrabias.

K.: ¿Te divierte ser un cascarrabias?

S.: No soy realmente un cascarrabias; quizá los términos adecuados serían franco y directo. Casi nunca me enfado y generalmente estoy de muy buen humor.

Incluso cuando Kristin responde directamente a una afirmación de Steve, él se las arregla para negarla. Cada una de las afirmaciones de Steve niega el comentario previo de Kristin en algún sentido.

Con el paso del tiempo, un estilo de comunicación semejante conseguiría que Kristin experimentara una falta de claridad y de motivación. Dicho estilo no solo hace que la comunicación sea prácticamente imposible, sino que también la transforma en una experiencia enajenante. El mensaje subliminal de Steve es, «Desvalorizo todo lo que tú dices, aunque sea lo mismo que pienso yo». Kristin necesitaría tener las cosas muy claras para poder seguir los giros de la conversación y atenerse a su intención original.

Ahora vamos a analizar las afirmaciones del tipo «golpea y corre». Utilizo este término cuando una persona provoca a otra o desvaloriza de alguna manera a su interlocutor y luego pretende negarlo o adopta un tono diferente como si realmente no le afectara. Para el receptor, la situación es extremadamente confusa y su cabeza no cesa de dar vueltas, intentando reconciliar los mensajes contradictorios.

Propuesta: Me gustaría conocerte mejor.

Golpea y corre: ¿Conocerme? No estoy seguro de que ambos deseemos precisamente eso, pero serás bienvenida si alguna vez pasas casualmente por...

(Golpea: una negativa indirecta. Él transmite el mensaje como si hablara en nombre de Kristin, aunque sus palabras contradigan lo que ella dice. Corre: la invita a encontrarse con él si algún día pasa casualmente por su pueblo cuando ambos viven a una gran distancia. Esto parece ser una contraoferta, pero es una opción demasiado incierta como para que se la pueda considerar siquiera como una posibilidad.)

Propuesta: Miré la lista de las direcciones de correo electrónico y pensé que Steson tenías que ser tú. Nunca había revisado la lista detenidamente con anterioridad porque me parecía que era algo privado.

Golpea y corre: ¿Privacidad en la red? No existe tal cosa.

(Golpea: él ignora lo que ella afirma y ni siquiera se digna a considerar su propuesta. Corre: cambia de tema sin darse por aludido en relación con la propuesta.)

¿Cuál cree usted que es el mensaje general cuando alguien utiliza un estilo de comunicación del tipo «golpea y corre» y/o «bola de billar»?

Elija una de las siguientes posibilidades:

1. La búsqueda de la intimidad. El deseo de estar cerca de otra persona.
2. Advertir a la otra persona que no se acerque.
3. Albergar la esperanza de que la otra persona acudirá para conocerlo.
4. Estar realmente interesado en la otra persona.

La respuesta es la opción 2. Las conversaciones de tipo «bola de billar» y «golpea y corre» advierten al interlocutor que se mantenga a distancia. Estas técnicas bloquean e impiden la intimidad.

La otra forma de atentar contra la comunicación está presente en casi todas las respuestas de Steve destinadas a negar los comentarios de Kristin e ignorar cualquier aspecto positivo de su propuesta. ¿Qué cree usted que gana una persona cuando desvaloriza o niega reiteradamente lo que afirma otra?

1. Una sensación de igualdad en la relación.
2. Un/a compañero/a cuya autoestima ha aumentado.
3. Una sensación de tener más razón que su interlocutor o de superioridad con respecto a él/ella.
4. Un/a compañero/a que se siente motivado/a para comunicarse.

La respuesta es la opción 3. Cuando una persona niega frecuentemente lo que afirma otra, intenta gobernar los pensamientos y el discurso de su interlocutor.

La comunicación real entre Steve y Kristin continuó durante un cierto tiempo, durante el cual se intercambiaron bastantes cartas con el mismo modelo que hemos mostrado. Ella siguió intentando aclarar lo que pretendía decir y él persistió en su actitud de cambiar el sentido de sus palabras o negarlas, excepto en raras ocasiones en las que expresaba sus ideas o le informaba algo sobre su vida.

Cada vez que Steve parecía dispuesto a hablar de sí mismo, Kristin respondía cálidamente y le contaba algo personal. Parecía como si, a pesar de haber habido un mal comienzo, estuvieran dando pequeños pasos en la buena dirección. Pero finalmente todos los intentos se vinieron abajo después de intercambiar una serie de cartas en las que él claramente se dedicó a negar cualquier información en un estilo de comunicación del tipo «bola de billar».

Sostener durante demasiado tiempo una conversación negativa

Vamos a ocuparnos ahora de cómo se comportó Kristin en esta situación. Desde el comienzo, Steve le transmitió lo que sentía. No quería intimidad. Le molestaba que lo conocieran y vivía la propuesta de Kristin como una amenaza.

¿Por qué siguió ella insistiendo? ¿Por qué razón se abstuvo de decir: «Comunicarse contigo obviamente va a suponer más trabajo del que estoy dispuesta a hacer. Te pasas todo el tiempo modificando el sentido de lo que digo y negando tanto mis invitaciones como mis pensamientos y mis palabras. Esto es demasiado arduo. No me interesa».

Kristin hizo lo que harían un montón de personas con buenas intenciones. No podía creer que Steve estuviera realmente declinando una oportunidad para ganar una nueva amistad. Parecía pensar que si ella simplemente le hablaba con toda franqueza, Steve comprendería sus intenciones y su propuesta y la aceptaría. Las mujeres parecen tener una especial tendencia a seguir insistiendo en una relación una vez que ya han recibido doscientos setenta mensajes para que se marchen.

Además, solemos ser más insistentes cuando la otra persona es un familiar. Las oportunidades son aún mayores cuando lo que se busca es relacionarse con uno de los padres o con un hermano.

Estamos autorizados para rechazar una propuesta de amistad o de otra clase de relación. Lo más sencillo para todos sería poder hablar directamente de ello, pero, desgraciadamente, muchas personas transmiten sus negativas de una forma indirecta: cometiendo violaciones de los límites. Si alguien está violando los límites de la comunicación que mantiene con usted, su trabajo es advertirle cuál es la situación, apartarse de ella lo antes posible y reservar su energía y su buena voluntad para alguien que pueda apreciarlas.

Capítulo 5

Establecer los límites ante una actitud defensiva

J AMES KEYSTONE decidió que tenía que hablar con su mujer. Se dio cuenta de que era más feliz cuando ella no estaba en casa, y que durante un periodo de tiempo bastante prolongado había ido perdiendo gradualmente el interés por su matrimonio. Allie estaba haciendo algo que lo apartaba de su lado, y él estaba llegando a un punto sin retorno en su relación.

Decidió hablar con ella y darle a su matrimonio otra oportunidad. Esperó hasta el sábado por la mañana cuando ambos estaban descansados y no tenían ninguna obligación.

«Allie, necesito hablar contigo de algo importante.»

«¿Qué?» Su tono de voz era cortante. Parecía un gato arqueando su espalda.

«Cuando algo no te gusta te apartas de mí o me privas de algo, y esto está empezando a afectar nuestra relación. Quiero hablar del tema porque es muy importante para mí.»

«Habla más claro, James. Dame un ejemplo.»

«Muy bien. Sucedió un jueves del mes pasado, me quedé en el club de golf y llegué a casa más tarde de lo normal. Desde entonces no has vuelto a preparar la cena los jueves.»

«Teniendo en cuenta que ya no llegabas pronto a casa los jueves, decidí que aprovecharía esas noches para ir al cine, pues es el día del espectador.»

«Jamás dije que no volvería temprano a casa los jueves.»

«Ya, pero el mes pasado lo hiciste dos veces, y también el anterior.»

¿Qué sentido tiene que prepare la cena si no estás en casa?»

«Debería haberte llamado, trataré de hacerlo en el futuro, pero ...» continuó mientras elevaba el tono de su voz, «simplemente llegaste a una conclusión y jamás me dijiste nada al respecto.»

«Estás furioso conmigo.»

«No estoy furioso. Me gustaría que escucharas lo que te estoy diciendo.»

«Estas elevando la voz. Estás enfadado.»

Él deliberadamente bajó el tono de su voz y respondió: «Simplemente me siento frustrado.»

«Solo te preocupa tu estómago. Te disgusta que no esté aquí para servirte. Te da exactamente lo mismo que otros jueves me haya quedado esperándote sin tener la menor idea de dónde estabas.»

«Siento que te hayas quedado esperándome. Fue una desconsideración por mi parte.»

«Tú *eres* desconsiderado. ¿Recuerdas el día de mi cumpleaños? Finalmente hicimos lo que tú querías.»

«Cometí un error. Me olvidé de que me habías comentado que querías hacer una fiesta.»

«Te ocupas solo de lo que tú piensas y nunca me escuchas. Siempre sigues el curso de tu propia mente y no prestas atención a lo que te estoy diciendo.»

«Sin embargo, te escuché decir que echabas de menos a tu hermana», respondió él elevando nuevamente su voz. «Pensé que invitarlos a cenar a tu restaurante favorito iba a ser una agradable sorpresa para ti. Creo que eso es prestarte atención.»

«Tampoco echaba tanto de menos a mi hermana. Y de cualquier modo, me estás gritando.»

«No te estoy gritando. Estoy elevando la voz porque me siento frustrado.»

«Estás gritando. Estás verdaderamente enfadado.»

«Vale, *estoy* enfadado. No, en verdad *no estoy* enfadado. Me siento absolutamente frustrado. Tú desautorizas todo lo que digo.»

«Muy bien. Siempre estoy equivocada. Pero era *mi* cumpleaños y creo que sabía muy bien lo que quería.»

Él sacudió la cabeza. Su cerebro estaba ardiendo. «Necesito un minuto para pensar.»

«Tú pretendes que sea yo la que cambie. Esperas que todo se haga a tu modo y no estás dispuesto a dar nada a cambio.»

«Jamás dije que no estaba dispuesto a dar. Yo doy, pero tú ni siquiera te das cuenta de ello.»

«Pero si eres tú el que eres incapaz de percibir lo que te doy.»

James volvió a sacudir su cabeza y se dio por vencido. Levantando sus manos en alto, se alejó.

«Muy bien, ahora vete», exclamó ella con provocación. «Nunca terminas ninguna discusión.»

¿Se siente usted confundido después de haber leído este diálogo? Es duro presenciar una discusión semejante, pero aún lo es más intervenir en ella. Las parejas pueden enredarse en este tipo de discusiones durante horas causándose cada vez más daño y empeorando los problemas.

Utilizo esta situación de pareja solo como un ejemplo. Cualquier persona puede asumir una postura defensiva en cualquier tipo de relación. El objetivo de este capítulo no es dar a entender que solo las parejas asumen actitudes defensivas, sino demostrar que tenemos diferentes reacciones destinadas a protegernos. Dichas reacciones tienen un efecto sobre la comunicación y hay diversos modos de manejarlas.

Vamos a hacer la autopsia de la conversación que han mantenido los Keystones para identificar las defensas.

«Allie, necesito hablar contigo de algo importante.»

«¿Qué?» Su tono de voz era cortante. Parecía un gato arqueando su espalda.

El enojo de Allie es una forma de defensa. Evidentemente, solemos enfadarnos como respuesta a diversos tipos de situaciones, pero en este caso, Allie se siente molesta incluso antes de saber de qué se trata. La ira que se expresa antes de que tenga lugar una conversación puede ser un intento de controlar a la otra persona. Puede ser una forma de decir: «Voy a intentar detenerte incluso antes de que empieces a hablar. Te conviene retirarte. Si te enfrentas a mí me enfadaré.»

¿Cuál sería la respuesta adecuada cuando alguien afirma que tiene algo importante que decirle? Tomarlo en serio. También puede sentir temor, enfadarse o preocuparse por lo que usted siente por la otra persona, pero en tanto ella utilice su energía o su coraje para abordar un tema importante, todo saldrá bien. Preste atención.

«Cuando algo no te gusta te apartas de mí o me privas de algo, y esto está empezando a afectarme. Quiero hablar del tema porque es muy importante para mí.»

«Habla más claro, James. Dame un ejemplo.»

Podemos estar cegados por nuestros propios modelos de conducta. Allie hace muy bien en pedir ejemplos. Aun cuando esa pregunta pudiera ser una defensa destinada a convertir el tema en una prueba que puede ser destruida, es absolutamente apropiado que James demuestre sus razones con ejemplos.

No obstante, como veremos más adelante, Allie lo está sacando de sus casillas, pues le discute cada uno de los ejemplos que él le ofrece. Cuando el interlocutor se aprovecha de esos ejemplos en beneficio propio, el que los ofrece con el tiempo dejará de hacerlo.

«Muy bien. Sucedió un jueves del mes pasado, me quedé en el club de golf y llegué a casa más tarde de lo normal. Desde entonces no has vuelto a preparar la cena los jueves.»

«Teniendo en cuenta que ya no llegabas pronto a casa los jueves, decidí que aprovecharía esas noches para ir al cine, pues es el día del espectador.»

Esto se convierte en un buen ejemplo. El incidente ilustra exactamente lo que le preocupa a James. El hecho de haber llegado tarde a casa ha disgustado a su mujer, quien ha dejado de preparar la cena los jueves. La respuesta de Allie va dirigida a eludir el tema y entablar una discusión en relación con el ejemplo ofrecido en vez de disponerse a hablar francamente del problema.

Eludir el tema es una forma de defensa basada en cambiar el sentido de la conversación. Tú me preguntas algo sobre los árboles, y yo simulo que el tema de esta conversación es la geografía. Una persona inteligente que asume una actitud defensiva se las arregla para hacer sentir a su interlocutor que están hablando del tema que le preocupa.»

«Jamás dije que no volvería temprano a casa los jueves.»

«Ya, pero el mes pasado lo hiciste dos veces, y también el anterior.»

¿Qué sentido tiene que prepare la cena si no estás en casa?»

«Debería haberte llamado, trataré de hacerlo en el futuro, pero...», continuó mientras elevaba el tono de su voz, «tú simplemente llegaste a una conclusión y jamás me dijiste nada al respecto.»

James ha caído en la trampa y está discutiendo sobre lo que sucede los jueves, abandonando el tema que le preocupa de verdad. Ahora intenta convencer a Allie de que ha llegado a una conclusión por sí misma.

«Estás furioso conmigo.»

«No estoy furioso. Me gustaría que escucharas lo que te estoy diciendo.»

«Estas elevando la voz. Estás enfadado.»

«Simplemente me siento frustrado.»

Allie acusa a James de experimentar un sentimiento que él no tiene. Esta defensa normalmente es muy efectiva cuando se pretende apartar del tema al interlocutor. Mientras intenta defenderse de la acusación de su mujer, James comienza a enfadarse.

Es curioso cómo se produce el enfado. Usted puede sentirse sereno y tener las ideas muy claras, y sin embargo cuando alguien lo acusa de estar enfadado, y a pesar de que hace un par de segundos no lo estaba en absoluto, repentinamente empieza a sentirse furioso. La ira como defensa actúa como un hechizo.

Una buena respuesta ante esta defensa es aceptar el enfado y luego volver directamente al tema original. Si se pierde en una discusión sobre si está o no enfadado o sobre el momento en que comenzó a enfurecerse, la otra persona lo vencerá. Ahora es *usted* el que asume una actitud defensiva, y el tema original ha pasado a la historia.

Por ejemplo, usted podría decir: «Estoy enfadado ahora, pero no lo estaba hace un segundo. Y lo que estaba diciendo es...».

«Estás furioso conmigo.»

«No estoy furioso. Me gustaría que escucharas lo que te estoy diciendo.»

«Estas elevando la voz. Estás enfadado.»

«Simplemente me siento frustrado.»

«Solo te preocupa tu estómago. Te disgusta que no esté aquí para servirte. Te da exactamente lo mismo que otros jueves me haya quedado esperándote sin tener la menor idea de dónde estabas.»

Cuando analizamos este intercambio de frases, observamos que Allie ataca a James cuatro veces seguidas. La ofensa también constituye una buena defensa. Él se esfuerza por responder a cada uno de sus ataques. Se está agotando y comienza a pensar que es él quien está equivocado.

«Siento que te hayas quedado esperándome. Fue una desconsideración por mi parte.»

Normalmente, cuando se produce un conflicto resulta positivo ponerse en el lugar de la otra persona. En este caso, sin embargo, al hacerlo James comienza a perder de vista su propia perspectiva. El foco cambia de lugar y gradualmente ella comienza a tener más poder en la discusión.

En este punto de la conversación Allie utiliza sus disculpas como argumento para destacar que es James el que actúa incorrectamente. Luego sigue adelante desviando la conversación hacia otro tema, consiguiendo que él se aleje cada vez más de su preocupación original.

«Tú eres desconsiderado. ¿Recuerdas el día de mi cumpleaños? Finalmente hicimos lo que tú querías.»

«Cometí un error. Me olvidé de que me habías comentado que querías hacer una fiesta.»

«Te ocupas solo de lo que tú piensas y nunca me escuchas. Siempre sigues el curso de tu propia mente y no prestas atención a lo que te estoy diciendo.»

«Sin embargo, te escuché decir que echabas de menos a tu hermana», respondió él elevando nuevamente su voz. «Pensé que al invitarlos a cenar a tu restaurante favorito te iba a dar una agradable sorpresa. Creo que eso es prestarte atención.»

«No extrañaba tanto a mi hermana.»

Allie continúa defendiéndose por medio del ataque, y vuelve a insistir en una vieja discusión que, sin lugar a dudas, ya han mantenido muchas veces. Constituye una buena defensa conseguir que el interlocutor se enrede en una antigua discusión. Cada persona conoce sus líneas de conducta y puede acostumbrarse a sus viejos hábitos.

Allie introduce también una nueva defensa que crea una gran confusión: niega sus propias palabras. Durante los meses que precedieron a su cumpleaños ha insistido en lo poco que ve a su hermana desde que Keisha forma parte de la sociedad histórica.

James la escucha y, pensando que le hará mucha ilusión ver a Keisha, decide invitar a ella y a su marido a cenar con ellos, convencido de que será un gesto que Allie apreciará. En ese momento, ella niega sus propias palabras con la intención de restar importancia al esfuerzo de James.

Aquí se trata de una defensa en capas. En primer lugar, logra desviar la conversación hacia un tema diferente y a continuación niega sus propias palabras para demostrar a su marido que estaba en un error. La mayoría de las personas resultarían bastante confundidas ante una actitud semejante y perderían el hilo de la conversación original.

«Me estás gritando.»

«No te estoy gritando. Estoy elevando la voz porque me siento frustrado.»

«Estás gritando. Estás verdaderamente enfadado.»

«Vale, estoy *enfadado. No, en verdad* no estoy *enfadado. Me siento absolutamente frustrado. Tú desautorizas todo lo que digo.»*

Estamos ante una defensa múltiple. Ella lo acusa y le dice que se está comportando de una forma incorrecta, cuando en verdad su actitud está plenamente justificada en estas circunstancias. Ella también exagera los sentimientos de James, que son sinceros y absolutamente naturales dada la situación.

Todos tenemos opiniones diferentes y a veces consideramos que alguien está gritando cuando solo ha elevado el tono de su voz. Pero también podemos utilizar incorrectamente lo que en general sería un comentario adecuado, transformándolo en un arma y en una defensa al mismo tiempo.

James realmente ha elevado la voz. A medida que se siente cada vez más frustrado, habla en un tono de voz más alto. Sin embargo, no es cierto que esté gritando a su mujer. Cuando exageramos al hablar de la conducta de una persona, nuevamente estamos en presencia de una defensa. Se devuelve al interlocutor una imagen errónea y esto puede lograr confundirlo y hacerlo sentir que está equivocado.

James *está* enfadado. En estas circunstancias, es natural que así sea. Su cólera es adecuada a la situación. No obstante, su esposa lo acusa de estar furioso, como si eso fuera inadecuado, y él exagerara deliberadamente lo que siente. De esta forma le devuelve una imagen desvirtuada de sí mismo y es muy probable que logre distraerlo del tema original.

Las defensas múltiples son como una serie de puñetazos. Son efectivas para confundir a la otra persona que está forzada a protegerse de los embates de su interlocutor. En este punto, James ya ha perdido de vista cuál es el tema que quería discutir.

Allie: «*Muy bien. Siempre estoy equivocada*».

Pretendiendo ser la víctima —y ocupando precisamente ese papel—, Allie coloca a su marido en el lugar del error y de este modo consigue aumentar su ira, su frustración y su impotencia. Algunas personas pueden tener una conducta abusiva en este punto de la conversación, mientras que otras se sentirán desesperanzadas y abandonarán la discusión.

«*Pero era mi cumpleaños y creo que sabía muy bien lo que quería.*»

Pronunciar un hecho obvio como si la discusión se tratara de eso, constituye otro ejemplo de cómo se puede desviar el tema central del conflicto. James nunca la ha acusado de no saber lo que quiere. Él podría desviarse de lo que realmente le preocupa por defenderse de esta acusación. Si las unimos, las tres últimas intervenciones de Allie constituyen una serie de defensas que lograrán frustrarlo y lo obligarán a abandonar la discusión.

Él sacudió la cabeza. Su cerebro estaba ardiendo. «Necesito un minuto para pensar.»

Este es un momento importante del conflicto. Cuando una persona solicita un tiempo de descanso, no le niegue esta posibilidad. (Comprendo que incluso esta petición puede ser utilizada de una forma manipuladora y con la intención de distraer al interlocutor, pero se debería respetar una legítima necesidad de tomarse un respiro para sacudirse las telarañas.) Suspender provisoriamente una conversación puede modificar completamente un conflicto. Ambas partes pueden serenarse, centrarse, recordar su preocupación original, sintonizar con sus verdaderos sentimientos y reanudar la conversación desde una posición que sea más positiva para cada una de ellas.

Cuando Allie insiste en su ataque y no le ofrece a James el espacio que necesita, está revelando abiertamente que su interés primordial no es resolver el conflicto. Con su actitud pone de manifiesto que está más interesada en pelearse con James que en resolver el problema o en llegar a un acuerdo.

Por su parte, James podrían insistir en que interrumpieran momentáneamente la discusión o abandonar simplemente la habitación. (Una vez más, esto se puede emplear de una forma manipuladora, como si se tratara de un juego de poder o de una retirada. Pero recuerde que las defensas, los juegos de poder y las retiradas a largo plazo tienen un gran coste sobre las relaciones, de manera que intente disciplinarse para evitarlas.)

«Tú pretendes que sea yo la que cambie. Esperas que todo se haga a tu modo y no estás dispuesto a dar nada a cambio.»

«Jamás dije que no estaba dispuesto a dar.»

En realidad, James nunca ha dicho nada semejante. Cuando alguien presume algo o interpreta una situación sin comprobar si está en lo cierto, no hace más que desviar el tema. En este momento James se siente forzado a discutir este nuevo tema.

«Yo doy, pero tú ni siquiera te das cuenta de ello.»

«Pero si eres tú el que eres incapaz de percibir lo que te doy.»

Esta defensa consiste en repetir como un loro las palabras de la otra persona y utilizarlas como si fueran propias. De este modo se logra confundir al interlocutor y apartarlo del tema. En este caso, lo que dice Allie no es cierto. James se da cuenta perfectamente de lo que ella le da. Allie no está diciendo la verdad en este punto, lo que hace es simplemente apropiarse de las palabras de su marido. Otros ejemplos de este tipo son:

«No me escuchas.»

«No, eres *tú* el que no *me* escucha.»

O: «Estoy cansado de que me agobies».

«Eres *tú* el que *me* agobia.»

Evidentemente, ambos pueden tener un punto de vista idéntico en relación con la otra persona, pero en este caso no me estoy refiriendo a dicha situación. Allie se está apropiando del tema de conversación iniciado por James y actúa como si lo hubiera expuesto ella.

James volvió a sacudir su cabeza y se dio por vencido. Levantando sus manos en alto, se alejó.

«Muy bien, ahora vete», exclamó ella con provocación. «Nunca terminas ninguna discusión.»

Esto se produce por la necesidad de tener la última palabra. Es difícil resistirse a la tentación de hacerlo y muchos sucumbimos a ella. No es una actitud excesivamente perniciosa, sin embargo mantiene vivas las fricciones.

¿Qué puede hacer usted si alguien responde con múltiples defensas? Usted puede intentar señalarlas. Si la discusión no es demasiado acalorada, quizá incluso su interlocutor sea capaz de admitirlo.

En general, intente no dejarse enredar con las defensas. Cuanto más responda usted a una actitud defensiva, con mayor facilidad se verá apartado del tema que realmente le preocupa.

La primera vez que alguien actúa como si lo estuvieran acusando, usted puede insistir en su propio propósito, necesidad o intención. Aclare los límites de su preocupación. Por ejemplo: «Estoy diciendo esto y no aquello».

Explique cómo pretende que la otra persona reciba sus palabras. Por ejemplo: «No te estoy acusando que ser una mala persona, lo que digo es que esto es muy importante para mí. Estás haciendo algo que me sienta mal y quiero que lo sepas».

Si usted empieza a sentirse confuso, es muy probable que empiece a echar mano de sus defensas. No tiene necesidad de identificarse con ellas para darse cuenta de que la conversación se ha desviado. Tómese un respiro. Aclare sus ideas y luego vuelva a reanudar la conversación.

Cuando no se sienta seguro de lo que dice o siente, vuelva al tema original. Si se siente vulnerable y cree que su interlocutor puede apartarlo del tema que realmente le preocupa, apunte en un papel su preocupación esencial de manera que pueda recuperar el tema cuando se sienta perdido.

Una vez más, con límites

Vamos a repetir una vez más la conversación entre James y Allie. En esta ocasión, James impone los límites al no comprometerse ni dejarse engañar por las reacciones defensivas de Allie.

«Allie, necesito hablar contigo de algo importante.»

«¿Qué?» Su tono de voz era cortante. Parecía un gato arqueando su espalda.

«Cuando algo no te gusta te apartas de mí o me privas de algo, y esto está empezando a afectar nuestra relación. Quiero hablar del tema porque es muy importante para mí.» [Obsérvese que James no permite que su ira lo desborde, tampoco desea poner a prueba su enfado, pues esto lo desviaría de lo que realmente le preocupa.]

«Habla más claro, James. Dame un ejemplo.»

«Muy bien. Sucedió un jueves del mes pasado, me quedé en el club de golf y llegué a casa más tarde de lo normal. Desde entonces no has vuelto a preparar la cena los jueves.»

«Teniendo en cuenta que ya no llegabas pronto a casa los jueves, decidí dedicar esas noches al cine, pues es el día el espectador.»

«Jamás dije que no volvería temprano a casa los jueves.»

«Ya, pero el mes pasado lo hiciste dos veces y también el anterior.»

«¿Qué sentido tiene que prepare la cena si no estás en casa?»

«No tengo ninguna intención de discutir sobre eso, simplemente usaba el ejemplo para ilustrar lo que me preocupa. Me acabas de pedir que sea más claro.»

«Estás furioso conmigo.»

«Es muy importante que comprendas lo que te estoy diciendo.»

«Solo te preocupas de ti mismo. Te disgusta que no esté aquí para servirte. Te da exactamente lo mismo que otros jueves me haya quedado esperándote sin tener la menor idea de dónde estabas.»

«Me has pedido que te dé un ejemplo y lo he hecho. Ahora te daré otro. Me quedé dormido en el sermón del domingo y te mostraste fría y distante conmigo el resto del día.»

«Lograste avergonzarme. Roncabas como un marinero e incluso el pastor te estaba mirando.»

«Es posible que el pastor entienda el mensaje de que sus sermones son demasiado largos.»

«Te ocupas solo de ti mismo. Solo te sientes mal cuando alguien atenta contra tus comodidades.»

«Hablas como si fuera una persona tremendamente egoísta. Si eso es lo que te preocupa, estoy dispuesto a hablar de ello, pero no en este momento. Te estoy diciendo algo importante y quiero que hagas un esfuerzo por escucharme. Este es mi turno de expresar lo que me preocupa. Te ruego que me escuches.»

Ella se cruzó de brazos y lo miró fijamente. Era evidente que se sentía frustrada. A continuación dijo: «Muy bien, dame otro ejemplo.»

«Aunque hice un esfuerzo por complacerte el día de tu cumpleaños, nada de lo que hice te pareció bien y te alejaste de mí. Me trataste fríamente las siguientes semanas.»

«Te ocupas solo de lo que tú piensas y nunca me escuchas. Siempre sigues el curso de tu propia mente y no prestas atención a lo que te estoy diciendo.»

«Allie, me estás respondiendo con una defensa detrás de otra. Haz el favor de escucharme. Estoy tratando de decir una y otra vez que tú tienes por costumbre apartarte de mí siempre que te sientes insatisfecha con nuestra relación, me tratas fríamente o me castigas suprimiendo algunas de las cosas que compartimos.»

«En cada uno de tus ejemplos hay una buena razón para que me sienta infeliz contigo.»

«Si no eres feliz a mi lado, dímelo. Hablemos de ello. Si te alejas de mí, solo conseguirás que ya no me apetezca volver a intentar rescatar nuestra relación.»

«Me estás gritando.»

«Sabes que no te estoy gritando. ¿Te niegas a que hablemos de lo que me preocupa?»

«Me sentí muy desilusionada el día de mi cumpleaños. Una persona solo cumple cuarenta años una vez en su vida. Y yo quería dar una fiesta.»

«Siento mucho no haberlo comprendido. Con toda sinceridad deseaba que tuvieras un día muy especial.»

«Me sentí muy dolida. El marido de Ethel invitó a todos sus amigos y organizó una fiesta enorme, llenó la casa de globos negros y de platos exquisitos de color negro. Se lo pasaron de miedo.»

«Ahora entiendo que sintieras que no era un día especial y que lamentaras no haber celebrado con tus amigos un día tan importante para ti.»

Ella asintió con la cabeza. «Precisamente la semana anterior había descubierto una cana y quería sacar algo positivo del hecho de hacerme mayor.» Allie se echó a llorar. James se acercó a ella y la abrazó, entonces ella se relajó entre sus brazos.»

«No me di cuenta de que estabas pasando por todo esto.»

«Me sentía tan estúpida que no podía decir absolutamente nada.»

James le preguntó: «¿Cómo podía ayudarte si ignoraba lo que te estaba pasando?».

«Te di algunas pistas.»

«No las entendí.»

Ella respondió: «Eso también duele».

«Cariño, que no haya captado tus pistas no quiere decir que no me preocupe por ti o que no te preste atención. Soy simplemente un hombre que no puede leer las sutiles reacciones femeninas. Yo quiero ayudarte, pero necesito que me indiques más directamente cuáles son las cartas claves.»

Ella se rio nerviosamente y se arrebujó junto a él. Permanecieron juntos en silencio durante un rato.

«¿Crees que ahora podrías escuchar lo que intentaba decirte?»

Allie respondió afirmativamente con la cabeza y luego manifestó: «Lo intentaré».

«Cuando te muestras fría y poco comunicativa y asumes una postura defensiva, me haces sentir muy mal. Te ruego que me expreses abiertamente que estás enfadada, que me digas por qué estás disgustada conmigo. Yo puedo aceptar tu enfado si lo manifiestas francamente. Últimamente has estado tan fría conmigo que he comenzado a pensar que no soy capaz de hacer nada bueno para ti y cada vez me resulta más difícil intentarlo.»

Ella tenía los ojos entrecerrados. «Sé que lo he pasado muy mal insistiendo en que estaba enfadada. Me enfado, y además siento que no tengo derecho de sentirme así, de modo que te alejo de mí.»

«¿Es esa la única forma que tienes de expresarlo?»

Ella asintió con la cabeza.

«Pero eso no funciona conmigo. Cada vez que siento que nada de lo que haga te parece bien, me rindo.»

«Ya, me doy cuenta y lo siento. Creo que necesito que alguien me ayude a cambiar mi conducta.»

«¿Quieres mi ayuda?», pregunto James.

«Lo pensaré.»

«¿Cuál de tus amigas es la más sana y feliz?»

«Jennifer», respondió Allie sin vacilar.

«¿Por qué no hablas con ella y descubres qué es lo que ella hace en en una situación similar?»

«Sí, creo que es una buena idea. Hablaré con ella.»

«Me siento más cerca de ti y más esperanzado.»

«Y yo me siento avergonzada por haberme comportado tan fríamente contigo.»

«No puedo decirte cuánto me alivia escucharte decir eso. Tengo la sensación de haberme liberado de un peso de cuarenta toneladas que llevaba sobre los hombros. ¿Quieres que hagamos algo juntos? Podríamos ir al cine o a dar un paseo por el parque.»

En este conflicto tuvo lugar un acontecimiento interesante. Aunque Allie no fue capaz de reconocerlo en un primer momento, repentinamente comenzó a hacer todo lo que James quería, puesto que él, al insistir rotundamente en su punto de vista y no dejarse enredar en las defensas de Allie, logró que ella abandonara su actitud y hablara de lo que había sucedido el día de su cumpleaños.

Cuando en un conflicto se produce un cambio tan importante como este, es fundamental reconocerlo, pues de lo contrario la situación volverá a repetirse. Si usted está reclamando algo y de pronto comienza a obtener lo que desea, intente seguir por el mismo camino sin desviarse.

Cuando la otra persona adopte una actitud defensiva, mantenga su punto de vista. Cuando le responda abiertamente y exprese sus sentimientos con franqueza, continúe con el proceso. Si una puerta se abre repentinamente, atraviésela. Las posibilidades de que la otra persona esté en condiciones de escuchar atentamente lo que a usted le preocupa son excelentes. El truco es no volver a insistir en lo que usted desea una vez que lo ha conseguido.

Aprenda a leer no solo las palabras, sino también la conducta. Algunas personas suelen responder en primer lugar con palabras y más tarde con su comportamiento. Otra adoptarán rápidamente la conducta que usted pretende de ellas, pero no dispondrán de las palabras hasta más adelante.

Cuando esté envuelto en una discusión o en un conflicto y la otra persona le ofrece algo aproximado a lo que usted desea —quizá no lo haga perfectamente pero tiene una buena intención—, aprecie su gesto. Advierta que la otra persona está haciendo un esfuerzo en su nombre. Si espera a que lo haga de un modo perfecto, quizá se vea obligado a esperar mucho tiempo; o quizá nunca lo haga, puesto que usted no le ofrece las claves para que tome el camino correcto.

De manera que el delicado arte de manejar las defensas incluye ser capaz de discernir el momento en que la otra persona ha abandonado su postura defensiva inicial para entregarse a una comunicación real. Pronto será usted capaz de comprobar si se trata de una nueva defensa inteligentemente disfrazada, ya que si alguien está falseando una respuesta, usted experimentará una cierta extrañeza o confusión. Por el contrario, cuando los demás expresan sus verdaderos sentimientos haciendo un esfuerzo por comunicarse con usted, no le resultará difícil percibir su buena voluntad.

Un conflicto se transforma en una comprensión mutua cuando usted siente que se está «ablandando» en relación con la otra persona, cuando se siente más próximo a ella, cuando le apetece acercarse y tocarla o mirarla a la cara. En tanto su cólera se derrite y aumenta su empatía, usted puede confiar en que el cambio que se ha producido en el conflicto ha sido positivo y saludable.

La gota que hace desbordar una relación

Las defensas tienen un coste con el paso del tiempo. Los mensajes importantes se pierden, no se escuchan las advertencias y los conflictos se dilatan eternamente. Es sorprendente observar hasta qué punto somos capaces de proteger nuestros propios errores, a pesar de que es precisamente el hecho de admitir las equivocaciones o los modelos perniciosos lo que puede mejorar en gran medida una relación.

Sabemos cuándo hemos tocado un punto sin retorno en nuestro compromiso con otra persona. En una coyuntura semejante, podemos ofrecer una última oportunidad para seguir en el campo gravitacional de un determinado tema. (Este esfuerzo normalmente *no* se debería acompañar de un comentario como el siguiente: «Presta atención. Esta conversación podría mejorar o destruir el vínculo que tengo contigo».)

En el mejor de los casos, si ambas personas han trabajado para mantener una comunicación clara y sincera, con toda seguridad han asumido y puesto en práctica algunos hábitos positivos que les permiten manejar este importante conflicto de la manera correcta con el propósito de salvar su relación.

Capítulo 6

Violaciones de los límites

U N LÍMITE es como una línea que trazamos a nuestro alrededor y que indica: *Este es mi límite. No lo traspase.*
Cuando alguien invade alguno de nuestros límites (ya sea
que los hayamos impuesto personalmente o que estén incorporados
en la situación), la relación se resiente de inmediato y nuestra propia integridad puede resultar amenazada.

Ocasionalmente una persona puede traspasar un límite de
manera accidental, simplemente por ignorancia. A esto se denomi-
na un error en relación con los límites. Se convierte en una violación de los límites si la persona en cuestión no nos hace caso cuando le indicamos que existe un límite.

Carla conoció a su futura nuera en una cena familiar de los
Kingsma. «Mamá», exclamó su hijo con orgullo mientras se acercaba acompañado por una mujer joven de cabellos oscuros y mirada altiva: «Esta es Ana».

Carla revisó rápidamente el traje que llevaba la chica y advirtió
que no era de la calidad de Lord & Taylor; alargando su mano le
dijo: «Bienvenida a la familia, Anita».

La chica estrechó su mano y respondió: «Ana, señora Kingsma.
Mi nombre es Ana».

Carla se dirigió al resto de la familia diciendo: «Quiero presen-
taros a la novia de Brad, Anita».

El padre de Brad y sus hermanos se reunieron a su alrededor
saludándola afectuosamente, todos la llamaban Anita hasta que ella
dijo firme y claramente: «Mi nombre es Ana».

Los hombres de la familia, sin excepción, comenzaron a llamarla Ana de inmediato, pero Carla siguió llamándola Anita durante toda la noche.

Carla cometió en primer lugar un error en relación con los límites al cambiar el nombre de Ana, sin embargo una vez que ella la corrigió siguió utilizando el nombre equivocado y de esta forma incurrió en una violación de los límites.

Puede parecer poco importante cambiar un nombre, sin embargo nuestro nombre no es un asunto trivial. Es mucho más que una etiqueta. Es parte de nuestra identidad, casi una metáfora que envuelve completamente a una persona. Los nombres tienen un gran significado para todos nosotros, pues nos conecta con nuestra herencia, nuestros ancestros y nuestra historia.

En ciertas culturas, la rápida familiaridad norteamericana de abreviar los nombres resulta insultante. Llamar a Lord Charles, Bud o Chuckie no resulta apropiado. Llamar Habby a Habib revela ignorancia y falta de respeto.

Algunas veces ponemos motes debido al afecto que nos despiertan algunas personas. Yo lo hago con muchas de las que quiero (y a veces tengo varios motes para la misma persona), y esto es un signo de cariño; pero si usted modifica el nombre de alguien que luego lo corrige o le pide que no lo llame de ese modo, usted cometerá una violación de sus límites si hace caso omiso de lo que le ha dicho.

Al violar los límites de su futura nuera, Carla perjudicó instantáneamente su relación con ella. La rápida respuesta de los hombres de la familia favoreció una buena relación con Ana desde el comienzo. A los diez minutos de estar en la reunión, Ana se sentía más cerca de los hombres de la familia que de su futura suegra.

Si Ana hubiera aceptado que la siguieran llamando con un nombre que no era el suyo, diciéndose a sí misma que aquello no tenía demasiada importancia, hubiera sido cómplice de la violación de sus propios límites. Al defenderse, y a pesar de que su petición no fue tenida en cuenta, ella mantuvo su temple intacto. Lo que resultó perjudicado por esta situación fue la relación entre Ana y Carla, pero su propia integridad se mantuvo a salvo.

La conducta de Carla fue bastante reveladora y le ofreció a Ana una imagen de su futura suegra. A partir de esta única experiencia supo que no tenía que correr ningún riesgo con ella ni esperar que la quisiera de verdad. Cuando alguien viola uno de sus límites o usted observa que lo hace con otra persona, considérelo una advertencia. No se exponga a ningún daño futuro ni a un ataque, y esté atento a sus futuros intentos de violar sus límites.

Algunas veces pensamos erróneamente que si alguien ha actuado mal con nosotros, seremos capaces de modificar su actitud mostrándonos más vulnerables. Pero, de hecho, en general sucede lo contrario: cuanto más vulnerables somos, más probable es que se mantenga, o incluso se intensifique, la violación de nuestros límites.

Por ejemplo, imagine que Ana aprovechara la ocasión de estar sola con Carla en la cocina para confiarle algo importante pensando que al compartir con ella una intimidad podrá conseguir que ella esté de su lado. Esto hubiera sido una gran equivocación porque de este modo se hubiera expuesto a un nuevo peligro. Es como si ella le dijera: «Mira, te estoy abriendo la puerta. Aunque no estés de mi lado, te dejo pasar». *Con dicha actitud estaría violando sus propios límites*, porque Carla ya ha demostrado que puede utilizar la información personal en contra de Ana.

Si, por ejemplo, Ana hubiera confiado a Carla que cuando se dirigía a la reunión se sentía nerviosa —lo cual era perfectamente natural dadas las circunstancias—, Carla podría haber transmitido esta información al resto de la familia para desvalorizarla: «Esa chica con la que Brad está pensando casarse es una pobre criatura tímida. Estaba mortalmente asustada de venir a cenar con nosotros. Se diría que íbamos a echarla al asador».

En la situación que se produjo entre Ana y Carla, la primera estableció los límites y la segunda los violó. La mayor parte del tiempo, sin embargo, la misma situación define los límites. Por ejemplo, constituye una violación de los límites que un médico acaricie a un paciente durante un reconocimiento, o que un entrevistador le pida a la persona que solicita un trabajo «que le cuente algo sobre la empresa donde trabaja su marido». Y en todos los casos se trata de una violación de los límites cuando un padre abusa sexual o físicamente de un niño.

Todos los niños tienen una línea a su alrededor. Dentro de ese espacio está la seguridad emocional y física de un niño. Si uno de los padres pega a un niño en la cabeza, se atenta de inmediato contra la integridad de la relación padre-hijo. Si el otro progenitor del niño observa o sospecha que existe una violación de dichos límites y no impide que se repita la situación, entonces el niño está completamente solo en el mundo. A partir de entonces la relación con ambos padres estará definitivamente alterada.

Violar a alguien siempre supone un sufrimiento y un daño, pero cuando la víctima es un niño, las consecuencias son aún más graves. Los niños son pequeños, vulnerables, y no tienen experiencia, sus opciones están limitadas y no tienen un claro reconocimiento de lo que es una conducta normal y correcta, se les puede hacer daño emocional y también físico. El abuso modifica el futuro de una persona de un modo negativo.

Los niños suelen creer que se los trata así porque se lo merecen. Como resultado, cuando son víctimas de una violación, intentan buscar dentro de sí mismos las razones para lo que ha sucedido. Se les ocurren cosas como, por ejemplo: *Soy malo, no hago bien las cosas, he engañado a papá; soy un fracaso.* No son capaces de comprender que es el adulto el que está equivocado.

Si un padre deliberadamente pasa la mano por el trasero de su hija adolescente, ella recibe un impacto. Su seguridad sexual ha desaparecido y la relación con su padre se modifica instantánea y permanentemente.

Como un niño difícilmente sabe cómo recomponer el límite —y debido a que una vez que el padre ha cometido la violación tiene muchas probabilidades de volver a hacerlo—, el daño para el niño a menudo dura toda la vida.

Shiree contó a su madre que su padre la estaba acariciando. La madre pidió a su marido que dejara de hacerlo, pero nunca más volvió a mencionar el tema. Pero el padre parecía necesitar consecuencias mucho más graves que unas pocas palabras de advertencia. La respuesta ineficaz de la madre expuso a Shiree a otros tres años de abuso cada vez más serios. A partir de ese momento perdió a su madre y a su padre.

Linda, la hermana menor de Shiree, observaba con terror y confusión la conducta abusiva de su padre, y aunque él nunca la tocó de esa misma forma, ella se retrajo de la relación con ambos padres tan rápidamente como Shiree. Finalmente, toda la familia perdió el santuario de su hogar.

Cuando un hombre golpea a su mujer, también está violando a sus hijos. Ellos no pueden estar seguros de que no recibirán ese mismo castigo. También sufren diversas agonías que los paralizan—; desean salvar a mamá, pero temen correr el mismo peligro si lo intentan. A temprana edad aprenden a odiar a los hombres o a despreciar la debilidad o a las mujeres, y el modelo de conducta adquirido para librarse de su propia ira es hacer daño a alguien.

Una violación de los límites dentro del núcleo familiar no solo perjudica la relación entre las personas directamente involucradas, sino también todas las relaciones familiares.

La violación es automáticamente mucho más grave en cualquier situación en la que el violador se encuentra en una posición de mayor poder que la persona violada. Este poder puede provenir del uso de un arma, del mayor tamaño de su cuerpo o de una mayor fuerza, o de un determinado rol como, por ejemplo, el de padre, jefe, pastor, terapeuta o médico.

Cuando dependemos de alguien para que nos cubra alguna necesidad —ya sea un sueldo, una redención espiritual, una medicina, un tratamiento o alojamiento y comida hasta los dieciocho años—, hemos hecho una inversión que nos obliga a permanecer en dicha situación hasta que ya no tengamos dichas necesidades.

Recuerde, la violación de un límite es algo muy diferente a cometer un error con respecto a un límite. Este último es una típica equivocación en la que se incurre inadvertidamente, el resultado de no tener conciencia de que existe un límite. Las personas que están en posiciones de poder ya saben que constituye una violación utilizar sus privilegios para explotar a un subordinado o aprovecharse de un paciente.

Por ejemplo, los médicos ya saben que la confianza que sus pacientes depositan en él los obliga a mantener su conducta dentro de unos límites éticos. Saben que no deben utilizar a sus pacientes para sus intenciones sexuales ni para beneficiarse de una ganancia inmerecida. Los pastores saben que gozan de mayor confianza que las personas legas y por ello deben tener mucho más cuidado en mantener una conducta decente. Los jefes saben que sus subordinados producen mucho más cuando se sienten seguros.

Cuando usted observa que alguien está violando un límite que está implícito en una determinada situación, tenga cuidado. Usted está presenciando que dicha persona explota a los demás en nombre de su propia gratificación o beneficio. Apártese de personas semejantes. No los disculpe. No les ofrezca el supuesto beneficio de la duda. No reste importancia a su conducta pensando que a lo mejor no se daban cuenta de lo que hacían. Tenga por seguro que ellos sabían perfectamente lo que estaban haciendo.

Si usted no quiere perder lo que obtiene de esa relación —por ejemplo, es el único médico que hay en mil kilómetros a la redonda, o todos sus amigos son miembros de la parroquia, o le gusta su trabajo y el salario es bueno— entonces debe confiar en su propia persona para solucionar la situación.

Recurra a su propio poder personal, concéntrese en sí mismo y sea claro y directo a la hora de establecer sus límites. Recuerde que usted tiene el poder real en esta situación. La mayoría de los violadores asumen una conducta intimidatoria, pero las personas con estas características se sienten débiles interiormente. Muchas veces se comportan de ese modo porque nadie les presta atención.

Pronunciar claramente sus límites será suficiente para algunas personas. Sin embargo, si alguien insiste en violarlos, tendrá usted que hablar de las consecuencias, ya sea poniendo al descubierto la situación (por ejemplo, hablando de ello con el jefe) o apartándose de ella.

Algunos de estos aprovechados bravucones son aún más mezquinos cuando se sienten acorralados. Si usted sospecha que este es el caso, quítese de en medio. Cuando otros límites fracasan, el único que podemos utilizar es el de la distancia. Es decir, alejarnos todo lo que sea necesario del violador.

El límite de la distancia

Cuanto más tiempo permanezcamos en una situación de violación, mayor será el trauma. Si no actuamos en nuestro propio nombre, perderemos nuestros recursos, nuestro ánimo, nuestra energía, nuestra salud, nuestra perspectiva y nuestra flexibilidad. Debemos apartarnos de situaciones semejantes para salvaguardar nuestra propia integridad.

Tariq comenzó a abusar de Chantal antes de que se casaran. La cogía fuertemente de un brazo o le imovilizaba las manos. En todas las ocasiones le explicaba que se ponía fuera de sí cuando pensaba que ella podría estar interesada por otro hombre. Por alguna razón, Chantal se dejaba convencer por sus excusas, aunque rara vez se ajustaban a las circunstancias.

Por ejemplo, un día ella quería ir a la playa a nadar y a él le apetecía ver las carreras de coches. La acorraló contra el coche mientras le decía una y otra vez que si iban a la playa los hombres podrían mirarla y él no iba a ser capaz de soportarlo: sentiría ganas de matarlos, de modo que sería más seguro ir a las carreras de coches.

Tres semanas más tarde, cuando la humedad de mediados de agosto lograba que pareciera que no valía la pena vivir la vida, Tariq quiso ir a la playa. Aparentemente el peligro de los hombres obscenos que circulaban por la playa ya no le preocupaba.

Ocasionalmente Chantal tenía cardenales en su cuerpo debido a los malos tratos de Tariq, pero ella se decía que una vez casados él se sentiría má seguro. Al pensar eso, Chantal ya había comenzado un lento deterioro provocado por la intimidación a la que era sometida. Evitaba sus propios pensamientos que pondrían de manifiesto que su lógica era insuficiente para lo que sucedía en realidad: él sentía una extraordinaria necesidad de controlarla.

Después de la boda, los cardenales eran aún más grandes. Ella se dijo que todo iría mejor cuando tuvieran un niño. Más tarde, después de que naciera su hija, pensó que todo se solucionaría cuando tuviera un varón.

Siempre es una mera ilusión albergar la esperanza de que un violador modificará su conducta por sí mismo. Si alguien viola los límites que usted ha establecido, volverá a insistir y se detendrá únicamente cuando usted mencione algunas consecuencias negativas para dichas violaciones o cuando usted decida retirarse de su ámbito de influencia.

Cómo detener las violaciones

Un límite protege la integridad de una persona y de la relación. Cuando se viola un límite, la integridad de la persona y de la relación resultan afectadas. Su trabajo, en el caso de que alguien viole alguno de sus límites, es protegerse de inmediato y restaurar el límite. (Excepción: si se le amenaza con un daño físico, apártese de inmediato de esa persona.) La relación ya se ha modificado, pero al proceder de inmediato a restaurar el límite, usted puede reparar su integridad personal.

Si alguien ignora los límites establecidos por el contexto de su relación —por ejemplo, si baila demasiado cerca de usted y es el marido de su mejor amiga—, imponga un límite de inmediato. «Retrocede Jeff, te has pasado de la línea.» Si este límite es ignorado, a pesar de los motivos que *exponga* la persona que la acompaña, usted está en presencia de un violador. Insista en fijar un nuevo límite mediante el gesto de no ofrecerle la oportunidad de acercarse tanto otra vez. «El baile se ha terminado, hijo.» Y si la otra persona insiste, no dude en amenazarla con determinadas consecuencias. «Un solo paso más y te pongo al descubierto.»

Algunos tenemos la tendencia de dejar que los demás se salgan con la suya, simplemente por no ser groseros. Olvídese de la buena educación. La otra persona no es amable. Una vez que alguien abandona los límites establecidos por la cortesía, no es necesario que usted los respete. Protegerse es su prioridad. *Esto es más importante que la corrección o que evitar que la otra persona se avergüence.* Habitualmente, no es usted sino la otra persona la que está causando todo ese revuelo. Si ella utiliza la reunión social como tapadera para encubrir una violación —contando con que usted mantendrá la boca cerrada para no interrumpir el acontecimiento principal— usted puede arruinar su plan al hablar deliberadamente en público sobre lo que ha sucedido —o haciendo cualquier cosa que necesite para sentirse segura.

Violaciones múltiples

Los límites que nos rodean son flexibles. Cuando alguien se siente seguro y confiado, la línea se hace más delgada y se encoge. De este modo se ofrece más espacio a la otra persona y se le permite acercarse. Usted no tiene que mantener a un amigo generoso y afectivo fuera del muro de ladrillos. Sin embargo, frente a una persona potencialmente dañina, la línea se ensancha y se desplaza hacia el exterior para que existan menos posibilidades de que pueda atravesar la pared para llegar hasta usted. No estaría a salvo de una persona abusadora por el mero hecho de sostener en alto un trozo de tela blanca.

Cuando un marido golpea a su esposa, se trata de una doble violación: viola su confianza y su amor. Frente a él, ella ha mantenido un límite demasiado fino y abierto. El contexto, es decir, el matrimonio, la ha invitado a relajarse y, como resultado, el peligro y el daño son cada vez más intensos. Si el marido utiliza la manipulación verbal para convencerla de que la ha golpeado porque ella lo ha provocado, estamos ante una triple violación.

Ella, con esa sola bofetada, ha pasado de ser su compañera a ser su víctima, se ha trasladado de un lugar de igual poder a una posición de subordinada. Súbitamente se ha convertido en su rehén. Los rehenes aprenden a identificarse con sus captores con el fin de sobrevivir, de esta forma sus percepciones y su lógica comienzan a alinearse con la de ellos en un intento por proteger su propia seguridad física.

Por este motivo es esencial que ante la primera señal de abuso por parte de la otra persona, usted abandone lo antes posible la relación. Tras el primer golpe, afirme: «Si vuelves a hacerlo, puedes dar por terminada nuestra relación». Y si la situación se repite, independientemente de las excusas que le ofrezcan, márchese.

La persona que abusa siempre está un paso por delante de su víctima. Cuanto más tiempo permita que persista la situación, más fuerza tendrá esa persona y más débil se sentirá usted. Estas personas son mucho más peligrosas con el paso de los años.

Autoviolaciones

Liese adoraba su casa. Levantada en medio de tres acres de un terreno arbolado, estaba situada en un lugar privado donde ella podía tumbarse desnuda a tomar el sol sin que la viera nadie más que los halcones; la casa era como una extensión física de su propio cuerpo, el único sitio donde se sentía absolutamente segura.

Después de quince años de matrimonio, su marido había cambiado repentinamente. Un trastorno de la conducta que no había sido diagnosticado lo llevaba a discutir con ella, intentar minar su pensamiento y reaccionar de una forma extraña que la desorientaba. A menudo se comportaba como si pretendiera controlarla o, por el contrario, la abandonaba. Por ejemplo, unos días antes de que Liese fuera intervenida quirúrgicamente mientras estaban en camino de recoger los nuevos anillos de boda que habían encargado a un joyero, la atacó verbalmente durante todo el viaje; ella se sentía demasiado mal como para hacer algo más que soportarlo. En otra ocasión en la que se dirigían al cine, él repentinamente se enardeció y comenzó a criticarla. Si ella empezaba a hacer ejercicio, él le recriminaba que utilizara la cinta mecánica. Ella volvía a casa y encontraba que él había cambiado la distribución de los muebles con la intención de que lo distanciaran de ella.

Nada de lo que intentó hacer para resolver las cosas fue efectivo. Organizó una reunión informal, pero los amigos de Eric, creyendo en todo lo que le decía en contra de ella, no acudieron. Decidieron hacer una terapia de pareja, pero el terapeuta aplicó técnicas antiguas e inútiles que no los llevaron a ninguna parte. El psicoterapeuta no fue capaz de ver más allá de la conducta adecuada y respetuosa que Eric asumía en su despacho.

Liese aguantó la situación tres años más. No deseaba marcharse de su casa. Adoraba el paisaje, los vecinos, el pueblo, su jardín y toda su vida allí. Amaba todo lo que había en aquel lugar, excepto el abuso de Eric. Se sometió a casi una década de infierno debido al amor que sentía por aquella casa.

Cuando permanecemos en una situación de abuso porque nos compensa algún otro aspecto de la relación —una posición social aventajada, lujos, el deseo de estar juntos hasta que los niños crezcan—, perdemos un trozo de nuestra vida. Resulta difícil hacer la maleta y marcharse, fundar un nuevo hogar, perder los ingresos comunes y construir una nueva vida para los niños, y frente a lo que puede resultar abrumador, pensamos que las cosas parecen estar un poco mejor. Pero al otro lado del cambio y del trabajo abundan las posibilidades. Innumerables hombres y mujeres han descubierto que una vez fuera de casa y habiendo superado el trastorno que ocasiona un cambio de vida existen oportunidades, amistades, entretenimiento e intimidad.

Capítulo 7

Establecer los límites ante un ataque

J EFF volvió a casa del trabajo sintiéndose ligero y alegre. Aquel día había hecho su trabajo especialmente bien y se sentía satisfecho consigo mismo. Pero Tony, su pareja, estaba de mal humor. Se escondía detrás de un periódico desde donde emitía gruñidos insultando a los estúpidos periodistas.

Jeff se dirigió a la cocina y comenzó a preparar un plato de pasta para la cena. Después de algunos minutos, Tony se acercó a él y le dijo: «Deja de hacer ruido con las cacerolas y las sartenes. Estás llenando el apartamento con tu malhumor».

Jeff, asombrado, dejó lo que estaba haciendo. «No estoy golpeando las cacerolas ni las sartenes. Simplemente estoy cocinando. Y además no estoy de malhumor.»

«Claro que lo estás. Estás molesto porque ocupé tu plaza en el aparcamiento, ¿no es verdad?»

«No estoy enfadado. Aparqué en la plaza de enfrente. Ni siquiera me di cuenta dónde habías aparcado tú porque había un sitio libre precisamente junto a la puerta de entrada.»

«Estás disgustado. Lo advierto en el tono de tu voz.»

«El tono de voz que escuchas se debe a que me estoy poniendo tenso con todas tus acusaciones. Me sentía muy bien cuando llegué, y si seguimos en este plan, terminaré por enfadarme. No quiero seguir hablando del tema. No quiero enfadarme porque me siento muy a gusto. Si tienes algún problema, tendré mucho gusto en escucharte. Pero deja de decirme cómo me siento.»

«Tus palabras indican que estás enfadado.»

«O me dices realmente lo que te pasa o cállate de una vez.»

«No debes decirme lo que tengo que hacer.»

«Me marcho.»

¿Qué es exactamente lo que sucedió en esta situación? Jeff llegó a casa alegre y de buen humor. Tony estaba buscando pelea y se las arregló para iniciar una discusión. Jeff quería conservar su buen talante y por ello se negó a participar en la discusión, pero cuando el razonamiento no funcionó, la situación lo desbordó.

Independientemente de las razones que tuviera Tony para estar molesto —incluso en el caso de que Jeff realmente hubiera hecho algo malo— la forma que tuvo de manejar sus sentimientos no fue la mejor. Aunque Jeff hubiera hecho algo que pudiera molestar a Tony, no se merecía que lo trataran de ese modo y estaba en su derecho de no tolerarlo. Tony proyectó su propia ira sobre Jeff, como si proyectara su propia película en la pantalla de Jeff, y esa fue la excusa por la que lo maltrató. Tony tenía que descargar su enfado a expensas de Jeff.

Cuando una persona abusa de otra, lo que hace básicamente es utilizarla para descargar los sentimientos que lo incomodan. Esto es inaceptable desde todo punto de vista.

El problema no se resolverá por sí solo. Por otro lado, si usted impone desde el comienzo límites claros y bien definidos —en el momento en que la persona comienza su ataque verbal, es decir, cuando proyecta sus sentimientos— existe alguna posibilidad de que la relación no se resienta.

Observemos qué es lo que Jeff no hizo en este ejemplo. No intentó comprender a Tony ni escucharlo activamente. No afirmó: «Pareces molesto, Tony, ¿qué te pasa?». Si alguien está fuera de sí, esta actitud puede ser de gran ayuda; pero en el caso de Tony, que ya tiene antecedentes en proyectar sus sentimientos y atacar a su compañero, su respuesta más probable hubiera sido algo semejante a: «Claro que estoy enfadado. Llegas a casa, armas un jaleo tremendo en la cocina y esperas que no me enfade».

Una persona que escucha activamente respondería: «Parece que los ruidos te ponen nervioso».

Entonces la ira que experimentaba Tony se hubiera intensificado.

La escucha activa y la comprensión no funcionan bien en esta ocasión porque Tony se comporta de un modo que impide que se hable de la verdad. Incluso los terapeutas de pareja cometen a veces la equivocación de aplicar la escucha activa cuando lo que se necesita es un límite.

¿Puede usted adivinar cuál es el fallo de la conducta de Tony y que constituye una señal que indica que la escucha activa no daría ningún resultado en esta situación?

1. Él ya está furioso.
2. Ha desplazado el foco de su atención hacia el exterior.
3. Tiene hambre.

La respuesta es la número 2. Tony no hace ningún esfuerzo por ocuparse del tema que realmente le preocupa y que le permitiría acceder a sus propios sentimientos. Por el contrario, se centra en Jeff. Cuando alguien se olvida de sí mismo para focalizar su atención en otra persona, la escucha activa solo lo animará a continuar proyectando sus propios sentimientos en el otro.

Los sentimientos de Tony se descargan con Jeff, por lo tanto, ni Tony ni la relación se beneficiarán de la escucha activa. Tony solo conseguirá afianzar su propia idea de que la causa de su descontento es Jeff, y tanto este como la relación que ambos mantienen resultarán perjudicados.

Incluso un comentario comprensivo tal como: «Algo te debe haber molestado durante el día» podría haber sido pernicioso para Jeff, pues Tony podía haberle respondido: «Ya lo creo que estoy molesto. Estoy disgustado contigo, Jeff».

En esta situación la mejor apuesta para Jeff es establecer los límites. Al levantar rápidamente una barrera energética y negarse a intervenir en una conducta abusadora, será capaz de repeler el ataque de Tony. (Recuerde que el propósito del ataque es que Tony se libere de sus sentimientos negativos proyectándolos en Jeff. Si este se niega a hacerse cargo de dichos sentimientos, volverán a Tony.)

En una nueva relación, la primera vez que alguien intente proyectar sus sentimientos o sensaciones en usted, imponga un límite. Niéguese a intervenir en una discusión. Imagine que se encuentra dentro de un campo de fuerzas y considérelo como un muro de energía que bloquea la invasión de cualquier sentimiento o energía negativos. Comuníquele: «No está bien que me hables de ese modo.

Si estás disgustado por algo, estoy dispuesto a escucharte. Pero no descargues tu ansiedad (o miedo, o lo que sea) sobre mí».

Si se respetan sus límites —es decir, si la otra persona cambia de actitud y comienza a expresar directamente lo que le pasa, como por ejemplo: «Estoy asustado por la entrevista de trabajo que tengo mañana»—, entonces usted conseguirá tener un poco de información para intentar ayudarla. Si, no obstante, su interlocutor aumenta sus esfuerzos para obligarlo a discutir con él o intenta controlarlo, desvalorizarlo, insultarlo o se muestra grosero de distintas formas, evite las discusiones. Si la conducta persiste, abandone esa relación.

No se arriesgue a enfrentarse con una persona violenta. Incluso aunque afirme (o usted tenga la ilusión) que es la única persona que la entiende, que puede salvarla o que su amor puede salvarla, recuerde que se trata de una mera fantasía. Cuando llegue el momento de darse cuenta de que *no puede* hacer nada para ayudar a esa persona, usted habrá perdido una parte de sí mismo.

No juegue a «ser justo» con alguien a expensas de su propia seguridad. Muchas mujeres han quedado atrapadas, incluso han sido asesinadas, por la equivocada idea de que su pareja se merece otra oportunidad.

*   *   *

Lo interesante en relación con los límites bien definidos es que todo este proceso puede desarrollarse sin que la otra persona se entere de lo que usted está haciendo. No se requiere una prolongada explicación ni tampoco gráficos o diagramas para lograr que los límites sean efectivos.

¿Existe una persona no violenta en su vida que intenta proyectar su insatisfacción sobre usted? En ese caso, ¿logra contagiarle su mal humor? Quiero decir, ¿acaso entra en la habitación con una nube encima de su cabeza y sale sonriente porque ahora la nube está encima de *su* cabeza? ¿Acaso lo ataca, no lo tiene en cuenta, lo descuida o lo maltrata de un modo sutil? ¿Quizá no reacciona hasta que usted comienza a provocarla y luego súbitamente está pletórica de energía? Todos estos son signos de que usted ha absorbido su descontento. Qué duda cabe que se siente mejor, pues ha descargado esa energía desagradable que se encuentra ahora en su propio cuerpo.

La próxima vez que esta persona se acerque a usted, imagine de inmediato que está rodeado por su propio campo de fuerzas. Decore esta barrera energética del modo que más le guste. Puede ser una mata de margaritas o sus amigos más queridos tomándose de la mano igual que hacen los policías en una manifestación. Rodéese con un arco iris o con unos leones muy fieles. Si se siente bien, libre de preocupaciones, próspero y muy competente, sintonice con esa sensación. Magnifíquela. Permita que su confianza, su goce, su competencia, rellenen el espacio que hay dentro de su barrera energética. Déjelos fluir desde sus ojos y brillar en su piel. Luego, independientemente de lo que la otra persona le diga, permanezca centrado en sí mismo y conserve esa imagen mental.

Además, entrénese para ser capaz de detener verbalmente a todos aquellos que intenten transferir sus malos sentimientos hacia su persona.

«Walter, si estás enfadado conmigo, dímelo directamente.»

«Mamá, no pienso ser cómplice de tu ansiedad. Voy a colgar a ahora mismo.»

«Joan, tu agitación está comenzando a sacudir la casa. O bien hablas de lo que te está pasando o sales a correr alrededor de la manzana.»

«Mi amor, no puedo ayudarte cuando hablas de un modo tan evasivo de lo que te pasa. Si reconoces y aceptas tu estado de ánimo y haces algo para deshacerte de él, te invito al cine. En caso contrario, me iré sola dentro de quince minutos.»

Las personas suelen reaccionar de una forma sorprendente cuando se mencionan posibles consecuencias para una determinada situación. Normalmente suele ser efectivo expresar que uno no estará disponible para la otra persona hasta que se exprese sincera y directamente.

Existe otra cosa interesante en relación con los límites: la otra persona acaso no conozca la causa de su propio mal humor, pero al intentar traspasar sus límites consigue tomar conciencia de lo que realmente le pasa.

Al llegar al trabajo, Hamish descubrió que su mejor amigo, Shawn, había sido trasladado. Se sintió afligido y desilusionado, y luego se sumergió en el trabajo y se olvidó del asunto.

Al llegar a su casa aquella noche, se sentía molesto por todo lo que veía: la cafetera sucia, un paño de cocina hecho jirones, la música de su hijo.

Comenzó a discutir con su esposa. «Maureen», chilló a pesar de que se encontraba a escasos metros de ella, «¿No puedes hacer algo para parar ese ruido? ¿Ahora mismo acabas de empezar a preparar la cena? ¿Por qué están las tazas del desayuno todavía en el fregadero?».

Maureen se negó a discutir con él. Creó sus límites energéticos, se mantuvo en su propio espacio psicológico y prácticamente dejó de escucharlo mientras cortaba los vegetales. Él siguió intentando iniciar una discusión, pero ella respondió: «No sé por qué estás de tan mal humor, pero hoy yo me encuentro muy bien y he pasado un buen día». A continuación abandonó la cocina.

Hamish dejó pasar quince minutos y la siguió al salón; dejándose caer en un sillón comenzó a hablar. «Shawn se marcha a Fiyi.»

Ella de inmediato dejó de arreglar las flores y se acercó a él. «Oh, Hamish, cuánto lo siento.»

Los límites que ella había demarcado lograron que la psique de Hamish se enfrentara con el problema real. Su irritación difusa no le proporcionaba ningún alivio. Su negativa a enfrentarse al problema lo obligaba a nadar en su propio atolladero, y una vez que consiguió salir de allí, el verdadero problema salió a la superficie.

En cuanto comenzó a hablar de lo que realmente le pasaba, Maureen se acercó a él para brindarle su apoyo. No se había enfadado con su marido —lo que la hubiera llevado a mantener la distancia—, puesto que había sido capaz de protegerse y por lo tanto no tenía ningún obstáculo para ser compasiva con él.

Si usted sabe cuidar de sí mismo, no tendrá ningún problema para estar presente cuando la otra persona abandone su actitud inicial. «Chico, he estado descargando mi malhumor contigo. Lo siento. Me gustaría que me ayudaras a descubrir qué es lo que realmente está sucediendo.»

«Estoy a tu disposición.»

Capítulo 8

Límites para la ira

L OS ENFADOS han sido muy vilipendiados en nuestra cultura, debido al daño producido por su destructiva prima, la ira. Sin embargo, el enfado —igual que la aflicción, el goce y el miedo— es un sentimiento básico que en su expresión más pura y directa, evidentemente dentro de ciertos límites, tiene un impacto positivo. Además, la expresión de dichos sentimientos resulta liberadora tanto para la persona que tiene el problema como para la relación afectiva que mantiene.

No comunicar que uno está enfadado puede causar muchos problemas y dar lugar a reacciones virulentas, tal como la malicia, la agresión pasiva, la hostilidad, el sabotaje, el odio, la culpa, el control sobre la conducta, la vergüenza, las autoacusaciones y la autodestrucción. La agresión pasiva —la cólera que se descarga al modo de «golpea y corre» y que se disfraza de dulzura o de preocupación— tiene la particular característica de hacer daño sin que quien lo inflige parezca tener conciencia de ello.

Como regla general, mis clientes han pasado años intentando suprimir su irritación. La han empujado tanto hacia su interior que ni siquiera son capaces de reconocer cuando están enfadados. La mayor parte de sus sentimientos se expresan a través de las lágrimas, la tristeza o la autoacusación; pero si el sentimiento real es que están disgustados, ni la tristeza ni ningún otro sentimiento sustituto puede serenarlos.

Cuando el enfado se expresa abiertamente dentro de ciertos límites, en primer lugar se enardece y más tarde desaparece. Primero brilla y luego se desvanece.

En contraste, la cólera, la hostilidad, la malicia, la agresión pasiva y el odio tienden a reproducirse. Cada una de estas expresiones emocionales se dirige a un objetivo externo, el verdadero sentimiento —el enfado o la aflicción— finalmente no se expresa.

Por este motivo, la cólera nunca se agota. La ira engendra ira. Cuando una persona da rienda suelta a su cólera, pronto se percatará de que ese sentimiento se alimenta a sí mismo, se arrebata y se torna cada vez más destructivo. Los crímenes que se cometen por odio se producen porque la ira se dirige hacia la persona o el acontecimiento equivocados. La ira original relacionada con el motivo real se pierde de vista.

Si yo estoy verdaderamente enfadado con mi esposa, pero en realidad le grito a uno de mis peces, no habré resuelto nada. Cuando descargamos nuestra cólera con un ser inocente no resolvemos la situación.

Y si mis amigos y yo decidiéramos organizar una sociedad en contra de los peces de colores, consiguiéramos que la gente usara cazadoras de cuero con una línea que tachara a un pez malicioso y formáramos un piquete para denunciar a las tiendas de animales por la naturaleza viscosa de la mayoría de los peces, mi cólera no haría más que aumentar. Los peces de colores serían simplemente un chivo expiatorio para cierta cólera latente y justificada que no soy capaz de expresar de una forma directa.

Un método infalible para señalar la diferencia entre el enfado y la ira es que esta última toma prisioneros. No se retira hasta que la otra persona resulta herida. Intenta derramar sangre o producir una situación emocional equivalente. Necesita causar daño antes de empezar a evaporarse. Si se tolera su escalada, incluso puede llegar a matar.

Un enfado es algo muy diferente. Se trata de una energía que fluye desde un lugar interno. No necesita una diana. No busca herir a los demás.

Para que un enfado se disipe, debemos conectarnos con nuestros verdaderos sentimientos, expresarlos exactamente y hablar del suceso real que los despertó. Si digo que estoy disgustado porque mi hermana llega tarde a nuestra cita pero en realidad lo estoy porque pienso que para ella sus animales de compañía son más importantes que yo, no sentiré ningún alivio incluso aunque ella se disculpe y prometa llegar puntualmente la próxima vez.

Solo la verdad es capaz de modificar un sentimiento. Además, la verdad es una oportunidad para que alguien nos conozca. De este modo, mejoramos las posibilidades de que nos traten mejor en el futuro.

Si estoy furioso porque tú te has bebido la última leche que quedaba, pero sin embargo afirmo que lo estoy porque no has echado mi carta al correo, no voy a conseguir sentirme mejor. Además, si tú te preocupas por mí y pretendes modificar tu conducta, intentarás no olvidarte de llevar mis cartas al correo, pero no evitarás beberte toda la leche. Y lo más probable es que yo vuelva a enfadarme.

Expresar nuestros verdaderos sentimientos en relación con un incidente real nos ayuda a comprender lo que nos pasa y podemos liberar toda la energía utilizada para no enfadarnos. Cuando somos capaces de expresar nuestro enojo de una forma saludable, posteriormente disponemos de más energía. Además, seremos capaces de comprender algo sobre nosotros mismos y de la persona con la que estamos hablando, y de este modo conseguiremos una información exacta sobre algo importante para ambos que puede ayudarnos a modificar nuestra conducta. (Y aunque no sea así, el mero hecho de hablar sobre lo que nos preocupa será de gran ayuda.)

Cuando expresamos directamente nuestro enfado de una forma sana y dentro de ciertos límites, aprendemos algo nuevo sobre nosotros mismos. Obtenemos una nueva perspectiva sobre un viejo problema; tenemos acceso a un recuerdo que ha permanecido en la sombra; incluso podemos descubrir de un modo sutil de qué forma hemos contribuido al problema.

Miles de veces he escuchado a mis clientes afirmar: «No gano nada diciéndole que estoy enfadado. Ella nunca me escucha, y ese gesto no marcaría ninguna diferencia».

«Pero marcará una diferencia para usted. *La intención de modificar a la otra persona no es la razón primordial para expresar que está enfadado.* El motivo esencial es que el enfado existe y es real. Y como sucede con cualquier otro sentimiento, al expresarlo usted se libera de él.

Cuando se expresa el enfado de una forma directa, clara y sincera y se lo relaciona con el tema real, buscando la causa en su interior en vez de acusar a otra persona de haber provocado su enojo, se definen los límites.

A continuación ofrezco algunos ejemplos de cómo se puede expresar un enfado:

«Estoy enfadado.»

«Te has comido el último trozo de pan sin decírmelo. Me sentí muy desilusionado cuando quise hacerme el sándwich turco con el que había soñado toda la semana y ya no había más pan.»

«Estoy disgustado porque cuando te conté algo que para mí era muy importante, te echaste a reír.»

«Estoy enfadado porque me habías dicho que harías esto y no lo has hecho. Estoy realmente muy, muy enfadado.»

«Me disgustan las decisiones que tomas. Me molesta que en vez de comprometerte emocionalmente con esta situación con el fin de que ambos nos ocupáramos de ella, dejaras que se cociera a fuego lento entre nosotros durante dos días.»

«Grrr.»

Un *grrr* no es ninguna parodia ni tampoco una expresión de ira, sino simplemente una forma de comunicar que está enfadado sin ningún tipo de acusaciones, culpas ni disculpas. A veces tenemos una necesidad física de hacer un sonido que exprese que estamos disgustados. Gruñir —comunicar un enfado a través de un sonido— puede en ocasiones liberar la energía de una manera suave y rápida.

Al expresar el enfado de una manera saludable, es posible reconocer las conductas específicas que han dado lugar a ese sentimiento.

Los límites necesarios para que el enfado puede expresarse de una forma sana incluye los siguientes:

- Deje que su interlocutor establezca una distancia física entre ambos. Si la otra persona necesita apartarse de usted con el fin de sentirse más cómoda frente a su enfado, no haga de esto un nuevo problema.
- Evite las afirmaciones que comienzan por «tú». No insulte a su interlocutor. No lo desvalorice, degrade, menosprecie ni humille, y tampoco intente minar su confianza. Trate de utilizar afirmaciones que comiencen por «yo»: *yo siento, yo quiero, yo hago daño.*
- Evite el sarcasmo. Solo conseguirá expresar su enojo de un modo indirecto y cambiar el foco de atención hacia la otra persona.

- Nunca empuje, sacuda, aguijonee, arrincone, pellizque, pegue una bofetada ni amenace física ni emocionalmente a otra persona. Estas reacciones son propias de la ira. Si se siente tentado a hacerlo aunque sea una sola vez, busque ayuda. Hable con un terapeuta tan pronto como le sea posible.
- Si usted necesita expresar su enojo físicamente, busque un objeto inanimado. Para favorecer que la energía salga de su interior (y al mismo tiempo ayudar a la otra persona para que no se inquiete), anuncie lo que va a hacer. «Voy a golpear una almohada.» «Voy a darle un puñetazo al sofá.» «Voy a chillar con todas mis fuerzas durante un par de minutos.» «Voy a dar un paseo por la habitación sacudiendo mis manos y gritando.» Pero mientras lo hace, no se olvide de mirar en su interior para ver lo que se esconde en su propio cuerpo.
- Proteja a los niños para que no se asusten por el proceso utilizado para resolver las cosas. Si los niños están en casa y no saben que un enfado puede expresarse de una manera sana, celebren su reunión en un lugar de la casa donde no puedan escucharlos. Si hay un bebé en la casa, es esencial que no levanten la voz. (El volumen alto no es esencial para liberarse del enfado.) También pueden contratar a una canguro e ir a algún lugar donde se sientan libres para poder gritar.
- Usted es responsable de lo que siente y de la forma en que se expresa. También lo es de cualquier daño que pudiera producir si va demasiado lejos. Nunca es verdaderamente cierto afirmar: «Tú me has provocado para que te golpeara».
- No es fácil escuchar a alguien que está realmente furioso. No albergue la esperanza de que la otra persona escuche verdaderamente todo lo que usted dice.
- Si la otra persona lo interrumpe, lo desvía del tema, se olvida de algo importante, saca a relucir sucesos que no tienen ninguna relación o reacciona ante lo más nimio pero ignora su mensaje principal, comuníqueselo. Pídale que lo escuche atentamente.
- Cuando haya terminado de expresarse y la otra persona lo haya escuchado razonablemente bien, agradézcaselo con toda franqueza. Si usted ha conseguido comprender algo que estaba

muy oculto, percibirá que se ha producido un cambio en su interior y a veces también experimentará una ráfaga de alivio o de energía. Su interlocutor ha desempeñado un papel muy importante al escucharlo, de modo que hará bien en reconocerlo y agradecérselo.

LÍMITES PARA ESCUCHAR A ALGUIEN QUE ESTÁ ENFADADO

- Escuche respetuosamente en tanto que la otra persona exprese su enfado de un modo directo, franco y claro.
- Si descubre que está asustado o siente que está demasiado expuesto a la energía que emana el enojo de su interlocutor, no dude en retroceder. Si la habitación es demasiado pequeña, puede elegir una de mayor tamaño o pueden permanecer en diferentes habitaciones manteniéndose a la vista a través de la puerta. (Una vez más, tome precauciones para que los niños no puedan escucharlos a menos que ya hayan hablado con ellos sobre lo que significa estar enfadado.)
- No acepte el sarcasmo ni ningún comentario destinado a desvalorizarlo, degradarlo o minar su confianza. En ese caso, advierta a su interlocutor que se está excediendo levantando la mano a modo de señal de STOP. Si él persiste en su conducta, afirme: «No estoy dispuesto a seguir escuchándote, seguiremos más tarde cuando seas capaz de hablar educadamente. Hasta entonces voy a ocuparme de alguna otra cosa», y luego márchese. Nunca se preste a escuchar afirmaciones sarcásticas ni acepte afirmaciones que comiencen por «tú» durante más de unos pocos minutos.
- Si siente que ha adoptado una postura defensiva, lo mejor será que diga: «Me siento a la defensiva». Cambiar de tema, utilizar el humor de una forma inoportuna, ocuparse de las minucias y al mismo tiempo ignorar la situación general, o traer a colación alguna vieja pelea no son actitudes que favorezcan la situación.
- Escuche lo mejor que pueda intentando recordar que la otra persona es un ser humano con verdaderas preocupaciones. El

hecho de escuchar a alguien no invalida su propia perspectiva ni supone que esté de acuerdo con ella.
- Si usted realmente ha hecho algo que ha enfurecido a la otra persona, admítalo y discúlpese.

OTROS LÍMITES PARA EL ENFADO

1. Ocúpese de los temas que lo inquietan en el momento oportuno. No los postergue.

2. No se libere de su enfado con Steve hablando mal de él con Susan, que los conoce a ambos. Más tarde o más temprano, esta serpiente volverá para morderlo.

3. Si la persona con la que está enfadado ha fallecido o no tiene ninguna posibilidad de comunicarse con ella, de cualquier manera puede expresar su enfado. Comuníquele toda la *enchilada*[*] a un amigo en el que pueda confiar o a un profesional competente.

4. Los límites positivos para un enfado incluyen:

- Hablar de sus sentimientos.
- Fijar la atención en su propia persona y no en algo exterior.
- Expresar físicamente que está enfadado golpeando objetos como por ejemplo un cojín.
- Anunciar sus intenciones antes de hacer mucho ruido o de golpear sobre un sofá o un cojín.
- Identificar el tema real que lo ha enfadado.
- Las afirmaciones que empiezan por «yo».
- Permitir que quien lo escucha determine la distancia física que quiere mantener con usted.
- Proteger a los niños para que no se asusten.

5. Los límites positivos para un enfado *no* incluyen:

- Desvalorizar, menospreciar ni avergonzar a la otra persona.
- Comentarios indirectos de tipo pasivo-agresivo.

---

[*] En español en el original. *(N. de la T.)*

- La ira.
- Hacer un daño físico a la otra persona.
- Amenazar a la otra persona.
- El sarcasmo.
- Las afirmaciones que empiezan por «tú».
- Asustar a los niños.

Al mantener el enfado dentro de ciertos límites sanos y expresarlo en un momento oportuno, usted fortalece su propia integridad y protege sus relaciones afectivas.

Un enfado expresado de una manera sana es como una tormenta que limpia el ambiente, renueva el aire y permite que la humedad descienda hasta un nivel tolerable. Puede haber truenos y relámpagos, pero siempre provienen de un sitio central y dejan tras de sí un aire fresco y una sensación agradable.

Capítulo 9

Reparar un daño

El error no es un pecado tan grande como la negación.
IRENE ALLEN, *Quaker Silence*

U NA PERSONA responsable no deja que otros arreglen los errores que ha cometido. Del mismo modo, una persona adulta y madura no permite que alguien se ocupe de las consecuencias de su conducta.

Sam conducía a una velocidad excesiva sobre una carretera helada hasta que el coche patinó y atravesó una valla de estacas de madera. Nadie lo había visto y podría haberse marchado de allí sin que nadie se enterara de que el había sido el responsable.

Pero Sam era una persona honrada. Después de retirar el coche del terreno escribió una nota para el propietario. El siguiente fin de semana se presentó allí con unos tablones de madera y un martillo para reparar la valla.

Sam reparó los daños. Había cometido un error y se responsabilizó completamente de las consecuencias del mismo. No estaba dispuesto a permitir que el dueño de aquel terreno cargara con los gastos de la reparación.

Sam cruzó literalmente un límite. Más tarde reparó el límite físico de su vecino. Cuando traspasamos los límites emocionales o psicológicos de otra persona, también ella sufrirá las consecuencias de nuestros actos. Al enmendar el daño, podemos contribuir a reparar el límite, minimizar las consecuencias, favorecer la curación y colaborar en la restitución (o en la creación) de la confianza.

Las palabras constituyen una disculpa. Al menos nos permiten reconocer nuestros errores y el efecto que han producido en la vida de otra persona. Las enmiendas son acciones mediante las cuales hacemos realmente algo para solucionar un contratiempo que se ha producido debido a nuestros errores.

Reparar un daño es una forma de liberarnos de la carga de nuestros propios errores. Cuando cometemos una equivocación que tiene una consecuencia para otra persona, enmendar la situación incluye tres cosas: el daño infligido a la otra persona, el perjuicio para la relación y nuestro propio sufrimiento debido al error.

Sam no lo pensó dos veces; antes de hacerlo ya había reparado la valla y de esta forma evitó que tanto el dueño de la tierra, a quien no conocía, como él mismo sufrieran una pérdida de energía. Si se hubiera marchado de allí sin mediar palabra, algo en su interior hubiera cambiado. Hubiera tenido que endurecerse para poder ignorar que había infligido un daño a la propiedad de alguien a quien no conocía. (Cuando nos empeñamos en no enterarnos de algo que nos sucede, esta actitud supone un alto coste en términos de salud y energía. Por esta razón es tan importante reparar los perjuicios producidos por nuestra conducta y que no solo nos afectan a nosotros sino también a otras personas.)

La forma de reparar el daño debe ajustarse a la naturaleza del error. Si hemos cometido un error relacionado con los límites, al no respetar algo que es importante para otra persona por ignorancia o por un olvido, corregir nuestro error es todo lo que debemos hacer:

Jana no dejaba de hablar, y no permitía que su hermana pudiera pronunciar siquiera una sola palabra hasta que esta finalmente la interrumpió. «Ey, Jana, yo también necesito decirte algunas cosas.» Jana ya era consciente de que podía violar inadvertidamente los límites de tiempo, de manera que terminó de hablar de sí misma y dijo: «Es tu turno, chica. Soy toda oídos».

Shaian usó su llave para entrar a la casa de su hermana Cher cuando ella estaba de vacaciones. En este caso no se trataba de una violación de los límites porque cada una de ellas sabía que podía entrar libremente en la casa de la otra.

Sin embargo, Shaian sabía que a Cher no le gustaba prestarle su ropa ni siquiera cuando ella se la pedía. Por lo tanto, cuando usó el vestido favorito de Cher —de un delicado color pastel— para una cita especial, sabía que estaba violando un límite.

Aquella noche, manchó el vestido de su hermana con salsa de tomate. Cuando finalmente se ocupó de limpiar el vestido, la mancha estaba seca. Se las arregló lo mejor que pudo y luego colgó el vestido en el armario de Cher.

Cher se puso furiosa cuando lo descubrió. Sabía que la única que podía haber estropeado el vestido era Shaian. La llamó y le dijo: «Has estropeado mi vestido favorito».

«Lo siento mucho.»

«No puedo creer que te lo hayas llevado después de haberte dicho mil veces que no quería que usaras mi ropa —y además era mi vestido favorito.»

«Lo sé. No debía haberlo hecho, pero Laran me invitó a ver la compañía de danza. Él me gusta mucho, y aceptar su invitación era muy importante para mí. Pero no tenía nada bonito que ponerme y tampoco tenía dinero para comprarme un vestido nuevo. Tú tienes cosas mucho más bonitas que las mías.»

«Por esa misma razón las cuido», dijo secamente Cher. «Me importa un pimiento que la cita fuera importante para ti, no es ninguna excusa para ignorar expresamente el límite que yo había establecido.»

«Lo sé, no debería haberlo hecho y lo lamento.» Shaian hablaba tranquilamente, revelando que no estaba muy preocupada. «Vale, te veré el próximo fin de semana.»

«Un momento. No tan rápido. ¿Cómo crees que vas a arreglar esto?»

«¿Qué quieres decir?»

«No puedes quitarte de en medio como si no tuvieras ninguna responsabilidad en todo esto, afirmó.» ¿Cómo piensas reparar el daño que me has hecho?»

«¿Reparar el daño?»

«Exactamente. No pensarás que voy a ocuparme de este asunto. Tú has sido la causa del problema y tú tienes que arreglarlo.»

«¿Qué quieres que haga?»

«Puedes llevarlo al tinte y averiguar si pueden arreglarlo.»

«¿Y si no pueden?»

«Entonces me deberás los doscientos cincuenta dólares que he pagado por ese vestido.»

«No tengo dinero para pagártelo.»

«Entonces será mejor que lo puedan solucionar en el tinte. ¡Y cuanto antes, mejor!»

«Llévalo tú al tinte y yo te daré el dinero», respondió Shaian.

«De ningún modo», contestó Cher. «Eres tú la que ha metido la pata y la que hará el esfuerzo de resolver las cosas.»

«Está bien», respondió disgustada Shaian. «Déjalo junto a la puerta de entrada y lo recogeré cuando vuelva casa del trabajo.»

«Gracias.»

En un mundo perfecto la gente admitiría de inmediato sus equivocaciones y se ofrecería a reparar los daños. (En realidad, muchas personas emocionalmente sanas y maduras lo hacen.) No obstante, hay quienes silencian sus propios errores con la esperanza de que los demás no los descubran o no les preocupe. Otros, al ser informados de sus errores, piensan que decir «Lo siento» es suficiente.

Un simple «Lo siento» no enmienda una equivocación. Si la víctima sigue peleando con las consecuencias del error cometido por otra persona, resulta obvio que esta no se ha ocupado de resolver la situación.

Shaian ignoró deliberadamente los límites impuestos por su hermana al decidir que su necesidad tenía prioridad sobre el respeto por Cher. Decidió actuar con absoluta falta de consideración al no ocuparse de eliminar la mancha del vestido cuando aún era reciente. Al dejar el vestido en el armario para que su hermana lo descubriera en vez de admitir abiertamente su error, cometió una violación de los límites.

Cher estaba en su derecho de llamarla inmediatamente. Cuando Shaian dijo «Lo siento» con absoluta indiferencia, en vez de disculparse realmente, apenada por lo que había hecho, Cher le pidió que reparar de inmediato el daño que le había ocasionado. No esperó que Shaian cayera en la cuenta de lo que pasaba, y cuando esta simuló no saber qué es lo que podía hacer, Cher se lo explicó con toda claridad.

La jerarquía de los desagravios

1. Reparar el error

Lilith pidió a Jessie que cuando saliera de la casa echara en el buzón su pago de la tarjeta de crédito. Él lo dejó sobre uno de los estantes de su armario cuando se cambió el jersey y luego se olvidó de el. Pasó una semana antes de que descubriera su olvido. Pero ya en ese momento, la fecha tope para pagar la tarjeta era inminente.

Llevó la carta directamente a la oficina de correos y envió el pago por correo exprés. Luego le explicó lo sucedido a Lilith, afirmando que si la penalizaban por la demora, él se haría cargo del pago.

2. Transfiera las consecuencias

Raven se marchaba de vacaciones y pidió a Jill que ingresara en el banco su sueldo. Jill hizo el ingreso una semana más tarde. Como resultado, el banco rechazó tres cheques y rescindió los privilegios de su tarjeta de crédito. Se trataba de una situación ambigua: Raven podía haber sido más clara, y Jill debería haber actuado con más celeridad.

Jill se ofreció a pagar la mitad de lo que le cobraría el banco por el descubierto. También acompañó a Raven al banco y explicó al director que había sido su error y no el de su amiga el que había causado el inconveniente generado por el descubierto.

Hacer un favor a alguien se convierte en un tema relacionado con los límites cuando la persona que se ofrece a hacer un favor tiene un modelo de conducta que es: 1) no hacerse cargo, 2) enredarse en alguna situación cuya consecuencia sea que quien le ha pedido el favor quede en una posición más desventajosa que si se hubiera ocupado de la tarea en persona.

Todos necesitamos ayuda en alguna ocasión. Si confiamos en una ayuda que no se materializa o que nos da aún más trabajo, perdemos la confianza que habíamos depositado en esa persona. Somos estrictos con nuestros límites con un amigo que no es formal y con el que no se puede contar; sin embargo, un amigo que repara sus errores o admite que se ha equivocado y resuelve su descuido nos permite restablecer nuestros límites y recuperar nuestra confianza en él.

Al hacerse cargo de una parte de la penalización por la demora del pago, Jill asumió una parte de las consecuencias de su conducta. Con su actitud permitió que Raven comprendiera y aceptara que, debido a que no había sido muy explícita, realmente no quedaba muy claro de quién había sido el fallo y, por lo tanto, lo justo era compartir la responsabilidad.

3. Retribuciones recíprocas

Anita llegó una hora tarde a buscar a su hermana el día que habían fijado para celebrar su cumpleaños. Esto fue un motivo de desilusión para Pam y le arrebató parte del placer que prometía aquel día. Mientras esperaba a Anita, percibió que su entusiasmo se desvanecía y pensó que ella no era importante para su hermana.

Al llegar Anita se deshizo en excusas, utilizándolas para protegerse del posible enfado de su hermana o de un enfrentamiento con Pam. Entonces cambió de conducta manifestando un entusiasmo exagerado en un esfuerzo por potenciar la escasa energía que observaba en su hermana.

Una vez dentro del coche de Anita, y antes de que ella lo pusiera en marcha, Pam posó su mano sobre el brazo de su hermana y le dijo: «Anita, necesito decirte algo, o de lo contrario hoy no voy a ser capaz de divertirme».

Anita se volvió hacia ella.

Pam continuó: «Estaba tan emocionada al saber que querías celebrar mi cumpleaños, y sin embargo mientras esperaba, cuanto más tiempo pasaba, menos importante me sentía. Al esperarte perdía toda la ilusión que tenía por este día. Me gustaría recuperarla, pero me siento deprimida».

Anita la escuchó atentamente, luego la abrazó y le explicó. «Lo siento mucho, Pam, te quiero y lo lamento de veras. A veces me siento agobiada por mi propia vida y no puedo hacer las cosas en el momento oportuno. Pero no quiero que mi frenesí te mortifique también a ti. Quiero que pasemos un buen día. Sé que me has tenido que esperar durante una hora y vamos a pasar juntas una hora más de lo planeado. Estaremos juntas todo el tiempo que habíamos previsto. ¿Te parece bien?»

«Claro que me parece bien, ¿pero al hacerlo quizá estés renunciando a alguna otra cosa. Si a causa de esto te sentirás aún más agobiada, no me sentiría a gusto.»

«En primer lugar, ese es mi problema. Por otro lado, cariño, sabes que mi frenesí es algo que yo misma he creado. Si la semana tuviera para mí un día más que para los demás, tampoco conseguiría cumplir lo que digo. Quiero hacer esto, quiero que disfrutemos a tope. Te quiero mucho.»

La forma que tiene Pam de enmendar la situación consigue resolver el hecho de haber violado los límites de tiempo y energía de su hermana. Cada una de las mujeres contribuyó a solucionar la situación.

Pam podría haberse sentido obligada a ocultado lo que sentía, y Anita podía haber dado alguna excusa o hacer algún tipo de comentario defensivo para silenciar a Pam. En cualquiera de los casos, ambas hubieran perdido parte del vínculo que las une y además no hubieran podido disfrutar juntas de aquel día.

Anita encontró una forma de retribuir a Pam el tiempo que le había arrebatado. Esta es una forma de retribución recíproca y positiva para solucionar una violación de los límites del tiempo, del orden o de las posesiones de otra persona. Si, a causa de nuestra propia decisión, de una mala definición de las prioridades o de un juicio con poco criterio, hemos malgastado el tiempo de otra persona, tenemos la posibilidad de devolvérselo. Si le hemos robado diez minutos, podemos hacer algo que le permita tener diez minutos libres y compensarla de lo que le hemos arrebatado.

Cómo reparar una violación grave

Reparar las consecuencias de nuestras acciones es más difícil cuando no solo hemos violado un límite sino también a una persona. El abuso modifica el futuro de una persona de una forma negativa y, en algunos casos, drástica. Un intento sincero de reparar el daño estaría dirigido a devolverle a esa persona su futuro. (Por este motivo, el homicidio es el más grave de los crímenes: resulta imposible repararlo. La víctima ha perdido su futuro. Ya no se puede hacer nada por devolvérselo.

El padre de Sara había abusado de ella siendo una niña. Era un secreto a voces en la familia. Todos lo sabían, pero nadie hablaba de ello. Cuando Sara se convirtió en una mujer, sentía aversión por las reuniones familiares, y especialmente por su padre.

Toda la familia actuaba como si Sara no tuviera ninguna justificación para evitar a su padre. Contaban con su presencia en los eventos familiares, que conversara amablemente con su padre y que tolerara sus abrazos cuando se despedían. Una y otra vez se apartaba de él, evitaba las conversaciones u ofrecía excusas para no asistir a una celebración. Aunque el que había causado el daño era su propio padre, ella terminó por ser la extraña.

Años más tarde, el padre se apuntó a un programa de doce pasos con la intención de solucionar su problema. Consiguió llegar a admitir ante sí mismo la gran equivocación que había cometido con su hija. Fue entonces cuando la llamó y la invitó a almorzar. Mientras se dirigían al restaurante se detuvieron en un sitio donde había una vista panorámica y comenzaron a hablar.

Reconoció haberla acosado. Expresó la profunda tristeza que sentía por haberla traicionado como padre y por todo lo que ella había tenido que sufrir. Se ofreció a pagarle una terapia e incluso a acompañarla a una entrevista. Afirmó que estaba completamente dispuesto a escucharla hablar del daño que le había hecho, de su enfado y de todo lo que se derivara del sufrimiento que le había causado en la vida.

Con estas primeras palabras, las lágrimas inundaron las mejillas de Sara, y cuando su padre terminó de hablar, ella estaba llorando desconsoladamente. Aceptó todos sus ofrecimientos. Decidió hacer una terapia, y finalmente le pidió que acudiera a las sesiones donde gradualmente aprendió que podía expresarse abiertamente. Él escuchó sin esgrimir ninguna excusa todo lo que ella necesitaba decir. Más adelante, cuando se hizo evidente que el trastorno alimenticio que Sara padecía era una consecuencia de la violación, el padre se ofreció a pagarle un tratamiento.

También llegó a hablar con su esposa e hijos y asumió frente a ellos su responsabilidad, insistiendo en que ellos debían reconsiderar la opinión que tenían de Sara. De este modo logró que dejaran de marginarla en la familia.

CÓMO REPARAR COMPLETAMENTE EL DAÑO DE HABER VIOLADO A UNA PERSONA

- Admitir el error.
- Experimentar un sincero arrepentimiento por el daño cometido.
- Encontrar (o crear) un contexto donde ambas personas se sientan seguras para que la víctima pueda expresar todo lo que siente en relación con la violación.
- Si el tratamiento o la terapia fueran una posibilidad de ayudar a la víctima a recuperar su bienestar, ofrézcale todo el apoyo financiero y de tiempo que sea necesario.
- Si fuera pertinente, restablezca el lugar que ocupaba la víctima dentro del núcleo familiar.

Aceptar la ayuda

Sara hizo un buen trabajo al aceptar que su padre la ayudara y por lo tanto no perdió la oportunidad de solucionar sus problemas. En contraste, Evelyn estaba furiosa con su madre por los años de abandono que había sufrido debido a su afición a la bebida. Cuando llegó a la década de los cuarenta, Maddy abandonó la bebida y se convirtió en una mujer espiritual e intentó arreglar la relación con su hija que ya era una mujer adulta.

Procuró establecer nuevos hábitos con su hija y la invitó a salir de vacaciones, a hacer viajes de compras, e insistió especialmente en salir juntas los fines de semana. En diversas ocasiones intentó hablar con su hija del pasado, para tener una oportunidad de admitir sus errores. Se ofreció a pagarle una terapia y a asistir con ella a las sesiones. Deseaba de todo corazón reparar las desavenencias que había entre ellas. Quería tener una buena relación con Evelyn. Aspiraba a que su hija tuviera la oportunidad de tener una vida más satisfactoria.

Pero Evelyn estaba enfadada. Y estaba tan disgustada con su madre que incluso rechazó las propuestas que podían haberla beneficiado. Prefirió seguir sintiéndose abatida, pues de esta forma prolongaba el castigo de su madre. Sabía muy bien que arruinando su vida hacía sufrir a Maddy. Se encontraba tan llena de odio que incluso estaba dispuesta a sacrificar su propia vida para expresarlo.

Cuando nos convertimos en adultos, somos responsables de nuestra propia felicidad. Independientemente de las consecuencias que debamos soportar debido a una violación, cuando somos seres adultos llevamos sobre nuestros hombros la responsabilidad de nuestra curación.

Al aceptar que su padre reparara el daño que le había hecho, Sara propició su propia curación. Por el contrario, Evelyn saboteó su propia liberación al rechazar los esfuerzos de su madre por ayudarla.

Evelyn tiene derecho a estar enfadada, pero mostrar su rabia en vez de expresarla directamente constituye también una violación que atenta contra la relación que ella tiene con su madre y las deja atrapadas como las moscas en el ámbar.

Aunque pueda parecer extraño, la mejor oportunidad que tiene Maddy de ayudar a Evelyn, ahora que su hija está tan decidida a sabotear su vida, es atender su propia vida y ocuparse de su felicidad. Existe una pequeña posibilidad de que Evelyn se percate de que no consigue mortificarla con sus castigos y entonces quizá se decida a hacer algo por sentirse mejor.

LÍMITES SANOS PARA ACEPTAR QUE OTRA PERSONA REPARE UN DAÑO

- Permítale admitir sus errores.
- Encuentre un sitio donde ambos se sientan seguros. Exprese su enfado sincera y directamente sin olvidar cuáles son los límites sanos para hacerlo.

- Si usted percibe que la otra persona está esencialmente preocupada por sí misma, y no en reparar el daño que le ha hecho, interrumpa la sesión.
- Si alguno de los dos demuestra que puede ser peligroso o violento, interrumpa la conversación y márchese.
- Si la otra persona se ofrece a pagarle un tratamiento adecuado o hacer cualquier otra cosa para reparar el daño cometido, debe considerar seriamente la posibilidad de aceptar su propuesta.

Estatuto de las limitaciones

«Olvídalo ya, María. Aquello sucedió hace veinte años.»

¿Cual sería la diferencia entre guardar rencor y reconocer que una violación ha alterado de un modo definitivo su relación con esa persona?

Nada procura tanto alivio como decir la verdad, expresar francamente el remordimiento, sentir compasión por la persona injuriada y ser capaz de reparar completamente el daño perpetrado. Desgraciadamente, no todos somos capaces de hacerlo. Algunas personas pueden ofrecer una restitución parcial o un remordimiento simbólico, pero (por la razón que sea) no son capaces de hacer nada más.

Si alguien ha cometido una equivocación y está intentando sinceramente rectificarla —por ejemplo, si a través de diversos actos revela que está preocupado por lo que ha sucedido aunque sea incapaz de hablar sobre la violación—, nos beneficiaremos al adoptar una actitud flexible como para que sus esfuerzos no sean en vano.

Si el daño infligido es importante, entonces un esfuerzo simbólico no será suficiente. Pero si su error no causó consecuencias demasiado graves, quizá podríamos expresar nuestros sentimientos y abrirnos paulatinamente a la posibilidad de restaurar parcialmente la relación mientras pensamos qué otras contribuciones podría ofrecernos esa persona. Usted es el único que puede juzgar si lo que le ofrecen es digno de tener en cuenta.

Una última idea: ¿Ha contribuido usted a mejorar la situación permitiendo que la otra persona sepa que lo que le ha hecho le ha supuesto un gran sufrimiento? Algunas violaciones resultan obvias. Sin embargo, no en todos los casos la otra persona se percata de que ha cometido una violación de los límites. Si no lo reconoce, y usted pretende que se enmiende la situación, se verá obligado a comunicarle lo que ha hecho.

No existe un estatuto de las limitaciones cuando se trata de las violaciones graves. Reparar los daños por las acciones cometidas veinte o treinta años atrás aún puede ofrecer la posibilidad de superar la situación y proporcionar una curación duradera.

Reclamar una reparación de los daños a quienes gobiernan

Como sociedad, los ciudadanos hemos tolerado que nos trataran injustamente. Los abogados y los que hacen las leyes, a quienes solo les interesa su propia carrera, han convertido a las buenas leyes en objetos de saldo. El sistema legal reviste una gran confusión al utilizar las causas como excusas e incluso abusar del permiso para continuar con el abuso.

Hoy en día, tres o más mujeres pueden ser violadas antes de que el violador pierda sus privilegios de caza. Tres o más personas deben morir –o tres o más niños deben ser raptados— antes de que el depredador sea apartado de la comunidad. ¿Qué pasaría con mi rebaño si yo le diera al depredador tres oportunidades antes de pasar definitivamente a la acción?

Ciertas culturas se niegan categóricamente a que sus niños sufran ningún daño. Si nosotros también lo hiciéramos, podríamos ser igual de poderosos sin arriesgar el espíritu de las leyes que tanto valoramos.

En cualquier momento en que se amenace el bienestar de un niño, debemos intervenir —y de una forma tan rotunda que el niño y los niños del futuro estén a salvo de los actos potenciales de un depredador. Debemos unirnos para salvaguardar a nuestros niños.

En casi todos los casos en que somos amenazados por otra persona, esto se debe a que ella misma ha sido maltratada en su infancia. Los abusadores fueron abusados; los secuestradores fueron secuestrados. Los traficantes del poder fueron impotentes. A los que odian a las mujeres se les enseñó a odiar.

Cuando se hace un daño irrevocable a un niño, puede convertirse en un adulto abusador y depredador. Este es un motivo más que suficiente para invertir dinero en los programas para niños.

Podemos interrumpir el ciclo del abuso. Contamos con los conocimientos necesarios para hacerlo. Sin embargo, necesitamos una voluntad unificada, los fondos suficientes y las leyes adecuadas para que eso ocurra.

Capítulo 10

Límites para la amistad

L AS RELACIONES de amistad abarcan desde las relaciones casuales hasta las verdaderas almas gemelas. Una conducta que resulta apropiada para un cierto nivel de amistad puede no serlo en otros niveles.

Diferentes niveles de amistad

Los conocidos

Los conocidos pueden ser todas las personas que usted conoce y también aquellas que le caen muy bien, pero a quienes no conoce demasiado. Es el primer nivel de una amistad. Con algunas personas usted puede comportarse de una manera íntima desde el día en que se fijó por primera vez en ellas, sin embargo, en la mayoría de los casos los niveles más profundos de la amistad se desarrollan a partir de un simple conocimiento mutuo.

Los vecinos

Aunque normalmente utilizamos este término para hablar de alguien que vive cerca de nuestra casa, también puede definir a alguien con quien compartimos una situación similar. Es un paso más que tener un mero conocimiento de otra persona.

Podemos tener una relación de vecindad con otros miembros de nuestra parroquia; con aquellos con quien compartimos nuestros

intereses, una causa o un pasatiempo; con los compañeros de trabajo; con los colegas y con los compañeros de viaje. Nuestras vidas se
superponen. Los conocemos, nos pueden caer muy bien y además
podemos saber algo sobre ellos. Sin embargo, son amigos casuales.
Nuestros contactos con ellos no son de gran intensidad. Es posible
que un evento ocasional contribuya a aumentar nuestra relación,
pero en cuanto termine volveremos a separarnos.

Si usted aspira a tener relaciones más profundas, los vecinos —ya
sean geográficos o debido a una circunstancia especial— son buenos
candidatos porque tiene algo en común con ellos.

Los camaradas

Usted conoce al menos un aspecto de su camarada que le cae
muy bien. Ambos comparten normalmente alguna actividad o propósito, y debido a ello pasan bastante tiempo juntos y con regularidad. Con el paso del tiempo un camarada puede convertirse en una
relación más íntima.

La relación que tiene con un camarada ocupa un territorio más
amplio que la que tiene con un conocido o un vecino. Usted sabe
cómo funciona esta persona —su franqueza, sus estados de ánimo,
su actitud, su formalidad, su humor, su integridad y su buena disposición para arrimar el hombro cuando es necesario.

Los amigos íntimos

Un amigo íntimo, un amigo del alma, un alma gemela o un com-
pinche es uno de los mejores regalos de su vida. Usted puede confiarle sus secretos a esa persona, contar con ella cuando tiene problemas
y saber que estará de su lado. Se conocen mutuamente muy bien.

Una vez alcanzado este grado de amistad, usted puede trasla-
darse a los extremos más remotos de la tierra y, sin embargo, establecer contacto con él o ella en un abrir y cerrar de ojos. Ambos
están a disposición del otro en cualquier ocasión y aprovechan las
oportunidades que tienen de estar juntos.

La mayoría de los amigos íntimos tienen valores semejantes,
comparten intereses, tienen objetivos comunes y puntos de vista

similares. En general, desarrollan juntos una historia que puede durar décadas. Podemos querer enormemente a los amigos íntimos.

El contexto

El grado y la profundidad de la amistad define el contexto en el que se inscribe. Un pedido determinado que sería completamente adecuado para un camarada o un amigo íntimo podría no serlo cuando se trata de un conocido o de un vecino. Actuar de acuerdo con el contexto de un nivel determinado de amistad permite desarrollar la confianza y puede contribuir a que esa relación sea cada vez más profunda. Por el contrario, actuar de una forma inoportuna impide disfrutar de un poco más de intimidad.

Es evidente que pueden existir excepciones según cual sea el marco de la relación —en una reunión de un programa de doce pasos usted puede experimentar una gran intimidad con una persona que es casi una extraña aunque no sepa absolutamente nada de ella ni ella de usted—, pero en circunstancias normales, el grado de la amistad establece cuál es la conducta adecuada.

A continuación vamos a hacer un análisis de lo que en general se considera una conducta adecuada en tanto se refiere al contexto de una relación de amistad.

Utilice este gráfico como una guía y no como una regla que se puede aplicar en todos los casos. Sin duda, serán sus propias tripas el mejor indicador de cuáles son los límites apropiados. Si alguien le hace un pedido que le parece presuntuoso, diga «no». Si alguien la abraza y usted no se siente cómoda, eso es todo lo que necesita saber. Apártese de inmediato y exprese algo semejante a: «No lo hagas. Aún no me parece oportuno».

Prácticamente cualquiera de las acciones que se incluyen en el gráfico podrían ser adecuadas en circunstancias extraordinarias. Por ejemplo, al esperar en el hospital que le digan el resultado de la operación de un amigo, usted puede espontáneamente abrazar a la madre de su amigo, a quien acaba de conocer, cuando el cirujano les da una buena noticia.

	Conocido	Vecino	Camarada	Amigo íntimo
Llevar a alguien al aeropuerto o pedir que lo lleven	x	x	x	x
Ayudar en una mudanza	x	x	x	x
Llamar a mitad de la noche porque ha tenido una gran idea				x
Llamar en mitad de la noche porque ha tenido una emergencia		x	x	x
Contar un gran secreto				x
Invitar a alguien con motivo de un acontecimiento	x	x	x	x
Dar un abrazo espontáneo			x	x
Abrazar a alguien cuando llora			x	x
Invitarse a una cena			x	x
Quedarse a pasar la noche de un modo informal			x	x
Quedarse a pasar la noche por una razón especial		x	x	x
Salir con alguien		x	x	x
Llamar por teléfono con frecuencia			x	x
Ponerse en contacto una vez al año	x	x		
Abrazar				x
Agarrar las manos de alguien cuando está triste	x	x	x	x
Estrecharse la mano				x
Hablar de los problemas			x	x
Compartir preocupaciones		x	x	x
Conversar sobre eventos locales	x	x	x	x
Pedir un favor		x	x	x

Las personas tienen diferentes estilos, y el hecho de que sea adecuado abrazar a un íntimo amigo (que no es ni su pareja ni su amante) no significa que todos los amigos íntimos se sientan cómodos con esa actitud. Tocarse es siempre una opción, pero son las dos personas implicadas las que deben aceptar este acercamiento.

Algunas personas tienen la costumbre de tocar a los demás como muestra de amistad y afecto. Otros suelen tener muy poco contacto físico. Ambos estilos son normales, sanos y adecuados. Como regla general, antes de tocar o abrazar a otra persona por primera vez, pregúntele si no le incomoda.

En diferentes regiones y culturas existen diferentes límites para el contacto entre amigos íntimos y casuales. En ciertos cónclaves de Nueva Inglaterra, incluso los amigos más íntimos se abstienen de abrazarse. En California, se establece una rápida intimidad con los extraños.

Sin embargo, es preciso hacer una advertencia. Cuando la intimidad se establece de una manera rápida no tiene ninguna base sólida. Usted es un desconocido, no conoce a la otra persona, no tiene una idea cabal de si esa persona es digna de confianza. No hay una alianza real entre ambos. De manera que sea precavido para no arriesgarse demasiado con una persona que rápidamente se comporta como si fuera un amigo íntimo. Compruebe cómo maneja esa persona un pequeño riesgo antes de zambullirse plenamente en la relación.

Las circunstancias

La condición actual de su amistad define cuál es la conducta apropiada. Si usted y Coupe están atravesando un serio conflicto, no es el momento apropiado para hacerle un pedido frívolo. Un pedido es irritante cuando no se adecua a las circunstancias actuales de la relación. Manténgalo en espera hasta que se resuelva el enfrentamiento.

Babe era amiga de Marti y Gail, que originalmente no se conocían, pero que se hicieron amigas porque se encontraban con asiduidad en las reuniones que celebraba Babe. Más tarde, Marti y Gail se convirtieron en vecinas. A Marti le caía muy bien Gail y la consideraba una camarada, de modo que comenzó a incluirla en su núcleo social porque le apetecía verla y no solamente porque era amiga de Babe.

Cierto día ambas tuvieron un serio enfrentamiento. No lograron resolverlo y dejaron de verse. Ya no mantenían ningún tipo de contacto. Cuando Marti intentó hablar con Gail, esta la ignoró completamente.

Durante dos años, Marti no tuvo más contacto con Gail, pero cierto día recibió este mensaje: «Marti, soy Gail. Me he dejado el bolso en la casa de Tam. Como ella vive solo a kilómetro y medio de tu casa, ¿podrías recoger mi bolso y llevarlo a tu oficina? Déjaselo a la recepcionista y yo lo recogeré».

¿Cómo reaccionaría usted ante esta petición?

- Parece una petición fuera de lugar. Algo falta.
- Es demasiado insólito.
- ¿Cuál es el problema? Le llevaría el bolso.
- Parece oportuno.
- Quizá está intentando restablecer la amistad.

Gail no está usando la excusa del bolso para restablecer su amistad con Marti. Ni siquiera desea verla, ya que le ha pedido que deje el bolso en la recepción para no tener necesidad de encontrarse con ella.

En estas circunstancias, su petición es sorprendente. Ambas personas ya no mantienen ningún lazo de amistad. Fue precisamente Gail la que dio por terminada la relación. Que sea ella la que pide un favor, aunque sea de una manera casual, resulta totalmente inadecuado. Marti podría ignorar justificadamente el mensaje ya que no le debe nada a Gail.

¿Puede usted indicar qué es lo que falta en la petición de Gail? Intente percibirlo o descubrirlo —le ayudará a comprender futuras comunicaciones que lo sorprendan y le parezcan extrañas.

Gail no tiene en cuenta el estado actual de su relación con Marti. Ignora tanto el contexto como las circunstancias.

El siguiente mensaje podría haber sido mucho más adecuado: «Marti, soy Gail. No hemos hablado durante dos años y ha sido por mi culpa. Tengo que pedirte un favor, normalmente no lo haría, pero mi situación me impide trasladarme a gran distancia en mi coche. Me he dejado el bolso en la casa de Tam. ¿Te importaría recogerlo y dejarlo en tu oficina? No estoy intentando restablecer nuestra amistad y también sé que tú no me debes absolutamente nada. De cualquier modo, apreciaría mucho que estuvieras dispuesta a ayudarme».

Este mensaje acepta las circunstancias actuales y no representa un intento de manipular a Marti. Tampoco deja entrever que ella alberga la esperanza de resolver sus diferencias. Afirma claramente que su petición no tiene nada que ver con las expectativas de recuperar la amistad.

Cuando Gail le pide un favor a su ex amiga sin reconocer la situación actual, deja que sea Marti la que se encargue de hacer el trabajo de procesar una petición tan poco usual y decidir qué es lo que debe hacer.

Evidentemente, si usted está en un autobús que vuelca en la carretera incluso su peor enemigo, se merece que le ofrezca una mano. En este ejemplo no hay tiempo para reconocer la situación. Sin embargo, más tarde, sería bueno hacerlo. «Gracias por sacarme del autobús en llamas. Me porté muy mal contigo hace tres años, y sin embargo hoy me has ayudado. Te lo agradezco mucho.»

La reciprocidad

La distancia hasta su casa es la misma que la distancia hasta la mía. Una relación sana, independientemente del nivel de intimidad que exista en ella, debe ser recíproca. Un toma y daca entre dos personas afines. Char y Jenny se hicieron amigas porque sus maridos trabajaban juntos. Char era una persona silenciosa y perspicaz; Jenny era del tipo de las que les gusta brillar. Cuando Char quería celebrar algo, invitaba a unas pocas personas a cenar a su casa. En la misma situación, Jenny organizaba grandes fiestas.

Char se convirtió gradualmente en la mano derecha de Jenny antes de una fiesta. Era formal y eficiente, y Jenny podía contar con ella para que cortara silenciosamente las zanahorias o se encargara de preparar una bandeja de aperitivos. Se acostumbraron tanto a trabajar juntas que, antes de organizar una fiesta, Jenny se aseguraba de que Char estaría disponible.

Char invitó a Jenny y a su marido a las cenas que ofreció en su casa. Eran reuniones minoritarias y sin complicaciones, y no necesitaba mucha ayuda, sin embargo Jenny jamás se la ofrecía. Se mantenía lejos de la cocina y charlando con los hombres.

Más adelante, el marido de Jenny fue ascendido y se trasladaron a la zona rica de la ciudad. Jenny ahora podía pagar un servicio de *catering*. Char siguió invitándolos a las cenas que ocasionalmente preparaba. Sin embargo, después de la promoción de su marido Jenny ya no volvió a invitar a Char a ninguna de sus fiestas.

Ofrecer demasiado

Si usted normalmente ofrece más en una relación que la otra persona, algo está funcionando mal. Acaso la relación signifique más para usted que para la otra persona o quizá ella sea una abusadora.

¿Tiene usted una relación de amistad en la que la mayoría de las veces es usted quien toma la iniciativa? ¿Es usted el que siempre llama a la otra persona? ¿Es usted quien hace las invitaciones? ¿A menudo se ocupa de ayudar a la otra persona?

Usted puede hablar con su amigo o amiga sobre el modelo que sigue la relación o puede reducir o eliminar su contacto con él o ella durante un tiempo para ver qué es lo que sucede. En algunas ocasiones, la otra persona advertirá su ausencia y comenzará a tomar la iniciativa. Sin embargo, en algunas relaciones este modelo se ha establecido tan firmemente que será necesario que ambas partes realicen un verdadero esfuerzo para restituir el equilibrio.

Aprovecharse de la relación

¿Tiene usted una relación en la que deja que la otra persona haga la mayor parte del trabajo? ¿Permite que sea el otro quien se ocupe de alimentar la relación? ¿Se deja usted absorber por lo que está haciendo y se olvida de las necesidades de la otra persona?

Una forma de descubrir si usted se está aprovechando de una relación es saber si tiene usted relaciones del tipo «puerta giratoria». ¿Tiene un nuevo grupo de amigos cada dos años? Entonces es posible que cuando ellos tomen conciencia de su falta de compromiso se aparten de usted.

Si quiere usted descubrir el placer de una verdadera amistad, devuelva los favores. Ofrezca algo a sus amigos. Organice una reunión e invite a sus amigos para que pasen un buen rato. Llámelos por teléfono, aunque al principio se ponga nervioso. Acaso pronto descubra que uno de los mayores placeres de la vida es complacer o sorprender a un amigo.

Ellos quieren más y usted no

¿Qué sucede cuando usted siente que la otra persona es, como mucho, simplemente un camarada y, no obstante, ella se comporta como si fueran íntimos amigos? Usted debe fijar un límite. Una vez que la relación haya llegado todo lo lejos que usted desea, no dude en decirlo. Manifieste claramente cuáles son sus límites. Siga disfrutando de estar juntos en el mismo equipo de bolera, pero no responda a ningún plan ni invitación que suponga una relación más personal o familiar.

Cuando es usted el que quiere más

Quizá usted alberga la ilusión de alcanzar un nuevo nivel de intimidad con otra persona, pero no está seguro si ella tiene la misma expectativa. ¿Qué podría hacer? Propóngale algo o asuma algún pequeño riesgo para ver cómo reacciona.

Si lo rechaza, puede dejar de hablarle o intentar aclarar con ella la situación (a menos que su rechazo haya sido inequívoco.)

«Hola, Edgard, te he invitado a que vengas a pescar con nosotros porque me gustaría conocerte mejor.»

«También a mí, Sam. Pero no me gusta pescar. Ese es el motivo por el que he rechazado una y otra vez tu invitación.»

«¿Te gusta la serpiente de cascabel frita?»

«Es uno de mis platos favoritos.»

«¿Quieres venir a cenar a casa?»

«¡Me encantaría!»

Yo he establecido mi número personal de intentos en tres. Si he hecho tres llamadas, he enviado tres invitaciones o he asumido tres riesgos, y la otra persona no ha aceptado ni me ha correspondido, ya no vuelvo a insistir. Tres golpes y dejó de intentarlo. Usted debe decidir cuál es su propio límite. Una cifra razonable sería entre dos y cinco intentos.

Si usted está dispuesto a mantener una relación más estrecha con alguien pero necesita rechazar una determinada invitación, asegúrese de explicarle a la otra persona el motivo de su rechazo. Para reforzar el mensaje puede en algún momento hacer a su vez una invitación. Cuando haya usted declinado tres veces seguidas una invitación, la pelota estará definitivamente en su campo y será su turno de hacer un esfuerzo.

También debe prestar atención cuando un amigo demuestra tener un sistema de valores diferente al suyo. Si su amigo le ha pedido prestadas algunas cosas y no se las devuelve, no siempre es sincero, un día está muy acalorado y otro se muestra excesivamente frío, tenga cuidado de no profundizar la relación. Usted se merece amigos que sean coherentes, considerados y amables. Apártese de cualquier relación en la que se sienta reiteradamente maltratado o en la que la otra persona no lo tenga en cuenta.

Cuando los amigos cometen errores

No siempre nos damos cuenta en qué momento estamos fastidiando a un amigo, porque normalmente nos ponen las cosas fáciles. Una persona sincera que comete un error es muy diferente de otra cuyos valores parecen un queso Gruyère, de modo que cuando construyan una historia juntos pronto será capaz de descubrir cuál es el caso.

Aunque pueda parecer muy duro, decir la verdad a un amigo que comete un error puede realmente catapultarlos a ambos a un nivel superior de confianza. Una pequeña fórmula que funciona muy bien cuando usted necesita expresar algo que le resulta difícil pronunciar es: «Cuando tú _____, yo (me) sentí _____».

«Como no volviste a llamarme, sentí que me habías olvidado.»

«Como llegaste veinte minutos tarde al cine, me enfadé. Quería que llegaras a tiempo. Odio esperar y preocuparme por si te ha pasado algo. Aborrezco sentir que soy el último de tu lista.»

Una falta de sinceridad en la comunicación ha acabado con muchas amistades. Cuando las personas se quedan calladas y no explican lo que sienten ni comunican que se han sentido heridos, la otra persona no tiene forma de saber lo que ha ocurrido. A usted le puede parecer obvio, sin embargo su amigo puede no saber exactamente cuál es el error que ha cometido —o incluso ignorar que lo ha cometido— a menos que usted se lo notifique.

Incluso pueden advertir su enfado e intentar enmendar la situación, pero al no contar con la información específica quizá intenten mejorar algo que no es precisamente lo que a usted lo ha disgustado.

Respetar las confidencias

Acaso el límite más importante de una relación de amistad sea el siguiente: no hablar mal de su amigo o amiga con ninguna otra persona. No comunique ninguna situación negativa ni revele lo que le han contado como una confidencia. Se requiere disciplina para proteger la información privada, pero vale la pena disfrutar de la recompensa de que la otra persona confíe en nosotros.

Cuando estaba en la universidad compartía un minúsculo apartamento con otras tres mujeres. Todas dormíamos en literas en un dormitorio muy reducido. Cierta noche, mis compañeras llegaron temprano a casa y creyeron que yo aún no había llegado. Comenzaron a hablar de mí sin saber que me había ido a dormir temprano. Mi litera era la más alta. Desde allí las escuché criticarme. Dejé pasar unos momentos y me levanté, me vestí y, para su sorpresa, aparecí en el salón. No les dije absolutamente nada, sencillamente me marché del apartamento y bajé las escaleras en busca de dos amigas con las que pude hablar de lo mal que me sentía por esas dos amigas en las que confiaba plenamente. Aquel incidente acabó con la relación que tenía con esas dos mujeres.

Límites para la amistad

Ciertos límites protegen la integridad de la amistad. Ellos incluyen un reconocimiento del contexto de la relación, tomar conciencia de las circunstancias actuales entre ambas personas, de la reciprocidad, la paridad, la confianza, la comunicación y la confidencialidad. Si mantiene unos límites sanos con sus amigos, permitirá que sus relaciones crezcan y sean cada vez más profundas.

Capítulo 11

Cotilleo, cotilleo, cotilleo (o triangulación)

«**A**NASTASIA, soy Branwen. Deberíais haber visto lo que se puso Cas para la fiesta del viernes pasado. Estaba horrorosa.»

Cotillear es hablar de alguien que no está presente, generalmente de una forma negativa. Es una forma de triangulación.

La triangulación tiene lugar cuando en un intercambio de información se crean tres puntos y una persona resulta excluida de la conversación que mantienen otras dos. Cuando Branwen se burla de Cas mientras habla con Anastasia, ellas forman una alianza en la que Cas es el objetivo.

A través de la triangulación usted puede crear un problema entre el objetivo y la persona con la que está hablando sin siquiera advertir lo que está sucediendo. «Branwen, vi a Cas haciéndole la pelota al jefe. Espero que no consiga mediante artimañas la asignación que tú aspiras.» Branwen ahora tiene un motivo para estar preocupada por culpa de Cas. Anastasia ha promovido la competencia entre Branwen y Cas.

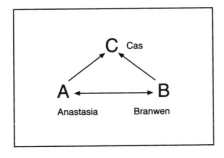

Los cotilleos se pueden utilizar para descargar los sentimientos. «Anastasia, estoy furiosa con Jolie. Consiguió que le concedieran el escritorio que está cerca de la ventana, que era precisamente el que yo quería. Me pregunto qué es lo que habrá hecho para conseguir que el jefe se lo adjudicara.»

¿Cuáles son las consecuencias potenciales de esta comunicación?

- Branwen se deshace de su enfado utilizando a Jolie.
- Anastasia puede albergar ahora sentimientos negativos en relación con Jolie.
- Es probable que Jolie ignore completamente que Branwen y Anastasia se han unido, dejándola fuera de su relación.
- Anastasia comprende que Branwen no sabe manejar sus problemas directamente y que ella también puede ser el objeto de sus artilleros si en algún momento tiene un problema con ella.

Cualquiera de las consecuencias mencionadas podría ser el resultado de la triangulación o de los chismes. Una cosa es segura: si Branwen continúa manejando sus problemas de este modo jamás obtendrá lo que ella quiere. Aunque tenga dificultades para expresarse directamente, su mejor oportunidad de conseguir un escritorio junto a la ventana es hablar con el jefe.

Problemas con los cotilleos

Cotillear no significa solucionar las cosas. Puede sembrar la discordia y la incomodidad pero no soluciona ningún problema ni mejora ninguna situación. Es una violación de los límites sanos de la comunicación.

Cotillear no ayuda a solucionar los sentimientos negativos. Branwen está criticando a Jolie en presencia de Anastasia, pero ¿arreglará de esta forma los problemas que tiene con Jolie? No. Seguirá estando disgustada con ella. Los chismorreos pueden ayudar a descargar el enfado inmediato, pero el conflicto con la persona original permanecerá vivo.

Los cotilleos solo consiguen alertar a las personas. La mayoría de nosotros nos imaginamos que si alguien nos habla mal de otra persona, también le hablará mal a ella de mí. (Y normalmente tenemos razón.)

Los cotilleos dividen a la comunidad. Consiguen que las personas tomen partido innecesariamente y pueden crear una distancia entre aquellos que en realidad no tienen ningún problema entre sí.

Los cotilleos no pueden crear intimidad. Aunque Cas se convierte en una extraña cuando Branwen y Anastasia hablan mal de ella, con esto no consiguen mejorar realmente su relación. En vez de hablar de sí mismas están pendientes de Cas y no están manteniendo una conversación sincera que podría mejorar su propia relación.

Cotilleos frente a aclaración

¿Cuál es la diferencia entre chismorrear y aclarar algo con alguien? Kimiko y Magda se juntaban todas las semanas a almorzar. Las palabras volaban rápidamente entre ellas mientras hablaban con todo detalle de sus maridos. ¿Acaso esto es cotillear? No, en este caso se trata de un proceso que les permite aclarar ciertas situaciones.

El propósito del cotilleo es lograr que su interlocutor se ponga de su parte y se oponga a la persona ausente. Magda no está intentando que Kimiko se enfrente con Ron; solo quiere descubrir en qué punto de la discusión que mantuvo con él perdió el hilo de lo que estaba sucediendo. El objetivo de su detallado relato de los acontecimientos es para Magda una forma de aprender cómo ayudarse a sí misma para mejorar su relación amorosa.

Existen dos signos que distinguen un cotilleo de una discusión que tiene el propósito de aclarar una situación. En primer lugar, la persona ausente es equidistante a los dos interlocutores. En una discusión cuyo objetivo es aclarar una determinada situación, la persona ausente en general está más próxima al que habla que al que escucha.

Cuando yo le cuento a alguien que mi madre ha hecho algo indignante, se trata de *mi* madre. Ella está más cerca de mí que de la otra persona. Yo no pretendo que la otra persona se ponga de mi lado. Probablemente ya lo esté.

La segunda diferencia es que una conversación destinada a aclarar algún problema consigue que la persona que habla pase a la acción. El resultado de esta autopsia de la pelea que he tenido con mi madre probablemente será que yo le diga algo o que sepa cuidar mejor de mí mismo.

El resultado de un cotilleo es que *el que escucha* se siente estimulado para pasar a la acción aunque esta no sea nada más que apartarse ligeramente de la persona ausente.

Dos amigos que han discutido para aclarar algo sobre una tercera persona deben compartirlo con ella si desean mantener una relación sana entre todos. Si no se comunica la conversación a la persona ausente, entonces se trata de un cotilleo.

Imaginemos que Amanita, Sonja y Amber son buenas amigas. Amanita está disgustada con Sonja y se lo comenta a Amber. Para que exista un vínculo sano entre las tres amigas, deberían incluir en la siguiente conversación a Sonja para que esta se entere de que Amanita estaba ofendida con ella y que se lo había comentado a Amber.

Si esta situación no se produce, estarán compartiendo un secreto. La energía de las relaciones se modificará y Sonja resultará excluida. Todas ellas se verán afectadas por esta situación, incluso aunque Sonja no tenga la menor conciencia de lo que ha sucedido.

El pregonero de la ciudad

Cuando los secretos echan raíces, una comunidad puede tornarse poco saludable con una velocidad sorprendente. Una y otra vez una oficina o comunidad pueden verse afectadas por alguien que deliberadamente siembra la discordia entre la población con el fin de mejorar su propia posición. Un comentario despreciativo por aquí, una crítica impredecible por allí y los miembros del grupo comenzarán a apartarse unos de otros. He presenciado cómo es posible crear esta situación de una manera tan hábil que nadie es capaz de percatarse de que literalmente han sido empujados los unos contra nosotros.

Algunos signos que indican que el pregonero de la ciudad ha entrado en acción para alterar el ambiente que lo rodea incluyen:

- Sentirse distanciado de los demás.
- Estar enfadado con alguien aunque dicha persona no le haya hecho nada directamente.
- Desconfiar de los demás aunque no hayan hecho nada para que usted pierda su confianza en ellos.
- Tener una información íntima sobre alguien a través de otra persona.

Si usted presiente que lo están manipulando para que piense mal de alguien, hay una forma muy sencilla de solucionar la situación: hable deliberadamente con la persona con la que tiene un conflicto. Discuta el problema con ella. Descubra por sí mismo si la información que le han dado tiene algo que ver con la realidad.

¿Qué haría si sospechara que *usted* ha sido el tema de un cotilleo? Pregunte a las personas que conoce si han transmitido o recibido alguna información negativa sobre usted. Invítelos a ser sinceros y ofrézcales una oportunidad para corregir las referencias erróneas que hayan transmitido. Cuando un número suficiente de personas se unan para poner al descubierto este modelo de conducta, el pregonero de la ciudad se sentirá impotente. También puede confrontarlo con su propio comportamiento y conseguir que no se vuelva a repetir la situación.

En una oficina o empresa, un supervisor alerta será capaz de descubrir si la discordia o los problemas tienen lugar predominantemente en presencia de una determinada persona. Aunque esa persona siempre parezca inocente y aparentemente sean otros los responsables de la situación, acaso sea necesario hacer una investigación para descubrir cuál es la verdad. Quizá un jefe que se vea obligado a llamar a sus empleados de uno en uno con el fin de descubrir el origen del problema.

Desgraciadamente, si es el jefe quien está ofreciendo diferentes versiones de la historia, la plantilla se verá forzada a chismorrear con el propósito de descubrir qué es lo que realmente sucede. He presenciado muchas situaciones en las que un empresario ha saboteado el éxito de su propia compañía por su tendencia a contar secretos, favorecer a algunos empleados, dar diferentes versiones de una historia a distintas personas y cotillear sobre ciertos empleados en presencia de otros. Estos empresarios no parecían advertir que crear la discordia entre los miembros de la plantilla reduce la cooperación y la buena voluntad.

Un jefe que no respeta los principios básicos de una comunicación sana fomenta una mano de obra de francotiradores. Los empleados utilizarán su energía para autoprotegerse en vez de concentrase en realizar un trabajo productivo. Los individuos mantendrán las buenas ideas para sí mismos y estarán preocupados por el progreso personal o por su seguridad, pero no por la misión que tienen dentro de la organización. Será más probable que formen una camarilla con el fin de que su puesto de trabajo goce de cierta seguridad. Perderán el tiempo chismorreando, ya sea para minar la posición de otros o para descubrir qué es lo que realmente está sucediendo en la compañía.

En un vecindario, iglesia, oficina o incluso en las relaciones de amistad, evitar los cotilleos supone mejorar la salud de la comunidad. Los chismes, como ya hemos mencionado, descargan los sentimientos sin solucionar los problemas, de modo que evitarlos nos obliga a afrontar los conflictos directamente con las personas involucradas.

Me siento impresionada porque en mis propios círculos —en mi vecindario, entre mis amigos y en mi comunidad— nadie se dedica a cotillear. Si se hace algún comentario sobre alguien que no está presente, es con el propósito de hacer una observación positiva o de transmitir una mera información. «Se ha marchado una semana para ver a sus niños.» O: «Es un excelente jardinero».

Cuando hablamos con alguien que no se comunica de una manera sana, somos responsables de tomar nuestras precauciones. Si esa persona está intentando manipular, controlar o hacer daño (a nosotros o a otras personas), entonces debemos ser muy prudentes con lo que le comunicamos.

Las investigaciones han demostrado que la primera respuesta de un interlocutor a un intento de cotilleo determina el curso de la conversación. Compare las distintas respuestas que ofrecemos a continuación y piense de qué modo le afectarían si estuviera intentando hablar mal de alguien:

Situación 1

Usted: «Amy parece haberse tomado una buena anoche».
Interlocutor: «Deberías haberla visto en la fiesta del viernes».

Situación 2

Usted: «Amy parece haberse tomado una buena anoche».
Interlocutor: «Espero que no se encuentre mal. Voy a preguntarle cómo se encuentra».

Usted tiene la posibilidad de pararle los pies a cualquier cotilleo con una respuesta semejante a: «No voy a aliarme contigo para hablar mal de nadie». También puede ser más directo: «Amala, me siento mucho mejor cuando hablo de los rasgos positivos de una persona. Te ruego que no compartas este tipo de comentarios conmigo».

Es preferible que la comunicación sea directa y que se utilice para informar y fortalecer los vínculos afectivos. El propósito más puro de una comunicación es aumentar el entendimiento entre las partes. Cuando se produce una comunicación sana, se fortalece la integridad de una relación.

Capítulo 12

Límites para la intimidad

L A INTIMIDAD es *el* desafío de la vida. Mientras navego con determinación hacia los profundos mares de la década de los cincuenta y dejo una mayor estela detrás de mí, considero que nada es más importante que la relación que uno tiene consigo mismo y con los demás —no es la profesión, ni mantener la casa en un orden perfecto, ni acumular posiciones. Aprender a amar, a ser sincero y permitir delicadamente que los demás entren en nuestro corazón: son los verdaderos desafíos para los cuales hemos nacido.

Para algunos de nosotros, el desafío es mayor que para otros. Si hemos crecido rodeados de odio, enfermedad, egoísmo, adicción o insensibilidad, hemos aprendido cualidades para sobrevivir que son antitéticas a las que se emplean para crear intimidad.

Pero cuando finalmente somos invitados a hacer la transición entre sobrevivir y vivir, seremos capaces de pasar del aislamiento a la intimidad. La invitación puede venir de la mano de una esposa, un marido, un amante o un amigo.

La intimidad requiere en todos los casos que todas las personas involucradas en una relación sean individuos íntegros. La codependencia no es sin intimidad. Identificarse totalmente con otra persona —dos personas vinculadas de tal forma que llegan a perder su propia identidad— tampoco es intimidad.

Existe intimidad cuando dos personas que tienen su propia vida —y asumen sus fallos y sus verdades, sus necesidades y sus dones— se dicen mutuamente: «Este soy yo. Te estoy viendo. Estoy deseando decir la verdad, cometer errores, perdonar, confiar, recibir, dar, aceptar nuestras diferencias, discutir, reír y permanecer cerca de ti respetándote.

No todas las personas que tienen una relación íntima son amantes. No todos los amantes tienen una relación íntima. Una amistad puede alcanzar una gran intimidad y no incluir el sexo.

No todas las personas que tienen una relación íntima se casan. No todas las parejas son amigas íntimas. El matrimonio es una gran oportunidad para acceder a la intimidad, pero muchas parejas se lo pierden.

El desarrollo de la intimidad nos enseñará a amar —tanto a nosotros mismos como a la otra persona—. Si nos permitimos practicar las habilidades que nos ayudan a conquistar la intimidad, aprendemos a amar.

Los límites protegen el amor y la intimidad. Ciertas conductas son la base de la integridad de la intimidad. Otras, en cambio, perjudican, interrumpen y atentan contra la intimidad. Al utilizar dichas conductas que promueven la intimidad se crean límites que protegen la relación.

En cualquiera de sus relaciones, usted se encuentra entre la intimidad y la separación. Usted se encuentra sobre una rampa que lo obliga a inclinarse o bien hacia la intimidad o bien hacia la separación. El lugar en el que se encuentra exactamente en cualquier momento en particular es el resultado de sus decisiones, sus sentimientos, su forma de abordar las situaciones y del tipo de comunicación que tiene con la otra persona.

Piense en cualquier amigo. La relación que tienen es fluida. Esto significa que su amistad cambia constantemente según lo que haga cada uno, y como resultado se sienten más unidos o más distantes.

Si ambos toman decisiones en favor de la intimidad, estarán cada vez más unidos y los límites se fortalecerán. Si uno o ambos actúa en contra de la intimidad, la tendencia será a separarse. Es difícil que una sola persona pueda lograr que siga existiendo intimidad cuando la otra está actuando francamente en otra dirección.

*   *   *

Amalia y Esther son amigas y les encanta viajar juntas. En cierta ocasión se fueron de vacaciones a Florida, y al final de un ocioso día de playa estaban relajadas y morenas. Esther se estaba duchando en los servicios que había en la playa cuando recordó que había dejado sus bragas en el maletero del coche. Amalia ya estaba vestida y de buena gana se ofreció para ir hasta el coche a buscarlas. Caminó las tres húmedas y calurosas calles que la separaban del aparcamiento, encontró las bragas de Esther y se las llevó hasta la ducha. «Aquí tienes», dijo Amalia canturreando.

Esther le preguntó: «¿No has traído el sujetador?»

Amalia contestó: «No se me ocurrió, pensé que no lo necesitabas.»

Esther dijo de mal modo: «¿Cómo no iba a necesitarlo?».

La respuesta de Esther modificó el estado de la relación. Que dicho cambio sea definitivo dependerá de la frecuencia con que ella hace este tipo de cosas, de si se da cuenta de lo que está haciendo y es capaz de hacer algo para compensar su actitud para volver a conquistar la intimidad.

Todos cometemos errores en relación con la intimidad. Lo que es correcto para algunos puede resultar difícil para la relación, o viceversa. Todos tenemos momentos de desconsideración hacia los demás en los que nos centramos en nosotros mismos. Sin embargo, proponemos una separación, acaso sin advertirlo, cuando estamos tan pendientes de nosotros mismos que esperamos que los demás se anticipen a nuestras necesidades o cuando damos por hecho su benevolencia. Una persona sana se mueve entre la conciencia de sí misma y la conciencia de la relación.

Habilidades necesarias para conquistar la intimidad

- Advertir cuándo los demás se acercan a usted.
- Apreciar los regalos de tiempo, esfuerzo, dinero, energía, atención y consideración.
- Asumir la responsabilidad de comunicar sus necesidades.

Meerkurk y Julia Penn estaban en su luna de miel. Aunque habían sido novios durante un par de años y habían vivido juntos ocasionalmente en sus respectivas casas, nunca habían convivido en el mismo espacio durante más de una semana. Ahora, a las tres semanas de su boda, Meerkurk se había vuelto cada vez más silencioso.

Mientras ambos contemplaban las aguas de color turquesa y rodeadas de montañas del lago Diablo, una escena de gran belleza y paz, Julia intentó acurrucarse entre los brazos de Meerkurk. Él se puso rígido y ella se separó al instante, un poco dolida.

Intentando iniciar una conversación dijo: «Esto es increíble. Mira como se reflejan los rayos del sol en aquel glaciar». Meerkurk permaneció en silencio y ni siquiera volvió la cabeza para admirar el sitio que ella había señalado.

Ella se retiró un poco de su lado preguntándose si habría hecho algo mal. Volvieron al coche en silencio y se marcharon del lugar.

Evidentemente, la falta de respuesta de Meerkurk cambió el estado de su relación. Tenían un problema que es bastante común en las parejas recientes: no tenían tiempo suficiente para estar solos.

Con su actitud, Meerkurk estaba apartando a Julia de su lado. A corto plazo, este método normalmente arroja el resultado contrario de lo esperado. Cuando uno se muestra distante de alguien con quien ha estado muy unido, lo más probable es que dicha persona intente un acercamiento en vez de apartarse. De modo que, al asumir una actitud retraída, Meerkurk consiguió exactamente lo opuesto de lo que necesitaba. Con el paso del tiempo, su retraimiento puede crear un abismo en su relación y puede perder completamente a Julia aunque no sea esto lo que desee.

Cuando dos personas unen sus vidas, es importante que sigan manteniendo su individualidad. Esto puede querer decir pasar un tiempo juntos, pero no todo el tiempo (por ejemplo, leer o ir al cine), tener un tiempo individual y un tiempo para disfrutar con otras personas. Alguien que está acostumbrado a vivir solo necesita periodos de silencio y reflexión para centrarse. Cuando las personas comienzan a convivir, los proyectos individuales siguen vigentes.

¿Qué otra cosa podría haber hecho Meerkurk? Podría haber expresado algo parecido a: «Cariño, necesito un poco de tiempo para mí. No te estoy escuchando porque me siento un poco agobiado. Puedo pensar en algunas alternativas. Podemos volver a la posada y tú puedes dedicarte a leer o a tomar el sol mientras yo me voy a dar un paseo, o yo podría quedarme sentado aquí mientras tú agarras el coche y vas a esa exposición de ingeniería forestal que te interesaba ver.

Un límite siempre protege la integridad de algo. Meerkurk (en la recreación que hemos hecho de una situación más sana) instauró un límite al expresar sinceramente su necesidad de estar solo. También propició la integridad del matrimonio al manifestar esa necesidad directamente y de un modo considerado para no dañar los sentimientos de Julia.

Los límites positivos que se crean al aplicar las habilidades que permiten conquistar la intimidad mantienen el equilibrio de una relación para que las necesidades del individuo estén compensadas con las necesidades de la relación.

Habilidades para conquistar la intimidad

- Expresar directamente las propias necesidades.
- Ser sincero a la hora de expresar los sentimientos.
- Aceptar su propia verdad y su posición actual en la relación, aunque esto resulte duro para la otra persona.
- Relacionar cualquier cambio que invite a la separación con los sucesos que lo han provocado.
- Pronunciar aquello que le permitirá restablecerse y estar otra vez disponible para la intimidad.

El donuts define el agujero del donuts

Uno de los conceptos más difíciles de asimilar sobre los límites es que también definen lo que debería estar presente en una relación. Por ejemplo, una relación afectiva incluye atender a la otra persona. La ausencia de atención es una violación de los límites. (Recuerde que un límite protege la integridad de algo. Una experiencia compartida protege la integridad de una relación.)

Si usted y su pareja se separan con frecuencia y durante bastante tiempo, o si no tienen ninguna regularidad al prodigarse mutuas atenciones, están violando el límite de la proximidad. La integridad de la relación puede verse amenazada si ambos viven como si fueran extraños, ignorando las pasiones y los terrores del otro. Pasar regularmente un tiempo juntos crea un límite que protege la integridad de su relación.

Los límites de la intimidad se resienten cuando en una pareja alguien se niega a resolver un conflicto, rechaza los esfuerzos de la otra persona para enmendar la situación, permanece serio y distante o no está emocionalmente disponible. Todas estas acciones promueven la separación.

Límites para la intimidad frente a límites personales

Los límites para la intimidad no requieren que violemos nuestros límites personales. Sin embargo, los violamos, y también nos violamos a nosotros mismos, cuando actuamos en contra de nuestra propia guía interna con el objetivo de «proteger» ostensiblemente la relación que tenemos con otra persona.

Si nos obligamos a permanecer cerca de una persona querida cuyo cuerpo emana un olor desagradable por falta de higiene, nos desvalorizamos a nosotros mismos. Si nos esforzamos por estar cerca de una persona que está enfadada porque no nos parece peligrosa, sometemos a nuestro organismo a un fuerte impacto. Si toleramos que nos abrace alguien que nos ha hecho daño anteriormente y no ha reparado la situación, nos violamos a nosotros mismos. Si soportamos un intercambio sexual no deseado con el fin de aplacar a alguien, desgarramos nuestro espíritu.

Somos responsables de abandonar las situaciones en las que nos desprecian y de evitar a las personas que nos hacen daño o nos difaman. Si no lo hacemos, estaremos violando nuestros propios límites. Atentamos contra nuestra propia integridad al no respetar los límites que evitarían que nos explotaran, despreciaran o trataran con desconsideración.

¿Qué relación cree usted que está protegiendo si permite que alguien lo humille o menosprecie? ¿Qué unidad familiar está preservando si todos sus parientes aceptan que cada uno de los miembros de la familia utilice a otro como chivo expiatorio?

Aunque le parezca inexplicable o incorrecto, si recibe un mensaje interno que le indica que se aparte de una persona o situación, hágalo de inmediato, pues así conseguirá preservarse. Luego, a la distancia, usted puede hablar con alguien sobre lo que ha sucedido o intentar descubrir por sí mismo cuál es la situación.

Anya, Joan y Mahla son amigas desde la universidad. Todas formaban parte del equipo de baloncesto, y ahora, en la mitad de su vida, acuden juntas a la reunión anual de los partidos decisivos de la NBA. Se encuentran en la ciudad donde se celebra el concurso, reservan una lujosa *suite* en uno de los hoteles más distinguidos, salen de compras, comen en los restaurantes de moda y asisten a los partidos. Todos los años disfrutan como buenas camaradas, se hacen bromas, se ríen y se cuentan su vida.

Sin embargo, la undécima vez que se encontraron tuvieron que enfrentarse con una situación que les resultó novedosa. Mahla hablaba más que de costumbre, las interrumpía cuando estaban hablando, sin siquiera disculparse ni pedirles luego que reanudaran la conversación. Se molestaba cuando se atrasaban quince minutos para cenar. Se ponía furiosa cuando les servían patatas fritas en vez de patatas asadas, caminaba con impaciencia cuando no encontraban un taxi.

Anya y Joan pensaron que debía tener problemas familiares e intentaron sacar el tema para ayudarla a que se desahogara. Pero cada vez que lo hacían, Mahla cambiaba de tema o directamente no respondía.

A continuación ofrezco algunas alternativas que podrían elegir Anya y Joan:

1. Tolerarla el resto de la semana y encontrar alguna excusa para no volver a encontrarse el próximo año.
2. Apartarse de Mahla y pasar más tiempo juntas.
3. Decirle directamente a Mahla que su conducta las está afectando.

Las primeras dos opciones conducen a una separación. Solo la tercera ofrece la posibilidad de que las tres mujeres recuperen la intimidad.

Todos cometemos errores. Inadvertidamente herimos a un amigo, nos olvidamos de algún hecho importante o decimos algo poco amable de forma totalmente inconsciente. Dejamos pasar mucho tiempo sin llamar a otra persona. Nos olvidamos de un cumpleaños. Le compramos a alguien variantes cuando hace años que sabemos que le recuerdan a su vieja y mezquina tía.

Más tarde o más temprano, en cualquier relación próspera se produce una situación en la que alguien comete un error sin siquiera darse cuenta. Si usted es quien se siente dolido u olvidado, debe comunicárselo a la persona que le ha infringido el daño. En caso contrario, perderá la energía y la confianza en esa relación. También correrá el riesgo de ser tratado de la misma manera en una próxima ocasión.

De manera que una parte muy importante de los límites para la intimidad suponen una confrontación. Por ejemplo:

«Mahla, pareces estar excitada y un poco histérica este año. Estoy preocupada por ti. ¿Ocurre algo en tu vida por lo que no te sientes cómoda de estar aquí?».

O: «Mahla, este año estás muy cambiada. No es cómodo estar contigo. ¿Podríamos hablar un poco?».

Buck llamó a George a las seis de la mañana. «Ya sé que me has dicho que no te llame tan temprano, pero estaba intentando arreglar la caldera y no puedo hacerla funcionar.»

«Buck, esto me pone furioso. Te he dicho una y mil veces que no me llames antes de las diez. No volví a casa del trabajo hasta después de la medianoche y estoy cansado.»

«Lo sé, lo sé. Pero nos estamos congelando. ¿No podrías venir a echarme una mano? Mi esposa está a punto de constiparse.»

George tiene un problema diferente. Buck sigue sin tener en cuenta sus límites. Ante esta situación, para cuidar de sí mismo, George deberá distanciarse al menos parcialmente de la relación. Él y Buck pueden ir a pescar juntos, pero no son verdaderos amigos. Un amigo de verdad no ignora los pedidos razonables.

«Buck no vuelvas a llamarme antes de las diez. Ahora voy a colgar. Adiós.»

George no tiene que ayudar a Buck a solucionar su problema con la caldera antes de ocuparse de sí mismo. No tiene ningún motivo para prestar atención a lo que le sucede a Buck. Él tiene que descansar, por lo tanto, es totalmente correcto que cuelgue el teléfono y vuelva a la cama.

Habilidades para conquistar la intimidad

- Respetar los límites impuestos por otra persona.
- Respetar los pedidos que son razonables.
- Confrontarse con la otra persona cuando algo de lo que hace (o deja de hacer) está empezando a tener consecuencias negativas en la relación.
- Comunicar a la otra persona que sus acciones (o su ausencia) son irrespetuosas, desconsideradas o incómodas.

Cónyuges, compañeros y parejas

Cuando miramos a otra persona a los ojos y nos comprometemos a unir nuestras vidas, expresamos una intención que es por sí misma un límite. Instauramos un límite cuando empeñamos nuestra palabra. Luego mantenemos ese límite mediante nuestros actos.

Cuando se hace una promesa semejante en un santuario delante de testigos o en medio de una montaña y en absoluta intimidad, los límites hacen posible la realización de ese compromiso, consiguen que se convierta en realidad. Los límites que señalan lo que se incluirá y excluirá de la relación promueven la intimidad.

LÍMITES QUE PROMUEVEN LA INTIMIDAD

- Expresar los problemas en el momento oportuno.
- Hablar con la mayor sinceridad posible.
- Expresar los sentimientos de un modo sano.
- Encontrar tiempo para conversar.
- Apreciar los esfuerzos especiales que hace la otra persona en su nombre.

- Asimilar las expresiones de amor de la otra persona. (Por ejemplo, deténgase un momento cuando alguien le dice: «Te quiero». Perciba el significado que hay detrás de las palabras antes de contestar.)
- Encontrar momentos para disfrutar del ocio juntos.
- Compartir una proximidad física que no siempre conduce al sexo.
- Conversar sobre los pensamientos y sucesos del día. Ofrecer a la otra persona un relato de cómo ha pasado el día. Escuchar atentamente mientras su pareja hace lo mismo.
- Prestar atención a otros límites que también se describen en este libro.
- Mantener la fidelidad sexual.
- Al advertir que se está produciendo un cambio inesperado en su vida, es conveniente comentarlo con su pareja.
- Tomar decisiones importantes juntos. Negociar todo lo que sea necesario.
- Reparar los daños cuando su pareja ha sufrido las consecuencias negativas de alguno de sus actos.
- Cuando su pareja hace algo que mejora su vida, responda con algo que le otorgue placer.

No aplicar las habilidades necesarias para conquistar la intimidad en una relación matrimonial o de pareja puede constituir una violación de los límites. Por ejemplo, si consideramos que la comunicación abierta es esencial para el desarrollo de cualquier relación íntima, su ausencia significa una violación de los límites. Si algo que se supone forma parte de la relación queda excluido, la integridad de la relación resulta amenazada.

VIOLACIÓN DE LOS LÍMITES PARA LA INTIMIDAD

- Negarse a discutir cuestiones importantes.
- Tomar una decisión que afecta a la vida de la otra persona sin discutirlo antes con ella.
- Mantenerse físicamente separado.

- Gratificarse sexualmente sin tener en consideración las necesidades o límites sexuales de la otra persona.
- Ser sexualmente infiel.
- Tratar a la otra persona de un modo frío o violento en vez de abordar directamente el conflicto.
- La ira.
- Negarse a reconocer que puede haber herido a la otra persona.
- No reparar los daños que son consecuencia de sus errores.

La intimidad descarrilada

Si usted está viviendo una relación conflictiva, los límites pueden ayudarle a devolverla al carril que conduce a la intimidad. La relación con su pareja puede mejorar si ambos mantienen los límites que hemos descrito, y no solo los que promueven la intimidad, sino también los que previenen la separación. En realidad, muchos errores se podrían corregir si se aplicaran los límites.

No obstante, a veces a una pareja le resulta difícil invertir el camino que los lleva a la separación. En ocasiones, sus problemas se amontonan hasta superar la altura del Everest, o sus hábitos perniciosos se instalan de un modo definitivo. Un terapeuta con experiencia puede ofrecer un camino a través del desorden.

¿Qué más se puede hacer si una relación está al borde de una separación? He aquí un secreto que llega a nosotros a través de una investigación sobre los niños. Los estudios han demostrado que un recién nacido pueden no iniciar la vida como un bebé adorable. Es el hecho de tocar a un bebé lo que lo convierte en alguien que nos conmueve.

Nos sentimos atraídos por una persona cuando cuidamos de ella. No se trata sencillamente de que cambiemos por atender a alguien. La otra persona también cambia y resulta más atractiva. Podemos sentir una chispa de afecto que crece en nuestro interior cuando actuamos con otra persona guiados por el amor.

Intente lo siguiente: ambas partes de la relación hacen un acuerdo verbal mediante el cual se comprometen a comportarse amorosamente con la otra persona durante exactamente un mes. Cuando concluya el periodo de tiempo estipulado, deben volver a analizar sus sentimientos y el estado de la relación. Compruebe cuán atractiva le resulta su pareja como resultado de su cálida atención.

Capítulo 13

Límites para las vacaciones, los cumpleaños y las celebraciones

Las festividades y las vacaciones

TODOS necesitamos vacaciones y celebraciones. Necesitamos un descanso de nuestro trabajo para poder disfrutar de la vida. Sin embargo, el amor de una persona es el trabajo de otra; por lo tanto, lo que restablece la energía de una persona puede mermar las de otra.

Su idea de las vacaciones puede ser disfrutar del sol en la playa aunque se haya casado con un aficionado a los museos. A usted le gusta pasar la Navidad con un montón de parientes y a su marido le encanta ir a la cena del Sheraton. El día de San Valentín a usted le apetece una cena romántica, música suave y cinco minutos de sentirse adorada, bailar apretados y luego hacer el amor. Él preferiría darle una tarjeta y pasar a la acción lo más rápido posible.

¿Qué deberían hacer en esta situación? Muchas cosas: negociar, comprometerse y hacer turnos.

Las vacaciones y las celebraciones pueden fortalecer las relaciones. Nos sentimos atraídos por las personas con quienes nos reímos y jugamos, de modo que tratar el tema de las vacaciones le dará nueva energía a la relación.

¿De qué forma constituye esto un problema de límites? Nuestra propia necesidad de tener vacaciones es muy importante. El tiempo que dedicamos a recrearnos nos permite centrarnos y fortalecernos. Por otra parte, unas vacaciones saboteadas tienen un coste mayor que si no hubiéramos salido de vacaciones. Debemos ser capaces de proteger nuestro tiempo de ocio o de lo contrario lo pagaremos con enfermedades o agotamiento.

A Lisa le encantaban las Navidades. Todas las cosas típicas de esas fechas la hacían sentir llena de energía: la música, la decoración, el espíritu de la generosidad, el olor de las siempreverdes, las compras. Ella se casó con Sean, un hombre en cuya infancia la Navidad era un periodo donde todo parecía desintegrarse. Su padre ya estaba borracho a media mañana, su madre se comportaba de un modo servil y los niños o bien se sentían atemorizados por el padre o estaban completamente fuera de control.

Sean deseaba hacer caso omiso de la Navidad. Como Lisa no podía siquiera considerar esa posibilidad, él se encargaba de sabotear sutilmente ese periodo de vacaciones. Se comportaba bruscamente al recibir sus regalos. Le hacía un regalo muy caro pero de un color o una talla inadecuados. Rechazaba sus intentos de contagiarlo de su estado de ánimo jubiloso y a la vez conseguía desvanecer su alegría. Era tosco e impaciente con los invitados, que se sentían incómodos al poco tiempo de llegar y perdían su espontaneidad.

Cuando esto ya había sucedido un par de veces, Lisa decidió hablar con su marido. «Sean, quiero que hablemos de las Navidades. No pienso pasar las próximas igual que las dos últimas.»

«¿Qué quieres decir?», le preguntó Sean sin saber realmente a qué se refería.

«Estuviste todo el día de malhumor y daba la impresión que querías que todos estuviéramos igual que tú. La Navidad es la época del año que más me gusta. Pretendo encontrar una forma de que tú también puedas disfrutarlas y que yo pueda preservarme de tu mal humor.»

«Lo único que quiero es no celebrarlas», gruñó Sean.

«Lo imaginaba por tu actitud del año pasado. No he hecho nada para merecer que te enfades con nosotros.»

«¡Odio la Navidad!»

«¿Estás dispuesto a intentar deshacerte de tu odio y tu enfado?»

«¿Qué quieres decir?»

«Yo adoro la Navidad. Si todo lo que tú puedes hacer es estropearla, quiero que pienses qué te gustaría hacer ese día y que lo hagas. Me encantaría que estuvieras con nosotros porque te quiero y desearía compartir los festejos contigo, pero si eso es más de lo que tú puedes hacer, entonces yo quiero disfrutar de ese día.»

Él se mantuvo en silencio y luego preguntó: «¿Qué quieres decir con eso de ocuparme de mi enfado?».

«Pues, conociendo a tus padres, imagino que las Navidades deben haber sido algo terrible cuando eras un niño.»

«Puedes estar segura de eso. El viejo sentía que tenía todo el derecho del mundo para machacar a los inocentes. En cierta ocasión arrojó a mi madre de un extremo a otro de la cocina porque había puesto pimienta en la salsa.»

«¡Como para no odiar las Navidades! Cada vez que se acercaba el momento debías estar muerto de miedo.»

«Los otros niños estaban encantados de no tener colegio, y al volver de las vacaciones hablaban de sus regalos. Yo solo quería seguir yendo al colegio. Siempre teníamos que escribir algo aburrido acerca de la Navidad, por ejemplo "Mi regalo favorito" o algo por el estilo. Y yo nunca sabía qué escribir.»

«Aquello era terrible.»

«Ya lo creo.»

«Lamento de veras que haya sido tan triste.»

«Vale.»

«Gracias por no beber. Me siento muy feliz de que no nos hagas pasar por eso.»

Él pareció sorprendido. «Juré que jamás bebería ni una sola copa y lo he cumplido. No quería terminar como el viejo.»

«Lo sé. Y estoy muy contenta de que así sea. Pero, de cualquier manera, tu actitud consigue estropearme el día. Yo no estoy asustada ni dolida como lo habéis estado tu madre y tú, realmente me gusta la Navidad. Quizá podrías explicarme de qué forma podrías pasarlo bien.»

«Quizá.»

«¿Estarías dispuesto a hablar con el padre Pat sobre todo esto para que te ayudara?»

«Lo que ha sucedido, ya pasó. No se puede modificar el pasado.»

«No, pero podemos modificar la forma en que nos afecta. Podemos cambiar la forma de sentir y de ver las cosas.»

«Vale, lo intentaré. ¿Me acompañarás?»

«Por supuesto.»

Esto nos demuestra lo que puede suceder cuando alguien establece un límite y asume una actitud abierta para ver cómo se desarrolla la conversación (y cuando no se adopta una actitud defensiva). También podemos ser muy estrictos al fijar el límite y no percatarnos de que aquello que realmente deseamos está empezando a producirse. Recuerde que se trata de imponer un límite para preservar algo importante. Cuando usted haya establecido el límite y la otra persona comience a expresarse de una manera directa, no con el fin de distraerlo ni desviando el tema, sino, por el contrario, para abordarlo de la única forma que puede, intente ayudarla.

Lisa se mantuvo alerta y concentrada en el tema que le preocupaba. Fue capaz de reconocer una forma de aproximarse a una negociación. Sean no era un hombre al que le gustara hablar, y tampoco estaba acostumbrado a reconocer sus sentimientos. Ella le ayudó a hacer algo que le resultaba difícil y la relación se modificó gracias a una nueva comprensión del problema. En este caso fue posible restaurar la integridad.

Algunos de nosotros tenemos habilidad para establecer buenas relaciones, lo que yo denomino un alto cociente intelectual para las relaciones. De una forma completamente natural captamos lo que es necesario hacer para «engrasar» la relación y actuamos en consecuencia. Otros, no obstante —incluso aunque sean buenas personas— pueden ser más o menos ciegos para todo aquello que hace que una relación funcione.

Si usted tiene la fortuna de encontrarse en el primer caso, seguramente gozará de buenas amistades, aunque no todas serán capaces de apreciar su contribución a la relación. Algunas veces esto puede resultar irritante; sin embargo, en otras ocasiones usted se considerará compensado por las diferentes acciones que la otra persona hace para complacerlo.

Lisa amaba a Sean y se sentía muy satisfecha con su buena disposición para hacer cualquier chapuza que fuera necesaria en la casa. Sabía que otros maridos podían tardar cinco años en arreglar un grifo, pero cuando ella se cayó en la rampa que conducía al garaje, Sean instaló un revestimiento antideslizante y una barandilla antes de que terminara el día, y ella ni siquiera había tenido que pedírselo.

Cuando tenemos facilidad para manejar las relaciones, podemos reclamar que la otra persona esté a nuestro mismo nivel. Si Lisa hubiera hecho eso, hubiera perdido una gran oportunidad para fortalecer su relación. Si hubiera insistido en que él cumpliera las reglas de comunicación más puras —atenerse al tema, escucharla en primer lugar, hablar de sus sentimientos—, no hubiera conseguido que él se comprometiera en la relación. Dichas expectativas hubieran superado sus posibilidades.

Los puristas llamarían a Lisa una persona codependiente, sin embargo yo creo que es una mujer generosa y práctica. No ha cometido el error de controlar el proceso de la comunicación y, por lo tanto, ambos dieron un paso muy importante para poder disfrutar juntos de un periodo de vacaciones y sentirse más unidos que nunca.

Cómo organizar unas vacaciones satisfactorias

ANTES DE LAS VACACIONES

- Es aconsejable hablar de las vacaciones con anticipación. Cada persona debe describir por turno cómo desearía que fueran las vacaciones. Se puede someter a debate el tema de las actividades, las comidas, los horarios, los gastos, el orden de los eventos, cómo prepararlos, a quién incluir y cómo dividir las responsabilidades.
- Todos deben tener una representación clara de lo que quieren las otras personas.
- Si las últimas vacaciones han tenido fallos imprevistos, es conveniente establecer los límites para lo que es aceptable y lo que no lo es. Por ejemplo: «Yo quiero que la cena se sirva a horario. Si no estáis en casa antes de las siete, comenzaremos sin vosotros y os reuniréis con nosotros en cuanto os sea posible.»
- Sería bueno encontrar una forma para incluir los elementos más importantes para cada persona.
- Es preciso aclarar exactamente con qué puede comprometerse cada uno y asegurarse de que todos asumen un compromiso claro con las demás personas.

DESPUÉS DE LAS VACACIONES

- Si la otra persona no ha tenido en consideración sus límites, es preciso discutir serena y sinceramente los motivos de esta situación.
- Si la otra persona ha cometido un verdadero error, es preciso volver a establecer los límites de una forma clara y directa. Si es *usted* el que se ha equivocado, reconózcalo, discúlpese y enmiende la situación, si fuera necesario.
- Si la otra persona no está dispuesta a adaptarse, es incapaz de hacerlo o parece estar jugando con usted, decida qué es lo que hará en sus próximas vacaciones protegiendo sus propios límites. Quizá tengan que viajar cada uno por su lado con el fin de preservar el espíritu de las vacaciones.
- Permita que la relación le ofrezca una oportunidad para aprender. No ponga las cosas demasiado difíciles si las vacaciones anteriores no fueron perfectas, pero sin embargo percibió que la otra persona hacía un esfuerzo. Exprese que aprecia su flexibilidad y buena disposición para adaptarse a la situación.
- Aprenda de los malos entendidos.
- Repita el proceso de negociación varias semanas antes de las siguientes vacaciones.

Las bodas

Las personas más importantes en la ceremonia de una boda son las dos que están a punto de sellar su compromiso matrimonial. Independientemente de la tradición familiar, las normas o las obligaciones sociales, para todos se trata de la inauguración de un matrimonio.

Es evidente que las decisiones pueden estar limitadas por restricciones financieras —y es importante no pasar dificultades económicas por celebrar su propia boda ni por asistir a la de otra persona—, sin embargo, recuerde que no es la forma, sino el contenido, lo que más importa.

Usted ya ha pasado por esto y ya tuvo su oportunidad. Ahora le toca a ella. Si la pareja que se va a casar no quiere que se sirva alcohol en la recepción, es preciso acatar su decisión. Si no desean ningún regalo que incluya productos animales, compruebe las etiquetas antes de comprarlo.

Si su hija desea casarse al estilo *cowboy*, ¿por qué no?

El problema de pretender controlar la organización de una boda puede surgir de la dificultad de asumir que esta joven generación se encuentra ya en la vida adulta. Relájese. Sea tolerante. Llore en el hombro de su esposa/marido. El novio y la novia están apropiándose de su propio reino. No los perturben.

Los cumpleaños

La persona que cumple años es la que debe establecer sus propios límites para definir cómo desea celebrarlo. Es recomendable prestar atención a las sugerencias relacionadas con los regalos. Algunas familias destinan una pequeña canasta de sugerencias para cada uno de los miembros, donde se puede colocar fotografías, anuncios publicitarios o listas de preferencias a lo largo de todo el año.

Se deben respetar las preferencias. Aunque a usted le emocione la idea de que cada uno de los amigos que ha cosechado desde el jardín de infancia se presente en su casa para celebrar que usted cumple cuarenta años, su pareja puede limitarse a sonreír y resignarse a soportar una fiesta tan bulliciosa. Aunque las sorpresas pueden ser divertidas y pueden ser una muestra de amor, intente mantenerlas dentro de ciertos límites para no incomodar a la persona a la que pretende sorprender.

Piense cómo es la persona a quien va a ofrecer una sorpresa. A Jaime le encantaría una barbacoa. A Tomás le daría mucha vergüenza. Slim se sentiría demasiado expuesto a las miradas de los demás, y Ken se ofendería como si lo hubieran insultado. Si tiene alguna duda, sencillamente pregunte.

El día de San Valentín

Aunque este día festivo es para los enamorados de ambos sexos, son las mujeres las que más importancia dan al día de San Valentín. Este no es el momento para ponerse brusco y defender sus principios si a su mujer le hace ilusión que la trate como una princesa durante una noche.

Piénselo de este modo. Ganará usted un montón de puntos si renuncia a sus principios para satisfacer los deseos de su pareja. Solo le llevará veinte minutos hacer una reserva, comprar un ramo de flores, escoger una tarjeta o comunicarle que tiene una sorpresa, y sugerirle a que se vista para la ocasión. Si no tiene la menor idea de lo que hay que hacer para tratarla como una princesa, pregunte a cualquier mujer.

Una buena celebración el día de San Valentín fortalece la integridad de una relación íntima; por el contrario, la falta de disposición para tratar a su pareja de un modo especial ocasionalmente puede constituir una violación que estira peligrosamente el tejido de la relación.

¡Pero si es el día de acción de gracias!

Ninguna ocasión ni día festivo es un motivo suficiente para que usted se someta a un abuso. No puedo contar las veces que he escuchado a un cliente decir: «Como siempre, tengo que pasar la semana con:

- Mi padre, que tiene una conducta sexual inapropiada.
- Mi madre, que es sumamente crítica.
- Mi padrastro, que es un borracho.
- Mi hermana, que es una desconsiderada».

Después de todo es:

- Navidad.
- El día de Acción de Gracias.

- El día de la madre.
- Año bisiesto.
- El aniversario del primer vehículo espacial tripulado.

¿Porqué habría usted de pasar un día festivo soportando que lo maltraten? ¿Acaso lo hace por no fastidiarle el día festivo a otra persona? ¿O le gusta que lo traten mal, lo critiquen, la humillen, la acosen sexualmente o verse expuesto a las aburridas y estúpidas ocurrencias de un borracho?

¡De ningún modo! Si usted no es capaz de establecer sus límites frente a estas personas, o si ellos no son capaces de respetar los límites que usted ha impuesto, sencillamente no tiene ningún motivo para asistir a la reunión.

Usted solo tiene que pasar un día maravilloso. No debe sacrificarse por alguien que lo trata mal simplemente porque tiene una relación con esa persona. Envuelva este libro. Coloque un lazo en el paquete y envíelo de regalo con una nota que diga: «Cuando comprendas el capítulo _____ , llámame».

Otras opciones son:

- «Papá, ¿aún sigues bebiendo? ¿Sí? Muy bien. Espero que este año pases una feliz Navidad. Tengo otros planes en esta ocasión».
- «Mamá, en el primer minuto de nuestra conversación me has criticado tres veces. No quiero pasar todo el día soportando lo mismo. No me esperes el domingo para ver el Super Bowl.»
- «Sis, iré a la cena de Acción de Gracias si te comprometes a no hacer ningún comentario sobre mi cuerpo, mi peso o mi ropa. En este caso iré con mucho gusto, pero ante el primer comentario de este tipo, me marcharé. ¿Me has escuchado?»

Los regalos

El delicado arte de hacer regalos puede fortalecer los límites de una relación. Un regalo que es adecuado mejora una relación. Cuando el destinatario recibe el regalo con regocijo, recibe un mensaje de quien se lo ha dado: «Me preocupo por ti». Un buen regalo comunica: «Te conozco muy bien». Al detenerse a pensar qué regalo es apropiado para su amigo/a o su pareja, usted le transmite el mensaje: «Te conozco. Sé lo que te gusta y lo que es importante para ti».

Cuanto más quiere usted a otra persona, más importante es hacerle un regalo que le guste de verdad, que la complazca y que con toda seguridad usará o disfrutará. Si usted no es capaz de imaginar qué podría regalarle, pregúnteselo.

El mensaje se transmite de una manera más contundente cuando está envuelto en papel de regalo, porque un obsequio siempre despierta expectación. Sabemos retirarnos y protegernos cuando alguien nos está gritando, sin embargo cuando alguien nos ofrece un hermoso paquete, bajamos nuestras defensas.

Un regalo nos «ablanda». Nos relajamos. Y en este estado, el penoso mensaje que se esconde detrás de un regalo inapropiado o mal elegido puede ser muy doloroso.

No obstante, es positivo ser tolerante con aquellas personas que lo aman profundamente pero que no tienen demasiada imaginación. Por ejemplo, la constante preocupación de su padre es su protección, y cuando usted termina la carrera de abogacía, él le regala un gato para su coche. Él tiene buena intención y se lo ofrece con todo su amor, de manera que usted no debería enfadarse.

Si alguien cercano a usted simplemente no domina el arte de hacer regalos, puede darle una lista de las cosas que le gustaría tener, especificando los colores preferidos y quizá también la talla. Al hacerlo, usted le estará comunicando: «Los regalos que no se incluyen en esta lista arruinarán una ocasión festiva y proyectarán una sombra en nuestra relación en un momento en el que podríamos reforzar nuestro vínculo afectivo. Por el contrario, los regalos que he incluido en la lista me producirán un gran deleite y otorgarán un nuevo impulso a nuestra relación».

El coste no es tan importante como la consideración. Si su esposa disfruta cuando le arreglan los pies, diez cupones para un tratamiento en un establecimiento especializado acaso sean un regalo más apreciado que un par de pendientes.

Ciertos regalos pueden ser como una bomba. A la mayoría de las mujeres les desagrada profundamente que les regalen una aspiradora para su cumpleaños. Me pregunto si los hombres no se cansan de recibir calcetines y corbatas.

Ofrecer un regalo con intención de manipular a la otra persona puede ser muy dañino para una relación. Por ejemplo, Hortense siempre le regalaba a Lizbeth, su hija mayor, cosas que se ajustaban a sus propias expectativas en relación con Lizbeth. A ella le hubiera encantado que se apuntara a la Liga Infantil y se presentara en sociedad, de modo que le regaló ropas muy caras y joyas que se ajustaban más a su propio estilo de vida. Pero a Lizbeth le encantaba su trabajo de enfermera en una clínica de la ciudad, siempre usaba vaqueros y camisetas y tenía una vida informal. Los regalos de su madre no eran prácticos para ella, y la presión implícita en esos regalos solo conseguía levantar un muro cada vez más alto entre ellas.

Mitchell siempre le regalaba a su hija ropa de una talla y estilo equivocados. Elegía prendas preciosas pero dos tallas más pequeñas. Nancy interpretó que se trataba de un mensaje referido a su peso. Además, la ropa parecía demasiado *sexy*, era ligeramente inadecuada. Parecía que el padre quería verla vestida de una forma que destacara su sexualidad.

¿Acaso los pensamientos no cuentan?

Claro que sí. Pero si sus regalos son un intento de controlar, persuadir, manipular o ser desconsiderado con la otra persona, entonces el mensaje que transmitirá a través de ellos es precisamente *eso*.

La importancia de elegir correctamente un regalo aumenta con la intimidad de la que goza una relación. Entre extraños, parientes lejanos y vecinos, un regalo que dice: «He pensado mucho en ti y estaba deseando gastar algo de energía o dinero en tu nombre» es un buen regalo. Sin embargo, cuanto más íntima es nuestra relación con alguien, más importante y más personal debería ser el regalo.

El marido de Aretha, a sabiendas de que ella odia las tareas de la casa, estaría muy desatinado si le regalara una mopa o una plancha. Como ella se entretiene haciendo cestas, un buen regalo sería, por ejemplo, una variedad de materiales para confeccionarlas o también pagarle unas clases de cestería.

Un regalo absolutamente fuera de lugar podría incluso constituir una violación de los límites. M. Scott Peck* narra el caso de una familia que le regaló a su hijo el rifle que su hermano mayor había usado para suicidarse. Este regalo amenazó la relación que los padres tenían con el único hijo que les quedaba. Constituía también un peligro para el hijo. Incluso en el caso de que hubieran tenido una intención positiva, no hicieron el esfuerzo de imaginar el impacto que ese regalo podía tener sobre su hijo.

Cuando tenemos buenas relaciones afectivas, el desafío es imaginar el impacto que nuestra conducta puede tener sobre los demás, forzar a nuestras mentes a ir más allá de los parámetros de nuestro punto de vista pueblerino o nuestra perspectiva local. Cuando pensamos demasiado en las otras personas y asumimos sus responsabilidades, caemos en la condescendencia y el enredo, pero por otro lado pensar demasiado poco en los demás se transforma en narcisismo y egocentrismo. Para mejorar nuestra propia integridad, y la de nuestras relaciones, debemos encontrar un espacio intermedio.

Hacer regalos es una de las formas de expresar ese espacio intermedio. Protegemos nuestras finanzas y nuestros límites de tiempo al no gastar más dinero ni invertir más tiempo del que podemos afrontar, pero simultáneamente hacemos el esfuerzo de descubrir qué es lo que desea la otra persona y escogemos un regalo que contribuya a hacerla más feliz o a potenciar sus intereses.

---

* M. Scott Peck, *People of the Lie*, Nueva York, Simon & Schuster, 1983, 47-69.

Capítulo 14

Límites sexuales

PAUL Y HELEN llevaban once años casados. Habían superado varias situaciones difíciles con mucha persistencia, pues tenían una profunda confianza en su relación y se conocían mutuamente lo suficientemente bien como para contestar las preguntas antes de que el otro terminara de formularlas [«¿Has cogido...» «Sí»].

A pesar de su intimidad, todavía tenían problemas de relación. Paul siempre estaba dispuesto a hacer el amor con Helen, y ella no toleraba un acercamiento sexual demasiado directo. Este es un problema relativamente común entre las parejas.

Un sábado, Paul se despertó sexualmente excitado y se lo comunicó a Helen. Ella respondió: «Ahora no, cariño, tengo hambre. Quizá más tarde». Helen pensó: *En este momento no me siento sexualmente atraída por ti. No nos hemos visto durante toda la semana y la última vez que estuvimos juntos tuvimos una pelea tremenda. Necesito comunicarme con la persona antes de poder relajarme para estar contigo.*

Paul pasó el día con la expectativa de que por la tarde, la hora preferida de Helen para hacer el amor, aprovecharían la ocasión. Pero a ella le atemorizaba un encuentro sexual y se preguntaba cómo podría animarse para estar con su marido. Al mismo tiempo se sentía sola y necesitaba recuperarse.

Después del almuerzo, Paul decidió fabricar un ingenioso artilugio para que Helen utilizara en la cocina. En ese mismo momento Helen le comunicó que necesitaba estar sola y que le apetecía dormir una siesta. Cuando se despertó, Paul ya había instalado el mecanismo que funcionaba a la perfección.

Entonces, mirándola con deseo, le dijo: «Todo el tiempo que estuve ocupado con este chisme me imaginaba hundiéndome en tu voluptuoso cuerpo y realmente me volvía loco».

Ella respondió: «Necesito pasar un rato contigo primero».

La cara de Paul cambió totalmente. Se sentía frustrado y enfadado. Ella intentó que Paul le comunicara lo que sentía. Sabía que si podían tener una conversación íntima, a ella le apetecería hacer el amor con él. Sugirió varias alternativas para poder acercarse más a él, pero Paul estaba francamente disgustado. No tenía ningún interés en hablar ni en responder a sus demandas. Se sentía estafado.

El resto del día fue difícil y no pararon de reñir. Y cuando Helen intentó hablar con Paul otra vez un poco más tarde, ambos tenían el ánimo muy irritable. Y lo que es peor, Paul se mostraba vengativo. Se había sentido rechazado de manera que no estaba dispuesto a aceptar todos los intentos que Helen hacía para salvar la distancia que se había instalado entre ellos.

Prácticamente, en toda relación íntima, una de las partes tiene más necesidades sexuales que la otra. Estar disponible para atender las necesidades de las demás personas puede suponer un desafío. Más aún, casi todos los seres humanos han sufrido algún tipo de violación sexual.

A una temprana edad, la sexualidad masculina es conducida a través de estrictos canales. Muchos adolescentes varones se desesperan por tener algún tipo de intercambio sexual. Si su forma personal de cuidar de sus necesidades es ridiculizada o restringida, quizá busquen alivio a través de fuentes menos saludables.

Las mujeres son a menudo utilizadas sexualmente cuando son jóvenes. Muchas mujeres jóvenes se sienten obligadas a mantener una relación sexual solo para descubrir que el apetito voraz masculino podría haberse satisfecho tan alegremente con cualquier otra carne femenina.

Muy precozmente nos preparan para ser incompatibles, incluso aunque no nos hayan violado. El abuso sexual tiene unas consecuencias que nos afectan durante toda la vida. Podemos solucionar una parte del daño, sin embargo no podemos evitar que tenga una influencia sobre nuestras reacciones instintivas frente a las situaciones sexuales.

Además, los cuerpos masculinos y femeninos tienen enormes diferencias hormonales que crean fricciones. El punto máximo de la sexualidad femenina y masculina se produce alrededor de los veinte a veinticinco años. (¿Quién lo ha planificado de este modo?) Los hombres tienen una subida de la testosterona por la mañana. Las hormonas femeninas están más activas por la tarde. Después de la eyaculación, se libera una hormona masculina que adormece a los hombres, mientras que después del coito las mujeres tienden a despabilarse. Este es exactamente el momento en que una mujer necesita que la abracen y le hablen. Si el hombre se duerme, ella se siente abandonada.

Un hombre ocupa una posición más vulnerable antes del intercambio sexual. Él necesita a la mujer y quiere que las cosas salgan bien. Muchas mujeres se sienten más vulnerables después de la relación sexual. Ella se ha rendido ante algo. Ha permitido que penetren su cuerpo.

Para excitarse sexualmente, las mujeres necesitan sentir una proximidad con el hombre. Para ellos el sexo es la forma de sentirse cerca de la mujer. Tras una pelea, un hombre busca a la mujer amada para restablecer la intimidad a través del sexo. Ella, sin embargo, le dice: «¿Estás loco? En este momento no me siento en absoluto excitada. Acabamos de tener una discusión. Solo piensas en el sexo».[*]

Preparación para la sexualidad

Desde temprana edad, los niños son propulsados por sus propios instintos a actuar físicamente. Suelen probar los límites de su resistencia física cada vez que pueden, aprendiendo a utilizar su cuerpo como lo harían con una importante herramienta. Conquistan el control de sus propios movimientos como si fueran gatos.

Las niñas suelen tener experiencias que les enseñan a separarse de su cuerpo. Posiblemente el 38 por 100 de las mujeres adultas han sufrido un abuso sexual cuando eran niñas[**]. Dichos abusos logran

---

[*] Ellen Friedman: *Light Her Fire,* Morton Grove, III, Mega Systems, 1995.
[**] Margaret Hyde y Elizabeth Forsyth: *The sexual Abuse of Children and Adolescents,* Brookfield, Conn., Millbrook Press, 1997.

que las niñas, a menudo de una manera inconsciente, consideren sus cuerpos como una fuente de peligro. Aprenden a pensar en cualquier otra cosa mientras alguien abusa de su cuerpo.

Los periodos menstruales pueden ser verdaderamente dolorosos y provocar una mayor separación con su cuerpo. Hoy en día tenemos productos sanitarios que no resultan dolorosos, pero cuando yo era una niña nuestras opciones estaban bastante limitadas y los productos sanitarios incluso podían resultar tremendamente incómodos e incluso hacer daño. Imagine el efecto que provoca en la relación de una mujer con su propio cuerpo el hecho de tener que soportar una vez al mes el dolor y la incomodidad al menos durante un par de días, y quizá incluso durante dos semanas.

A veces pido a mis clientes femeninos que hagan un dibujo del cuerpo humano para ilustrar las partes de su cuerpo que son capaces de sentir quinestéticamente. Un sorprendente número de mujeres censura la zona que abarca desde los hombros hasta las caderas. Algunas mujeres trazan una línea a la altura del cuello indicando que solo se ocupan conscientemente de su cabeza.

Si una mujer ha resultado acosada sexualmente en una época temprana de su vida, puede ser que más tarde se aparte inmediatamente de su compañero en el momento en que experimente un dolor durante la relación sexual, aunque se trate de un intercambio amoroso con un amante experimentado y cuidadoso. Durante un segundo ella está presente, pero en el siguiente, debido a una mínima irritación o a una fuerte presión, se ha fugado, y el caso es que ni siquiera ella se ha dado cuenta. El hombre avanza en su excitación y cuando ella recupera su conciencia, él está mucho más excitado que ella. Desgraciadamente, muchas mujeres tienden a tolerar esta situación y se esfuerzan por darse prisa, lo que no hace más que perpetuar su propia explotación.

Las mujeres violan sus propios límites cuando no hablan de sus necesidades o cuando soportan una relación sexual sin amor ni ningún interés personal. Con el tiempo, una mujer que se comporta de este modo perderá el interés por el sexo.

A largo plazo, es más beneficioso tanto para el hombre como para la mujer que ella manifieste con toda sinceridad lo que experimenta mientras comparten una experiencia sexual. Es trágico que con demasiada frecuencia las parejas se ocupen más de actuar que de experimentar, pues de este modo se pierden el placer y la maravillosa sensación de proximidad que una verdadera relación amorosa puede otorgar.

El valor de una relación en la que ambas personas colaboran es que en ella hay tiempo para las necesidades de cada una de las partes. Un hombre se sentirá más valorado a largo plazo si se muestra paciente y considerado con su mujer, si abandona instantáneamente cualquier caricia que le cause dolor y si le ofrece un poco de tiempo para que ella se conecte emocionalmente con él antes de aproximarse físicamente.

Una mujer tendrá a su lado a un hombre más comprometido en la relación si le permite algunos momentos de abandono sexual (a excepción de que implique algún dolor). Las mujeres pueden excitarse con pensamientos, fantasías y cierto tipo de ayudas sexuales, con el fin de estar física y emocionalmente preparadas para hacer el amor. También pueden asumir la responsabilidad de asegurarse su propio placer y no dejar siempre ese trabajo en las manos de los hombres.

Dar y recibir, tener consideración, ser amable, comunicarse y tener humor son cualidades que pueden fortalecer la intimidad de las relaciones.

Nuevos límites sexuales para nuestra cultura

Si pudiéramos comenzar a criar a niños que no sufrieran ningún tipo de abuso sexual, las futuras parejas tendrían menos problemas que superar. Pero para esto se requiere tomar conciencia y estar alerta con el fin de proteger a los niños para evitar que no se violen sus límites.

Una tercera parte de los niños que han sufrido abusos sexuales son víctimas de los malos tratos de niños o hermanos mayores*. Los padres deben ser precavidos al dejar a sus hijos pequeños al cuidado de los hermanos mayores que ya están en una edad donde comienzan a manifestarse los primeros atisbos de la sexualidad.

---

* *Ibídem.*

Solo el 5 por 100 de los abusadores son extraños y es mucho más frecuente que sean del sexo masculino[*]· Podemos advertir a los niños que tengan cuidado con los extraños, pero es preciso enseñarles que deben decir «no» a cualquiera que los toque o se aproxime a ellos de una forma inadecuada, incluso aunque se trate de un familiar. Los padres y los abuelos deben ser cautelosos y no dejar a los niños en las manos de alguien que no parece muy fiable.

Un nuevo enfoque ofrecería una ayuda práctica a los adolescentes. Esto significaría ofrecer a los jóvenes métodos sanos para resolver la actividad hormonal que despierta su sexualidad sin atacar a las chicas jóvenes ni a los niños. Esto también supondría enseñar a los jóvenes a respetar a las mujeres, aceptar un «no» por respuesta y tener en cuenta a los demás.

A los chicos jóvenes actualmente se les enseña a dar placer en vez de simplemente disfrutarlo. Y nosotros estamos aprendiendo a enseñar a las jovencitas a respetar su cuerpo, establecer los límites y evitar las situaciones peligrosas. En la actualidad se enseña a las chicas cuáles son las actitudes sexuales de los jóvenes y cómo protegerse de un abuso sexual. Además de ofrecer una educación sexual clínica, nos ocupamos de ofrecerles información sobre los intensos sentimientos relacionados con este tema.

Pero también necesitamos hombres cabales que nos ayuden a combatir el secuestro, el incesto y la explotación sexual. Un cambio en la actitud cultural que condene una conducta sexual que implique la explotación de una persona, puede marcar una enorme diferencia a la hora de mejorar la seguridad de las mujeres y contribuir a que todo el mundo disfrute de unos límites sexuales más sanos, y de una mayor intimidad sexual.

Sexo ocasional

Durante el breve tiempo que ha pasado entre el puritanismo victoriano y la plaga del SIDA, hemos tenido una revolución

---

[*] Dale Robert Reinert: *Sexual Abuse and Incest,* Springfield, N. J., Enslow, 1997.

sexual. Tras un siglo de negación sexual, muchos de nosotros probamos la sexualidad sin límites —el nudismo, las relaciones sexuales múltiples, la investigación sexual— y experimentamos los primeros encuentros sexuales a edades más tempranas.

Más tarde, cuando esta seria enfermedad y la muerte se convirtieron en las consecuencias de una promiscuidad irreflexiva y despreocupada, colocamos el péndulo en una posición más equilibrada. Hoy en día somos más francos en relación con el sexo, estamos más cerca de la aceptación europea de los apetitos sexuales y sabemos bastante más sobre la sexualidad del sexo opuesto. Las parejas se acuestan juntas mucho antes y con un grado mucho menor de compromiso que las de hace treinta años.

Sin embargo, es probable que todavía nuestros procesos emocionales no sean tan casuales como parecen implicar nuestras acciones físicas. Para muchas mujeres, un encuentro sexual crea un vínculo que se desvanece si el hombre desaparece. Lo que empieza como un entretenimiento despreocupado para ambas personas, después de la relación sexual se puede convertir en un episodio muy importante para la mujer.

Un vínculo sexual que no está acompañado de ninguna familiaridad con la otra persona puede dar lugar a una mañana muy fría. Es el momento en que debemos afrontar la realidad de que hemos tenido una relación íntima con un extraño cuyos valores y costumbres nos son completamente ajenos.

Aliento a las mujeres que lean este libro a que protejan sus límites relacionados con la seguridad emocional ofreciendo a la relación un tiempo para que pueda evolucionar antes de convertirse en mujeres sexualmente vulnerables. Permita que la otra persona la conozca e intente conocerla antes de saltar al vacío.

Límites sexuales sanos

Debemos mantener unos límites sexuales positivos para preservar nuestra integridad. Debemos decir «no» cuando una experiencia sexual nos está causando dolor o supone demasiado riesgo, ya sea física o emocionalmente. Debemos respetar ese «no» en el mismo instante en que lo escuchamos. Puede ser muy frustrante detenerse, pero seguir adelante ignorando la situación puede atentar contra la seguridad sexual de la otra persona.

Debemos ser responsables de nuestro propio placer, expresando lo que nos apetece y nos sienta bien, pidiendo aquello que nos da placer y guiando a la otra persona a través de gestos o palabras.

Si su pareja ha sufrido un abuso sexual, es posible que en ocasiones se sienta triste o se vea asaltada por los recuerdos durante una relación sexual. Puede ser muy duro detenerse una vez que está excitado, pero una muestra de amabilidad, paciencia y consideración pueden finalmente reportarle una maravillosa respuesta sexual de su pareja.

A través de Hollywood hemos adquirido la idea de que la pasión avanza en una línea constante desde el beso inicial hasta el cigarrillo de después del coito. En la vida real, las personas se detienen a mitad de camino para hablar, descansar, alternar su ritmo, utilizar palabras para guiar a su pareja, reírse, jugar, llorar y expresar su profundo amor.

Capítulo 15

Límites relacionados con el género

La historia de Luisa:

> Unos meses antes de que yo naciera, mi padre dijo a mi madre: «Si es una niña, te abandonaré y puedes quedarte con el bebé; pero si es un niño, jamás lo dejaré marcharse de mi lado».
> Ellos se divorciaron antes de mi primer cumpleaños, y por supuesto, me quedé con mi madre.
> Durante la primera parte de mi vida disfruté de una infancia segura y maravillosa. Vivíamos con mis abuelos, que fueron quienes realmente se ocuparon de educarme. Tenía a mi abuelo, a un tío, a un pastor y a algunos tíos abuelos que se ocupaban de mí, me querían y me aconsejaban. Podía subirme al regazo de mi tío, recibir una caricia en la cabeza de mi abuelo y sabía sin necesidad de mediar palabras que estaba muy protegida. Mi abuelo me enseñó a pescar, a manejar herramientas y a arreglar motores.
> Pensarán que nunca eché de menos a mi padre. Después de todo, ni siquiera lo había conocido, excepto cuando era un bebé y no tenía ningún recuerdo. Tenía a mi lado a tres hombres cariñosos y fuertes que cumplían la función de padres. Por lo tanto, no carecía de una figura parental en mi vida y, sin embargo, todos los días pensaba en mi padre.
> Soñaba con verlo y lo echaba mucho de menos. Me preguntaba qué aspecto tendría y por qué motivo no quería verme. A menudo simulaba que mi padre me estaba esperando en casa

cuando volvía del colegio. A medida que me acercaba a nuestra calle lo buscaba para ver si venía a mi encuentro. Cuando cumplí veintiún años tomé las riendas de mi vida. Fue entonces cuando decidí buscarlo. Durante años había memorizado los pequeños comentarios que mi madre y mi abuela intercambiaban cuando pensaban que yo no estaba prestando atención a lo que decían. Me dediqué a buscarlo y lo encontré. ¡Ay, que contenta estaba! Me sentí plenamente satisfecha cuando lo vi por primera vez y tuve por fin una cara, unos ojos, unas piernas, unos brazos y una forma definida para completar mi imaginación.

Cuando Luisa estaba aún en el útero de su madre, fue objeto de una violación de los límites relacionados con el género. Su padre no la valoraba porque era una niña. Su posterior comportamiento, una vez nacida la niña, corroboró su primera afirmación.

Luisa tuvo que soportar las consecuencias de ese rechazo. Cuando era niña, el precio que pagó fue el de añorar constantemente a su padre y experimentar el vacío de no tener ninguna relación con él.

La historia de Luisa continúa:

> Creía que cuando encontrara a mi padre, él se convertiría en una parte de mi vida y que desde ese momento estaríamos juntos. Sin embargo, todavía tendría que intentar despertar su interés durante otros veinte años. Imité sus *hobbies*, intenté conseguir premios y un reconocimiento que lo impresionaran, y también mantener un contacto habitual con él.
>
> Evidentemente no parecía ser capaz de superar el abismo de no haber crecido a su lado. Ignoraba el humor, las frases, las respuestas habituales que eran típicos de esa parte de la familia. Percibí que las palabras que eran amables y cariñosas para mí resultaban amenazadoras e invasoras para él. Nunca dejé de ser una extraña.

Cuando por fin un día Luisa conoció a su padre, su falta de familiaridad mutua, la ausencia de un lenguaje común y la continua falta de interés de su padre crearon un abismo que el empeño de Luisa de todos aquellos años no lograron atravesar.

No es posible intercambiar al padre por otros hombres. La conexión de los niños con sus padres les permite estar bien plantados en la realidad.

Incluso en un buen hogar y rodeado de un montón de personas afectivas, el niño sigue experimentando un vacío si el padre no está disponible. Obsérvese que cuando Luisa era una niña no conocía a su padre y jamás había tenido contacto con él. Su añoranza no era igual que la que se produce cuando nos abandona alguien que nos ama.

La necesidad que tenemos de nuestro padre y nuestra madre aparentemente es el material de nuestras células. Nuestros átomos buscan la conexión con aquellos que nos han dado la vida y deseamos conservar esa relación durante toda la vida.

La historia de Brad:

Cuando era niño siempre tenía problemas. Parecía que cualquiera podía gritarme simplemente porque respiraba. Y de hecho, eso fue lo que sucedió. Me chillaban porque respiraba por la boca y hacía demasiado ruido. Siempre hacía las cosas de una forma exagerada: demasiado fuerte, demasiado desordenado, demasiado sucio, demasiado apestoso.

Si volvía a casa después de jugar con mis amigos, mi madre solía decirme: «¡Brad, hueles fatal!». No lo decía amablemente, siempre parecía estar irritada conmigo.

Se suponía que tenía que hacerme cargo de las peores tareas. Tenía que limpiar el establo. Tenía que caminar con temperaturas bajo cero con la nieve hasta las rodillas para traer un animal perdido que estaba del otro lado de la pradera. Mis hermanas se quedaban en la casa, abrigadas y sonrientes, ocupándose juntas de sus tareas. Lo tenían muy fácil en aquella casa caliente mientras a mí me obligaban a salir al exterior solo y pasando un frío de muerte.

La historia de Selma:

Éramos una familia numerosa —ya saben, católicos— y yo era la menor. Tenía tres hermanas y dos hermanos.

Vivíamos en una zona en la que había muchos niños. Cuando no tenía que trabajar en la tienda de mi padre, deambulaba por las montañas jugando con mis amigos.

Mis hermanos no sacaban muy buenas notas, de manera que mi madre decidió que necesitaban una escuela mejor. Vivíamos bien, pero no éramos ricos. De modo que, mientras papá se quedó en Silverton para ocuparse de su negocio, ella nos llevó a Denver para que mis hermanos pudieran asistir durante tres años a un colegio muy caro que había en esa localidad. Alquiló una casa para todos, y aquello supuso un esfuerzo financiero tan grande que mamá y papá perdieron la casa que estaban construyendo.

Excepto a mis hermanos, a todos los demás se nos arruinó la vida. Le rogué a mi madre que me dejara quedar con papá. Lo ayudaría en la tienda y de este modo conservaría mi círculo de amigos. Me iba bien en el colegio, sacaba buenas notas y me gustaban las maestras. Me gustaba mi vida.

Cuando mi madre me dejó en Denver, creí que nunca me recuperaría. Jamás logré encontrarme a gusto en la escuela católica a la que nos había apuntado a todas las niñas. El vecindario era lúgubre y daba miedo. Teníamos miedo de jugar fuera de la casa. Fue como si una vida llena de colores se tornara repentinamente en una vida de grises y negros.

Finalmente, me acostumbré a tener que aguantar todo aquello por el bien de mis hermanos. Me amoldé a que el resto de la familia sacrificara todos sus recursos solo por beneficiarlos. Ni siquiera me pareció alarmante cuando al decir que quería estudiar contabilidad me dijeron que las mujeres podían ser secretarias, maestras o enfermeras. Por lo tanto, decidí convertirme en una secretaria, y no fue hasta que cumplí los cuarenta años cuando me di cuenta de que tenía una inteligencia excepcional y de que era capaz de ganar mucho dinero.

En mi familia, los chicos eran más importante que las chicas. A ellos se les ofrecía todas las oportunidades y, como resultado, todos ellos viven ahora en casas enormes, conducen coches potentes y pertenecen a un *country club*. Ellos piensan que aún hoy tienen el derecho de decirme cómo debo vivir mi vida. Se sienten autorizados a criticar mi casa, cuando en verdad decidí vivir en una casa tan pequeña debido a los consejos que me dieron cuando todavía era demasiado joven.

Me ha llevado mucho tiempo superar la amargura y aprender cómo debo comportarme con ellos cuando aún intentan tratarme como si fuera Cenicienta, alguien que solo vale para servir a los hombres.

El hecho es que el curso de mi vida fue limitado por una sola razón: nací mujer.

El padre de Luisa no sentía ningún interés por ella porque era una niña. La familia de Brad lo trataba como si fuera la Cenicienta. La familia de Selma trataba a sus hijos como flores de invernadero aunque les suponía un enorme esfuerzo, y limitaba la vida de sus hijas a tal punto que ellas ni siquiera advirtieron que tenían posibilidades en la vida hasta que ya era demasiado tarde.

Cuando se desvaloriza, rechaza o discrimina a una persona o se le niegan posibilidades debido a su sexo, estamos en presencia de una violación de los límites relacionados con el género.

Violaciones de los límites femeninos

La historia de Sunny:

> Provengo de una generación de mujeres que han adorado a los hombres. Cuando mi hermano y yo visitábamos a mi abuela, ella siempre se ocupaba de complacerlo, pero prácticamente no reparaba que yo también estaba allí.
>
> «Buddy», decía, «acabo de hacer galletas, ven conmigo a la cocina». Y ni siquiera se dignaba a saludarme.
>
> Yo iba detrás de ellos a la cocina porque no sabía qué hacer. Ella preparaba un plato de galletas y las ponía frente a Buddy mientras le servía un vaso de leche, y de pronto se dirigía a mí, como si estuviera sorprendida de que también estuviera allí, aunque había atravesado la puerta con él apenas diez minutos antes.

«Oh, Sunny, a ti también te daré una galleta.» Entonces me traía un vaso de leche y una galleta, pero no lo hacía por amor, sino como un gesto de cortesía.

Cuando me hice mayor, la situación no se modificó. Todas las Navidades nos reuníamos con nuestros tíos y abuela, y a Buddy siempre le hacían millones de preguntas sobre la universidad, los deportes y finalmente sobre su trabajo y las cosas que le interesaban. Todos los chicos de la familia tenían garantizada la universidad. Yo me tuve que esforzar por conseguir becas y trabajé todos los años que estuve en la universidad. El resto de las mujeres de la familia ni siquiera lo intentaron.

Nadie me felicitó por haber terminado mi carrera *summa cum laude*, ni porque más tarde consiguiera una beca para estudiar las poblaciones vectoriales en el desierto. Fui seleccionada entre miles de aspirantes. Podría haber sido nominada para un premio Nobel y ellos se hubieran limitado a expresar sin una gota de entusiasmo: «Muy bien, cariño. ¿Qué decías, Buddy?».

He escuchado innumerables historias de niñas que han recibido poca atención porque no eran niños. En sus familias los varones gozaban de todas las ventajas: se los valoraba, se los atendía, se les ofrecían todas las oportunidades y se los alentaba para que consiguieran sus objetivos, mientras que las niñas eran ignoradas o tratadas como cenicientas que tenían que servir a los varones.

Hoy en día, en algunos países asiáticos y del Oriente Medio, las niñas son vendidas, regaladas o abandonadas con el fin de reservar los recursos familiares y/o nacionales para los varones. Cuando los padres norteamericanos se desesperan por tener un niño, no pueden encontrar ningún bebé para adoptar en los Estados Unidos, pero, si pueden pagarlo, conseguirán una niña en cualquiera de esos países. Las niñas son prescindibles.

¿Qué pasa con los niños criados en esas culturas u hogares? Crecen protegidos y fortalecidos por las ventajas de las que disfrutan. ¿Pero existe alguna otra consecuencia? Cuando una familia favorece a los varones, estos niños crecen y se convierten en hombres que se sienten poderosos e inconscientemente creen que son superiores al sexo femenino.

¿Y qué pasa con las niñas pequeñas? Deben ustedes creerme si les digo que ellas advierten que son excluidas de la atención, las conversaciones, las oportunidades, el afecto y las actividades que inclinan la balanza en favor de los varones. Aunque dicha discriminación no se verbalice, de todos modos es registrada a un nivel subliminal, y muchas niñas cierran automáticamente la puerta a una amplia gama de opciones y posibilidades. Sin tener conciencia de lo que están haciendo, aceptan profundas limitaciones.

Un tratamiento preferencial de los varones o de las niñas produce adultos que tendrán ciertas dificultades en sus relaciones con el sexo opuesto. Los hombres y las mujeres no pueden acceder al matrimonio como iguales si han sido programados para asumir actitudes de superioridad o inferioridad.

Marrie y Rashid eran buenas personas. Rashid era un hombre inteligente, ético y con sentido del humor. Marrie era cálida, afectiva y generosa. En todo sentido eran un ejemplo de una pareja moderna y bien avenida. Rashid era un feminista. Marrie adoraba a los hombres. No había ningún rastro de prejuicios de género en el discurso ni en las acciones de ninguno de los dos. Acudieron a mí debido a un problema que tenía Marrie. Estaba deprimida.

Rápidamente me percaté de que la autoestima de Marrie estaba por los suelos. Le pedí que hiciera una pequeña tarea y ella se disculpó incluso antes de comenzar a hacerla, pidiéndome que no esperara mucho de ella. El reto de hacer lo que le había solicitado le causó mucha ansiedad y comenzó a excusarse, temerosa incluso de intentarlo. Sin embargo, lo hizo a la perfección y, cuando se lo comuniqué, dijo que había sido una mera casualidad. Entonces comencé a destacar otras áreas de su vida en las que había demostrado ser muy competente. En todos los casos, ella restó importancia a lo que yo le decía.

Durante las sesiones, a menudo elogiaba a Rashid y describía algunos de los logros que él había conseguido. Él absorbía sus halagos como si fuera una esponja. Aquello lo hacía sentirse muy bien. La amaba y necesitaba su reconocimiento. Pero jamás presencié que él la alabara o se expresara de un modo positivo con ella. Por el contrario, lo observé mirarla con cierto aire de impaciencia mientras ella intentaba encontrar las llaves o su talonario de cheques en su bolso.

Analizando su relación, puse de manifiesto un modelo de conducta que había erosionado lenta pero profundamente la imagen que Marrie tenía de sí misma. Había llegado al matrimonio sintiéndose fuerte, competente y albergando sueños propios. Sin embargo, había relegado dichos sueños con la llegada de los niños, y cuando por fin gozaban de los recursos necesarios para que ella se dedicara a estudiar con el fin de materializar sus sueños, ya había perdido su capacidad para asumir riesgos.

Cuando Rashid era niño, había sido tratado como un príncipe aunque de una forma sutil. Al llegar al estado adulto, no era consciente de que se consideraba superior a Marrie desde todo punto de vista.

Rashid perdió muy pronto el interés por la terapia y siguió insistiendo en que era Marrie la que tenía el problema. También ella abandonaría la terapia unos pocos meses más tarde afirmando que la necesitaban en su casa y que no quería utilizar los recursos económicos de la familia para solucionar su pequeño problema.

Igual que el agua, una actitud puede tener pérdidas y humedecer nuestras acciones y nuestras respuestas. Se filtra. Produce efectos contundentes de innumerables maneras que suelen ser invisibles.

Violaciones del género masculino

La historia de Anthe:

> Cuando era niño nadie se ocupaba de mí. Mi madre y mis hermanas pertenecían a algún tipo de club femenino que me excluía de su calidez y su color.
>
> Ellas de ninguna manera tenían conciencia de esto —me amaban y se ocupaban de mí en el colegio y en todo lo demás—, pero siempre estaban hablando de ropa o de sus novios, de cómo iban a competir en la feria del condado, y yo me quedaba solo esperando resultarles interesante.
>
> Comencé a crear mi propia vida a través de los libros y del estudio. Gradualmente fui construyendo un espacio privado que me fascinaba. Ellas se burlaban de mí y aquello, en

cierta medida, era su forma de demostrar que me prestaban atención, aunque me tacharan de excéntrico. Comencé a desarrollar mi identidad a partir de ese personaje excéntrico, y aparentemente conseguí ser diferente a los demás en cualquier sitio en el que estuviera.

En el colegio secundario era considerado raro porque estudiaba y me preocupaba por aprobar. En la universidad era extravagante porque tenía ideas liberales y no me gustan los engaños. También en el trabajo he sido siempre el personaje curioso porque llevo los registros de las costas a la perfección, no «inflo» mi presupuesto ni engaño a los clientes ni a la compañía y trabajo todas las horas que indica mi contrato.

No hago ningún comentario sobre estos temas con mis compañeros de trabajo ni hago nada para destacar, pero no me aceptan como miembro en el club de los Veteranos, no me invitan a tomar una copa después del trabajo, no comparten conmigo los chistes picantes, lo cual no me molesta en absoluto porque los encuentro de mal gusto. Tampoco me invitan a jugar a la pelota ni a las fiestas improvisadas.

He descubierto que tengo una gran satisfacción interna por el hecho de vivir honradamente, pero parece ser, según lo que soy capaz de recordar, que siempre me he sentido un poco solo.

Anthes ha sido víctima de una sutil violación de género. Él no fue excluido por ser un varón, sino porque *no* era una mujer. En un hogar donde predominan las mujeres, él no fue discriminado, sino excluido. Las mujeres y las niñas se agruparon en torno a sus intereses femeninos, mientras él quedaba suspendido como un apéndice familiar —amado pero no motivado para entrar en acción.

Los niños necesitan desarrollar un sentido de pertenencia, sentirse parte de los intereses y las actividades familiares. Excluir a los niños debido a su sexo supone consecuencias importantes y duraderas —a veces para el resto de su vida.

La historia de Crosby:

Cuando era un niño no hacía nada bien. Comía muy rápido. Corría demasiado. Era muy inquieto y nervioso. Era demasiado desordenado. Dejaba las huellas de mis pisadas en el suelo. Ensuciaba demasiado mi ropa. Me metía en muchas dificultades.

Mi hermana, sin embargo, era perfecta. Era muy ordenada. Recogía su habitación. Jamás manchaba nada. Sacaba unas notas excelentes.

Entraba en el salón vestida con su pijama mientras mamá y papá miraban televisión y se acurrucaba en el regazo de mamá, y ella le acariciaba el cabello o le frotaba la espalda. Yo traté de hacer lo mismo en una ocasión y ella se apartó de mí. Aquella fue la única vez que lo intenté.

Tengo un pariente excepcional a quien quiero mucho, y cuando era apenas un niño preguntó: «¿Por qué todos agarráis a mi hermana en brazos y a mí no?». Su pregunta nos despertó a todos. Fue entonces cuando nos dimos cuenta de que habíamos cometido el inconsciente error de pensar que debíamos mantener con él una mayor distancia física porque era un varón. A partir de ese momento nos rendimos a nuestro instinto natural de agarrarlo en brazos y abrazarlo. Y él se regodeó con esta situación hasta la escuela secundaria. Cuando vi a este encantador muchacho de más de cien kilos de peso y con los hombros de un defensa de fútbol norteamericano acurrucado en el sofá, con la cabeza sobre el regazo de su abuela mientras ella se la acariciaba, comprendí hasta qué punto él había conseguido apartarnos de ciertas actitudes culturales inconscientes y contraproducentes.

Violaciones de género en los adultos

Límites biológicos

Vamos a ocuparnos de un simple ejemplo de diferencia biológica de género. El estrógeno hace que nuestro cuerpo esté más frío.

La temperatura basal del cuerpo femenino desciende en la fase estrogénica de su ciclo menstrual, por lo cual la mujer siente frío con mayor facilidad. Los hombres tienen un metabolismo diferente, queman grasas con más rapidez y generalmente su temperatura corporal es más elevada.

A lo largo de toda mi vida he escuchado que los hombres desvalorizan a las mujeres por este motivo. Pero el hombre que se burla de una mujer por esta razón, en verdad se burla de todo el proceso que constituye su feminidad, que le permite concebir un hijo, que le otorga a su cuerpo formas femeninas. Para decirlo brevemente, la está ridiculizando por un proceso biológico sobre el que ella no tiene ningún control y a causa del cual recibe regalos que nunca podría obtener de un hombre.

Los sofocos también son objeto de una burla cultural, incluso por parte de las mujeres. Un nombre sudoroso y caliente es considerado muy sexy, pero no lo es una mujer que exhibe las mismas condiciones. Una mujer caliente, una mujer fría, ¿se puede bromear con esto? No parece correcto.

«Eh, calvete, el brillo de tu coronilla me está dejando ciego.» Los hombres no tienen ningún control sobre la pérdida de el cabello. Se trata de un proceso genético.

«Ella es demasiado alta.» «Él es demasiado bajo.» ¿Cómo podría una mujer ser demasiado alta o un hombre demasiado bajo? Una persona no puede controlar el crecimiento de sus huesos. Ningún hombre ni ninguna mujer puede elegir su tipo físico, su altura ni su metabolismo.

«Lo único que le importa es el sexo.» «Nos estábamos peleando y él empezó a tocarme. ¡Qué idiota!» «Cada vez que nos abrazamos, él empieza a meterme mano. Es absolutamente insensible.» Cuando las mujeres están con otras mujeres, no es raro que comenten la sexualidad de sus maridos. Ambas partes pierden cuando las mujeres se refieren a la sexualidad masculina de una forma francamente peyorativa. Muchas no llegan a comprender que su conducta está gobernada por el sistema hormonal, que es una parte normal del sistema masculino.

Todas esas observaciones despreciativas constituyen una violación de los límites. En realidad, siempre que se ridiculiza a una persona o alguien se burla de ella debido a su género o a su biología, estará violando un límite.

Violaciones culturales

En lo que resta de este capítulo voy a basarme en el tono general de este libro para hablar sobre un problema que, debido a que es prácticamente invisible, podría seguir apareciendo sorpresivamente ante nosotros limitando nuestras posibilidades y las de las generaciones futuras.

En prácticamente cualquier rincón del mundo existe una gran distancia entre dos grupos. Cuando el grupo A recoge beneficios y consigue acceder a sus derechos, lo hace a expensas del grupo B[*]. Los hombres consiguen sus ventajas a expensas de las mujeres. A lo largo de la historia y en muchas partes del globo, esta distancia es causa de innumerables violaciones de los límites de las mujeres debido únicamente a su sexo. Los hombres y las mujeres han estado luchando por eliminar esta situación durante al menos trescientos años en diversos países. Una forma para intentar resolverla es ofrecer una educación que incluya este problema.

Cuando toda una cultura colabora para sostener un determinado punto de vista con respecto a un género, los niños absorberán esa perspectiva. Es decir, sufrirán las limitaciones, gozarán de los privilegios y asumirán actitudes adultas que se derivan de esta situación.

Si Mary, siendo un bebé, era retirada del pecho materno porque su hermano mayor quería mamar, ambos niños habrán aprendido cuál era su lugar sin cuestionarlo. Cuando se arrebata un juguete a una niña para dárselo a un niño, las niñas aprenden a servir la cena a sus hermanos antes de poder sentarse a comer. Si los niños ven que la madre trabaja sin parar mientras el padre descansa y recibe sus atenciones, al crecer no tienen otra forma de instaurar sus propios límites que imitando los patrones culturales.

---

[*] Kathleen Barry, en *Encyclopedia Americana,* International ed., vol 29, s. v., «Women's Rights».

Durante milenios las mujeres de casi todos los países del mundo han nacido para formar parte de una existencia de segunda clase, en un modelo que ha tolerado la violación de género femenino, una violación que se ha extendido hasta un punto que incluye la aceptación cultural del abuso y la explotación sexual.

«El 12 por 100 de las mujeres que han nacido en el mundo no existen, no se las toma en cuenta, y muchas de ellas han sido víctimas de infanticidio femenino. Las mujeres en la actualidad trabajan el doble de horas que los hombres por la décima parte de los ingresos»[*].

Hasta 1882 cuando una mujer se casaba en Gran Bretaña, todos sus bienes pasaban a formar parte del patrimonio de su marido. Si poseía joyas, tierras o una mansión, después de la boda el hombre se transformaba en el propietario de todas sus cosas. También tenía el poder sobre los hijos. Las mujeres casadas en Estados Unidos no tuvieron derechos de propiedad hasta 1890[**].

En escasas parte del mundo algunas mujeres han tomado conciencia del problema no solo para cuestionar el orden tradicional, sino para desafiarlo. Cuando comenzó este movimiento —hace casi dos siglos—, estas pocas mujeres de enorme valentía fueron vilipendiadas incluso por otras mujeres. La idea del sufragio femenino se abrió paso paulatinamente.

¿Podría adivinar cuántos años fueron necesarios para que el primer país garantizara a la mujer su derecho al voto desde que se introdujo por primera vez el tema?

1. 20.
2. 50.
3. 70.
4. 100.

La primera nación que otorgó el voto a la mujer lo hizo en 1893. El primer libro sobre el tema fue publicado en 1792.

---

[*] *Ibídem.*
[**] Anne Perry: *Bethlehem Road,* Nueva York, Fawcett Books, 1991.

¿Puede usted adivinar en qué orden decidieron los siguientes países o provincias otorgar el voto a la mujer? Gran Bretaña, Suiza, los Estados Unidos, Kuwait, Nueva Zelanda, Francia, la antigua Unión Soviética, Quebec, Saskatchewan, India, Nigeria, Brasil, Japón.

1. Wyoming (1869).
2. Nueva Zelanda (1893).
3. Saskatchewan (1916).
4. Unión Soviética (1917).
5. Gran Bretaña (1918, las mujeres debían ser mayores de treinta años).
6. Estados Unidos (1920).
7. Brasil (1932).
8. India (1935).
9. Quebec (1940).
10. Francia (1944).
11. Japón (1945).
12. Nigeria (1960).
13. Suiza (1971).
14. Kuwait (aún no lo ha concedido).

Si le sorprende que las mujeres francesas tuvieran que esperar setenta años más que las mujeres de Wyoming para ejercer su derecho al voto, o que las mujeres brasileñas o hindúes hayan asistido a las urnas casi cuarenta años antes que las suizas, esto solo revela que le han enseñado muy poco sobre la historia de las mujeres.

Al menos una vez a la semana consulto mis enciclopedias por algunos asuntos más relacionados con las mujeres que con los hombres, y me sorprende el hecho de que dichas referencias no existan en los libros ni en los programas enciclopédicos informáticos que están tan divulgados. La ignorancia de la historia femenina y la dificultad para acceder a la información sobre las mujeres constituyen otra forma de violación cultural, otro modo sutil a través del cual la cultura trunca la experiencia femenina.

Y no se trata de que los hombres estén limitando las referencias en las enciclopedias informáticas ni que los profesores masculinos que escriben los textos para las enciclopedias retiren deliberadamente la información sobre las mujeres. Se trata de que ellos mismos no han recibido una educación sobre la mujer. Los logros femeninos son un espacio en blanco en nuestra mente. Al no haber recibido información sobre la ingenuidad, el coraje o el heroísmo femenino, no se puede saber que existe.

Las violaciones culturales son difíciles de percibir. La cultura en la que vivimos es como un océano para un pez. Aunque nos rodea, por ser el tejido de nuestra vida, nos resulta invisible. Cuanto mayor sea nuestra conciencia y cuanto más podamos ampliar nuestros puntos de vista, más oportunidades tendremos para advertir en qué ocasión un hombre o una mujer nos trata con una actitud que pretende señalar que las mujeres son inferiores a los hombres.

Si prestamos atención a lo que sucede con las mujeres de todo el mundo —conociendo la historia de las mujeres—, podemos abrir los ojos para percibir las actitudes sutiles que tienen una influencia en el tratamiento que reciben las mujeres.

Solo ha pasado una generación desde que se originó el movimiento por el cual la mujer se ha liberado de los roles tradicionales, pero aún hoy en día las mujeres siguen golpeándose la cabeza contra el techo de cristal, pues todavía no reciben los mismos salarios ni las mismas posibilidades de promoción que los hombres, aún no están proporcionalmente representadas en el Congreso, en el gobierno local ni en la administración, y todavía son tratadas con condescendencia por sus jefes, por los médicos u otros profesionales.

Las investigaciones demuestran que se suele considerar que las mujeres que llegan a urgencias con un ataque cardiaco exageran sus síntomas y, como consecuencia, se producen más demoras a la hora de aplicar el tratamiento adecuado.

«Las mujeres tienen menos posibilidades de conseguir un trasplante de riñón, de recibir un diagnóstico de cáncer de pulmón y de que les ofrezcan una cateterización cardiaca, aun cuando los síntomas indiquen que es pertinente hacerlo. La investigación médica se ha desarrollado históricamente en relación con los hombres, y los modelos resultantes de los diagnósticos y los tratamientos a menudo son inadecuados para las mujeres»[*]· Hasta 1990, solo el 13,5 por 100 del presupuesto de seis mil millones de dólares de los Institutos Nacionales de Salud se invirtió en estudios dedicados exclusivamente a los temas relacionados con la salud de la mujer[**].

Las niñas que tienen actualmente entre ocho y diez años de edad ya han asimilado el mensaje cultural de que deben ser delgadas e incluso hacer dieta aunque su talla corresponda con la de una niña sana de su edad. La anorexia y la bulimia son frecuentes entre las adolescentes. Estas niñas y jovencitas actúan de acuerdo con lo que la cultura transmite enfáticamente sobre la belleza femenina, considerada como la principal fuente de poder de una mujer; un mensaje que se refuerza de un modo subliminal en cualquiera de las películas que vemos. Incluso en los dibujos animados la mujer es representada como una figura atractiva y femenina, mientras a la bruja presenta características distorsionadas y es agresiva.

Cómo luchar contra las violaciones culturales

¿Qué pueden hacer los hombres y las mujeres con el enfado que les producen estas y otras violaciones culturales de los límites? Podemos establecer nuevos límites. Podemos ocuparnos de que nuestros niños y niñas tengan una perspectiva más amplia sobre la mujer.

Algunas de las próximas sugerencias se basan en la mayoría de los ejemplos ofrecidos en el resto de este libro. Esto trasciende el mero hecho de decir «No» o «Presta atención a esto porque es muy importante para mí.»

Cuando se trata de las violaciones de género culturales, debemos imponer los límites de un modo más amplio con el fin de inci-

---

[*] John M. Smith, doctor en medicina: *Women and Doctors,* Nueva York, Atlantic Monthly Press, 1992.
[**] Susan R. Johnson y Gloria A. Bachmann, en la E*ncyclopedia Americana,* International ed., vol. 29, s. v., «Women's Health».

dir sobre la cultura. Al aumentar su propia conciencia frente a estos temas o promover que los demás lo hagan —en particular los niños— y apoyar organizaciones que propician un cambio en nuestras actitudes culturales o crean condiciones para que las niñas reciban ayuda para superar los límites tradicionales impuestos a las mujeres, podríamos tener una influencia sobre el marco de los límites culturales.

Si permitimos que sean los individuos los que abogan por esa conducta a través de acciones personales en circunstancias cotidianas, sin ofrecerles el soporte y la ayuda de otros hombres y mujeres, tendremos que esperar mucho tiempo para ver cambios sustanciales en nuestra cultura. Es evidente que las niñas y las mujeres jóvenes no obtendrán beneficios a corto plazo.

En tanto las mujeres consigan una mayor autorización, las niñas tengan derecho a optar entre un número mucho más amplio de posibilidades, una verdadera ola de límites inundará nuestra cultura y naturalmente nos transformaremos en personas intolerantes frente a la discriminación. Solo tenemos que observar los avances que han conseguido las mujeres desde la década de los setenta para corroborar que esto es real. Las mujeres norteamericanas del nuevo siglo tienen muchas más posibilidades de percibir y oponerse a las violaciones de género, tal como un tratamiento discriminatorio o las desvalorizaciones sobre la lógica femenina, que las mujeres de los años cincuenta, que se hubieran limitado a reunirse para reírse de dichos insultos.

Sin embargo, no podemos dormirnos en nuestros laureles. Las mujeres en Estados Unidos aún están a una gran distancia de ser consideradas iguales a los hombres cuando se trata de las estructuras de poder y de riqueza. Los pensamientos y las contribuciones de las mujeres todavía son desestimados, aunque de una manera mucho más sutil.

Hace poco tiempo me encontraba en una tienda de Chicago que se especializa en mapas y artículos para viajeros. Mientras miraba una caja de pequeños objetos, un imponente hombre del Medio Este se acercó excesivamente a mí sin quitar sus ojos de la caja que yo tenía en la mano. Comprendí que su intento era obligarme a que me apartara de su camino.

Si esto hubiera sucedido hace veinticinco años, me hubiera dado paso sin reflexionar en el incidente y sin tomar conciencia de que estaba siendo cómplice de su suposición de que él tenía más derecho que yo de detenerse donde se le antojara. Si hubiera pasado hace treinta años, yo me hubiera reído nerviosamente y me hubiera disculpado mientras me apartaba de su camino.

Pero me sucedió ahora, de modo que tuve la posibilidad de comprender de inmediato la dinámica de la situación. Esta situación ejemplifica una forma sutil de intercambio que aún tiene lugar entre los incautos y que solo puede ser descubierta si nos mantenernos alerta.

Por lo tanto, las siguientes sugerencias son más globales que las del resto del libro. Debemos saber de qué forma podemos influenciar nuestra cultura de un modo positivo y es preciso tomar conciencia.

Participar en el establecimiento de los límites culturales

1. Recuerde que los progresos conquistados por las mujeres son recientes. El movimiento de liberación femenino tuvo lugar en los años setenta (todavía existen mujeres que se sentirían avergonzadas de ser denominadas feministas). No podemos permitirnos ser complacientes con las dos décadas de progreso si las comparamos con el hecho de que al menos hubo cinco mil años de opresión de la mujer. Debemos continuar ampliando nuestra conciencia para ser capaces de descubrir los casos sutiles de violación de los límites de género y detenerlos.

2. Recuerde que los avances realmente sorprendentes se limitan a una pequeña parte del mundo. Enormes poblaciones de mujeres aún viven y mueren con sus ilusiones truncadas. Las mujeres de ciertos países de Europa del Este han sido horriblemente maltratadas por la policía militar en un intento de provocar un verdadero genocidio. Podemos contribuir con movimientos que ofrecen cobijo, ayuda psicológica y legal a las mujeres*.

---

* Un ejemplo es el movimiento Women for Women en Bosnia, PO Box 9733, Alejandría, VA 22304.

Autorizar y ofrecer ayuda a las mujeres que han sido maltratadas por los hombres establece un límite al demostrar que no estamos dispuestos a permitir que las mujeres sigan sufriendo el trauma de tolerar dicha condición. De este modo, nuestra indignación asume una forma positiva y es una forma de comunicarle a la hermana que se encuentra atrapada en circunstancias desfavorables: «Te echaré una mano. No voy para ignorar lo que te han hecho».

3. Promover la autoestima en las niñas. Enseñar a los niños cuál es el lugar de la mujer en el mundo nos hace sentir orgullosos y mejora la imagen que los niños tienen de la mujer. Se puede sugerir a los responsables de la escuela local para que añadan recursos financieros e información para ayudar a los niños a pensar en la vida de las mujeres. El proyecto National Women's History[*] dispone de maravillosos recursos que no son caros y de materiales para que los maestros utilicen en todos los niveles escolares y libros y carteles para que las familias usen en los hogares.

4. Existen organizaciones de apoyo que ofrecen experiencias muy provechosas para las niñas tal como las Girl Scouts o la YWCA. Algunas organizaciones para la juventud que en su día fueron exclusivas para los varones han abierto sus puertas a las niñas. Estos clubes pueden ser muy valiosos, sin embargo algunos líderes de dichas organizaciones, o incluso algún niño, aún pueden adoptar algunas actitudes culturales sutiles que limitan lo que las niñas intentan realizar.

Incluso hoy en día estas organizaciones reciben más fondos para sus programas que las organizaciones destinadas a las niñas. Puede llamar a la oficina de recaudación de fondos de su comunidad y comprobar cuáles son las asignaciones para las organizaciones juveniles de niños y niñas. Si no son equivalentes, puede protestar. También puede dar su dinero directamente a la organización en vez de llevarla a la oficina de recaudación de fondos de su comunidad. (En ocasiones las niñas aparecen también en la publicidad aunque su asignación haya sido eliminada. Si ellos afirman que tienen una asignación *per cápita,* en otras palabras que dan más dinero a las organizaciones que tienen más niños apuntados,

---

[*] 7738 Bell Road, Windsor, CA 95492-8518 (707)838-6000.

indique que los fondos adicionales permiten ofrecer servicios ampliados que son precisamente los que producen un mayor número de miembros.)

Las niñas pertenecientes a clubes estrictamente femeninos tienen más posibilidades de asumir posiciones de responsabilidad, de compartir sus ideas y de tener una mayor autoestima. Tienden a sentir que tienen más posibilidades y que pueden asumir riesgos. Las niñas que pertenecen al grupo de las Girl Scouts tienen más probabilidades de asumir responsabilidades en otras situaciones, tal como en el colegio o en la iglesia y de asumir posiciones de liderazgo cuando se convierten en mujeres.

5. No permita que la violen. Si su médico no la toma en serio, cámbielo por otro. Si un reconocimiento médico le produce dolor, exprésela abiertamente. Solicite un trato más amable. Si se encuentra en apuros, insista hasta conseguir la ayuda adecuada. Si un profesional la trata de una forma incorrecta, despídalo.

6. Analice su vida. Si usted es una mujer, ¿qué es lo que ha evitado hacer por ser una mujer? ¿De qué forma ha limitado sus propias experiencias debido a las actitudes que le han inculcado? Hable con otras mujeres. Consiga apoyo para realizarse. Haga todo aquello que desea hacer. Si es un hombre, ¿puede identificar situaciones en las que haya progresado a expensas de una mujer?

La gran película

Los hombres han pagado un precio mucho mayor de lo que creen por los privilegios y el poder de los que han disfrutado. Los hombres han sido valorados no por sí mismos, sino por lo que pueden adquirir o alcanzar. Han sido engañados y atrapados por cálculos sutiles, y se han quedado bloqueados en los relaciones basada en los juegos de poder y la manipulación en vez de establecer vínculos reales, sinceros y respetuosos.

La gran guerra entre los sexos se repite en nuestra guerra interna entre nuestra propia mezcla de femineidad y masculinidad. En tanto seamos capaces de modificar la forma de ver y tratar al sexo opuesto, podremos llegar a aceptarnos a nosotros mismos. Al aceptar las características del sexo opuesto en nosotros mismos, respondemos más positivamente al otro género.

Los hombres y las mujeres deben alcanzar un compañerismo total para que el planeta sobreviva*. Cuando los grandes pensadores de nuestro tiempo afirmen esto, estaremos hablando de una forma literal y no metafórica. El planeta Tierra está en peligro, y los problemas de quienes lo habitan son muy graves. Es preciso que todos trabajemos juntos para superar la crisis.

Hemos violado los límites del mundo natural y se requiere toda nuestra cooperación para reparar el daño que hemos hecho. Ya no podemos permitirnos el lujo de perder las contribuciones de ninguno de los grupos de personas aunque sean de diferentes razas, géneros, sexos, religiones, culturas o herencia.

---

* Jean Houston: «Laughter of the Gods» («La risa de los Dioses»), conferencia presentada en Mistery School Hollyhock Centre, Cortes Island, BC, 1995.

Capítulo 16

Límites para el divorcio

INCLUSO tres años después de su divorcio, Magda Coupe no se sentía segura. A pesar de haber solicitado una orden de protección legal, su ex marido vigilaba su calle. Cuando ella empezó a salir con otros hombres, una breve mirada al salir de su casa era suficiente para descubrir el amenazador camión negro de Mel aparcado a pocos metros del coche que la estaba esperando. A veces se despertaba por la noche porque Mel estaba golpeando la puerta de entrada.

Cuando Mel pasaba el día con su hijo Tommy, este volvía a casa embadurnado de caramelo y con los brazos llenos de regalos caros. Entonces le contaba todas las preguntas que su padre le hacía sobre ella. Magda hacía todo lo que estaba a su alcance para preservar el respeto que Tommy sentía por su padre. Mel, por el contrario, hacía todo lo posible para que el niño se enfadara con su madre.

Magda no sabía con certeza hasta qué punto podía llegar la furia de Mel. Él había estado a punto de matarla mientras estaban casados, sin embargo no se animaba a desarraigar a su hijo y escapar de esa situación. Todos sus bienes estaban en la casa y con su trabajo ganaba como para ir viviendo día a día. Se sentía atrapada en una pesadilla.

Existen muchas historias en las que uno de los padres (en general la mujer) se encuentra en la misma situación. Han tenido que divorciarse para salvar su propia vida y posiblemente también la de sus hijos. Sin embargo, aún corren el riesgo de seguir siendo el objetivo de la ira de su ex pareja.

Desgraciadamente, aún existen jueces que toman muy a la ligera la necesidad de una mujer de tener protección legal debido a la violencia de su ex marido. En algunas zonas, la típica respuesta policial al pedido de ayuda de una mujer es tan lenta que la mujer se cansa y no vuelve a llamar.

Con mucha frecuencia los niños son utilizados para controlar a una ex esposa. Los padres que abandonan el hogar utilizan su posición económica más desahogada para llevar a los niños a su terreno. Los ex maridos suelen dejar a sus ex esposas tan desamparadas, que las mujeres se ven obligadas a llevar una exigua existencia mientras se hacen cargo de la educación de sus hijos y aún son capaces de brindarles el amor y la protección que necesitan.

Las madres, en general, se han relacionado con sus hijos de un modo muy posesivo y no han permitido que los padres que se sentían realmente comprometidos con su familia se ocuparan también de la crianza de los niños. Por otra parte, existen muchos niños que ansían las llamadas y las visitas de un padre ausente, quien aparentemente se ha desentendido del pasado como si se hubiera quitado el polvo de los zapatos.

Ame a sus hijos más de lo que odia a su ex pareja. Recuerde que los niños necesitan el amor de ambos padres siempre que sean capaces de cuidar de ellos con responsabilidad.

Con la tasa de divorcio cercana al 67 por 100 necesitamos una ética del divorcio. Usted puede tener un divorcio honorable, en el cual los límites positivos protegen la integridad física, emocional y financiera de todos los que están implicados en la separación.

UN DIVORCIO HONORABLE

1. Los niños están primero. Los conflictos matrimoniales afectan incluso a los bebés, que suelen tener dificultades para recuperar la calma fisiológica después de haber sido excitados[*].
2. No utilice a los niños para hacer daño a su ex pareja. Los niños que sufren un divorcio contencioso pierden cuatro años de su vida. Si ellos mismos llegan a divorciarse, entonces perderán ocho años[**].

_____

[*] John Gottman, doctor en filosofía: *Clinical Manual for Marital Therapy,* Seattle, Wash., 1999.

[**] John Gottman, doctor en filosofía: «A Scientifically Based Marital Therapy», conferencia presentada en Seattle, Washington, 1999.

3. No hable mal de su ex cónyuge ni intente desacreditarlo.
4. Dividan los bienes de una manera justa[*]· Ninguno de los padres debe quedar tan desamparado como para tener que sacrificarse para poder criar a sus hijos.
5. No hagan nada que pueda resultar amenazador o dañino, ni que suponga un peligro a sus hijos ni a su ex pareja.
6. Buque ayuda para poder manejar su enfado o su cólera.
7. No aceche a su ex cónyuge.
8. Consiga ayuda para aceptar que sus vidas están separadas.
9. Proteja a los niños de un padre que es verdaderamente peligroso.
10. Deje que los niños se mantengan en contacto con un buen padre.
11. Sea usted mismo un buen padre o una buena madre y mantenga el contacto con sus hijos.
12. Elabore el duelo.
13. Exprese su ira francamente y relájese.
14. Si ha pasado ya por tres o más relaciones importantes que han terminado en un fracaso, busque ayuda. Descubra por qué está atrapado en una puerta giratoria.

¿A qué se parece un divorcio honorable?

Cliff y Tara Graymeyer se han divorciado después de siete años de matrimonio. Tienen un hijo de cinco años llamado Billie. Vendieron su casa y compraron un dúplex. Cliff vivía en una parte de la casa y Tara en la otra. Billie podía correr de uno a otro espacio para estar con cualquiera de sus padres.

Para los adultos resultó bastante duro el momento en que ambos empezaron a salir con otras personas, pero lo toleraron porque era un precio que estaban dispuestos a pagar para que Billie disfrutara de la mejor infancia posible. Estos maravillosos padres asumieron totalmente las consecuencias de sus decisiones en nombre de la seguridad y la salud de su hijo.

---

[*] Kathleen Miller: *Fair Share Divorce,* Bellevue, Wash., Miller Advisors, 1995).

Capítulo 17

Límites para la posesión

CUANDO Clarene se casó con Ernesto, tenía un modesto coche de pequeño tamaño: un poco usado, pero veloz y airoso. Se adaptaba muy bien a sus necesidades. Jamás fallaba, lo podía aparcar en cualquier lugar y era ágil como una gacela.

Ernesto tenía algo en contra de aquel coche y se empeñó en que Clarene lo sustituyera por un vehículo nuevo. La abolladura que tenía encima del faro derecho le otorgaba una apariencia un poco estrafalaria. Uno de los lados estaba un poco hundido, y el parachoques estaba colgando de uno de sus extremos.

Clarene adoraba ese coche. Era suyo. El primero que había comprado con su propio dinero. Representaba su independencia y se sentía muy a gusto conduciéndolo.

Ernesto le habló de su imagen profesional y le dijo que era totalmente inadecuado que ella condujera un coche tan destartalado. A él no le gustaba conducirlo y quería comprarle uno nuevo. Pretendía que ella viviera como una princesa.

Finalmente, Clarene pensó que se estaba comportando como una testaruda. Aquello parecía muy importante para Ernesto y, después de todo, un coche era simplemente un objeto. Así que se dejó convencer.

Ernesto le compró un Sedan brillante y formal. Insistió en que fuera de color negro, pues resultaba muy elegante. Pero para ella era como conducir un enorme ataúd. Era demasiado grande y se sentía aislada del mundo cuando lo conducía.

Nunca se sintió cómoda en aquel vehículo y echaba de menos a su viejo coche que había desaparecido para siempre. Le había permitido que se lo arrebatara y lo lamentó durante varios años.

Marie guardaba como un tesoro la silla mecedora en la que su madre la había acunado cuando era un bebé. Cuando su marido, Stan, le pegaba, la amenazaba o la despreciaba de algún modo, se acurrucaba en la mecedora tapada con una manta afgana, con un libro y una taza de té para consolarse. En su pequeña casa aquella silla era su lugar privado. Casi podía sentir que su abuela la abrazaba y recordaba que había sido muy querida por las mujeres de su familia.

En cierta ocasión Marie fue a visitar a su hija Naomi que vivía a unos 800 kilómetros de su localidad, en Vancouver. A Stan no le caía bien Naomi. No era su hija y ella estaba francamente disgustada con él por la forma en que trataba a su madre y por su afición a la bebida.

Cuando Marie volvió a casa solo le llevó un instante descubrir lo que faltaba. Fue después de uno de los continuos incidentes con su marido cuando descubrió que la mecedora ya no estaba en la casa.

Por primera vez se enfrentó con él, a pesar del peligro que sabía que corría. «¿Dónde está mi silla?»

«La doné a beneficencia. Siempre estás hablando de los pobres. Lo hice por ti.»

Ella fue inmediatamente a beneficencia, pero la silla ya no estaba allí y no era posible localizarla.

Lamentablemente, he escuchado muchas historias como esta. Un hombre o una mujer llega al matrimonio con un objeto que lo acompaña desde hace años porque es como un tesoro del pasado: un coche, un recuerdo de familia, un juego de platos, una mascota, una muñeca, un viejo escritorio destartalado. Sin embargo, su pareja parece sentir la necesidad de quebrar la dependencia que tiene con ese objeto. Movidos por el deseo de ser una buena esposa o un buen marido, y quizá por la presión ejercida sobre ellos, los propietarios del objeto en cuestión renuncian a él para luego lamentarlo durante mucho tiempo. Ocasionalmente, como en el caso de Marie, el cónyuge se deshace del objeto sin previo consentimiento.

Cuando alguien se desprende de algo a sabiendas de que representa un tesoro para la otra persona sin pedirle su autorización, está cometiendo una violación de los límites. También está demostrando que utiliza ese objeto como chivo expiatorio para descargar su propia ira, hostilidad o inseguridad. Atentar contra ese tesoro es lo mismo que atacar directamente a su pareja sentimental. Es una forma deliberada de infrigirle un sufrimiento con el fin de controlarla o castigarla.

Las cosas que atesoramos contribuyen a desarrollar nuestro ser. Pueden representar nuestra herencia, nuestra historia, nuestra genealogía, nuestras amistades, nuestro momento de goce o inocencia, nuestros recuerdos, nuestros logros o nuestro autodescubrimiento. Cuando permitimos que alguien nos arrebate un determinado objeto, perdemos mucho más que el mismo objeto; también transmitimos el mensaje de que no somos capaces de proteger lo que nos pertenece. Como consecuencia, resultamos desvalorizados y perdemos o renunciamos a nuestro poder personal.

Si su pareja ejerce presión para que usted renuncie a un tesoro, tenga en cuenta la situación general. Rechace cualquier discusión sobre dicho objeto. Manténgase firme en su convicción de conservarlo y en la idea de que no es negociable.

Luego, pregunte a su pareja qué es lo que representa ese objeto. Si tiene dificultad para responder —o si su respuesta no es razonable—, probablemente será una buena idea acudir a una terapia matrimonial, ya que su pareja con toda seguridad intentará nuevas formas de controlarlo.

Este es un tema bastante común en las relaciones de pareja, pero realmente se trata de una forma de ataque, un recurso para sentirse seguro o poderoso. La ansiedad o los miedos son proyectados hacia un objeto exterior con el fin de deshacerse de una cierta incomodidad interna.

Renunciar a lo que para usted constituye un tesoro no arreglará las cosas para su pareja porque, independientemente del poder que pueda tener sobre otra persona, su inquietud interior volverá a insistir. No podemos solucionar nuestros propios problemas empeñándonos en que otra persona cambie.

Ejemplo: Imponer los límites frente a alguien que presume de demasiadas cosas

Maisie y Gina eran compañeras de habitación en la universidad. Maisie quería usar un par de *pantys* de encaje en el baile de comienzo de curso. No las encontró en el cajón donde guardaba su lencería y comenzó a buscar en el resto de los cajones, pero sin éxito.

Al día siguiente, cuando hacía la colada, encontró sus *pantys*. Esto constituía un misterio porque solo los usaba en ocasiones muy especiales y ya habían pasado varios meses desde la última vez que se los había puesto. Más tarde le mencionó lo sucedido a Gina.

«Yo los usé», dijo Gina.

«¿Qué dices?», preguntó Maisie, absolutamente asombrada.

«Que los usé el otro día. Había estado demasiado ocupada como para hacer mi colada, entonces miré en tu cajón y encontré ese par de *pantys* y me parecieron tan bonitos que los tomé prestados.»

«Eso no está bien», dijo Maisie. «En primer lugar, quiero que me pidas permiso antes de usar cualquiera de mis cosas. En segundo lugar, no suelo prestar mi ropa interior. Es demasiado personal. Y no solo eso, estos *pantys* son muy especiales para mí y solo los uso en ocasiones particulares. Ahora has conseguido que ya no sienta lo mismo por ellos.»

«¡Dios mío!» Gina se dejó caer pesadamente sobre la cama y mordiéndose los labios, dijo: «Pero si solo se trata de un par de *pantys*. Te conseguiré un nuevo par si significan tanto para ti».

«Esa no es la cuestión. Si no puedes comprender lo que te estoy diciendo, esto por sí mismo ya constituye un problema bastante importante.»

«Estoy ansiosa por contarle todo esto a Dawn.»

«Si vas a encargarte de divulgar esto en toda la residencia, pediré una nueva compañera de habitación. No voy a dejar que me amenaces con contarle lo sucedido a todo el mundo cuando todo lo que estoy haciendo es defender lo que es mío. No es egoísmo proteger las cosas que te importan. Yo suelo elegir lo que es importante para mí, y si tú no eres capaz de respetarlo, entonces no puedo ser tu compañera de cuarto.»

Utilice la ropa de otra persona solo si cuenta con su permiso, e incluso en este caso hágalo de una forma muy específica si la prenda que le han prestado es íntima, especial, cara o muy personal.

Límites para la privacidad

La madre de Zoe había venido a visitarla. Como Zoe tenía que trabajar, su madre se quedaba en su casa durante el día y luego disfrutaban de una buena cena y pasaban la noche juntas.

Mientras Zoe sacaba el cubo de la basura, la tapa se cayó y descubrió con sorpresa que había un oso de peluche y una caja de zapatos dentro del cubo. La caja de zapatos contenía varios recuerdos muy queridos y ella la había guardado en su armario.

Sacó los objetos del cubo de la basura y revolvió entre la basura, encontrando unos libros de cuentos infantiles y un diario que había escrito en la universidad. Antes estaba intacto y, sin embargo, ahora la cerradura estaba forzada. Se sintió tan furiosa que tuvo que sentarse y recomponerse antes de recoger sus tesoros y volver a la casa.

«Mamá», dijo con la voz muy firme y revelando su comprensible enfado, «¿qué has hecho mientras estaba en el trabajo?».

Su madre levantó la mirada del televisor y respondió: «Simplemente arreglé tus armarios y tus cajones, cariño. Tenía muchas porquerías».

«¿Acaso tengo doce años, madre?»

La madre se rio. «Casi.»

«En realidad, hubiera sido igualmente incorrecto que le hicieras esto a una niña de doce años. No tienes ningún derecho de meter la nariz en mis armarios y mis cajones, y tampoco estás autorizada para tirar mis cosas ni para leer mis diarios ni revisar mis cosas.»

«No comprendo por qué estás tan enfadada. Eran cosas de la infancia.»

«Son mis recuerdos, mamá. Son una parte de mi historia, y soy yo la que debo elegir lo que quiero guardar y lo que quiero tirar.»

«Están dando un programa de *Lucy* que te encantará volver a ver.»

«Mamá, ¿quieres hacerme el favor de prestar atención? No vuelvas a tocar mis cosas nunca más. Si no puedes evitarlo, dímelo de inmediato.»

«Solo me importas tú, querida. Y me gusta ver lo que tienes.»

«¿Tienes acaso la menor idea de lo que significa la privacidad?»

«Por supuesto, no soy tonta.»

«¿Te das cuenta que has violado mi intimidad?»

«Tú eres mi hija y no tenemos secretos.»

«Déjame que te diga claramente cuál es la situación. No estoy dispuesta a poner un candado en mis armarios ni en mis cajones, y no puedo estar en el trabajo preocupada por lo que tú estarás haciendo aquí, de modo que mañana te llevaré a la biblioteca o al centro de pensionistas. Tú eliges. Te iré a buscar cuando termine de trabajar.»

«Eso no me viene bien, cariño.»

«Lo siento en el alma. No puedo fiarme de ti, ya que ni siquiera reconoces lo que has hecho.»

«No entiendo por qué estás haciendo tanto problema por algo tan insignificante.»

«Estoy verdaderamente enfadada, mamá, y sin embargo estoy haciendo todo lo posible por hablar contigo directa y respetuosamente», respondió. «Mañana no te quedarás aquí, y no tengo la menor idea de cuándo volveré a arriesgarme a dejarte sola en casa, de manera que será mejor que pienses adónde quieres ir mientras yo estoy trabajando.»

«Creo que prefiero marcharme por la mañana y volver a casa.»

«Si prefieres acortar tu visita en vez de reconocer lo que has hecho, esa es tu decisión. Me desilusiona que prefieras marcharte en vez de admitir que has violado mi privacidad, pero, tal como te he dicho, tú decides. Tengo que hacer una llamada. Piensa cuál es tu decisión definitiva y comunícamelo más tarde.»

Leer el diario de un adulto, apropiarse de los objetos privados, leer las cartas destinadas a otra persona, todas estas acciones constituyen violaciones de los límites. Todos necesitamos poder contar con una absoluta privacidad, que es una de las formas a través de las cuales nos sentimos seguros.

Los recuerdos, los tesoros, los armarios y los cajones son personales. No deben ser invadidos ni revisados, y mucho menos vaciados sin autorización.

La única excepción normal es, por ejemplo, el caso en que un cónyuge, una compañera o compañero de habitación, un socio o un joven que está a punto de marcharse haya ignorado la fecha acordada para retirar sus cosas de un espacio que ya no se comparte. No tenemos ninguna obligación de ser custodios permanentes de las pertenencias de un joven o de una ex pareja que se ha marchado de casa.

Otra excepción es cuando los objetos pertenecen a alguien que ha fallecido o cuyas facultades mentales se han alterado; en este caso usted es el responsable de encontrar un destino para sus objetos.

Establecer los límites para que nadie se aproveche de usted

Langley pidió a Sven que le prestara su cortadora de césped y se la devolvió llena de hierba y con poca gasolina. Sven se mordió la lengua, limpió la cortadora y no dijo absolutamente nada cuando Langley se la pidió prestada la próxima vez. Cuando se la devolvió estaba tan sucia como en la ocasión anterior. Finalmente, Sven le dijo: «Langley, después de usar mi cortadora de césped te ruego que la vuelvas a llenar de gasolina y limpies las cuchillas y el motor».

«Por supuesto», respondió Langley mientras se despedía amistosamente antes de volver a su casa.

Cuando Langley le devolvió la cortadora en la siguiente ocasión que se la pidió prestada, la había limpiado con un paño y había retirado parte de la hierba, sin embargo las cuchillas todavía estaban sucias y se había acumulado hierba cerca del motor. El indicador de gasolina señalaba que tenía la mitad de combustible que cuando se la había prestado.

Cuando Langley intentó pedirle la cortadora una vez más, Sven le preguntó: «Langley, ¿sabes cómo limpiar una cortadora de césped?»

Langley contestó: «Por supuesto. Me ocupé de cuidar la mía hasta que un día inexplicablemente dejó de funcionar».

Sven no supo qué decir. Si intentaba enseñarle a Langley en aquel momento cómo se mantenía una cortadora de césped, él pensaría que no le había creído. Sin embargo, decidió avanzar un poco más. «Bien, independientemente de cómo cuidaras tu cortadora, esto es lo que yo hago con la mía.» Sven le explicó paso a paso cómo debía ocuparse del mantenimiento del aparato.

Langley pareció escucharlo atentamente y se marchó una vez más con la máquina. En aquella ocasión la devolvió en mejores condiciones, sin embargo había un montón de restos de hierba junto al alojamiento del motor y prácticamente no tenía gasolina.

Sven le comunicó a Langley que ya no volvería a prestarle su cortadora de césped. Entonces, Langley le preguntó si podía dejarle su máquina para eliminar las malas hierbas.

¿Qué piensa usted de esta situación?

1. Sven debería haber intentado explicarle una vez más cómo eran las cosas a Langley.
2. Sven debería prestarle la máquina para eliminar las malas hierbas.
3. Sven debería ofrecerse para cortar el césped de Langley. Es demasiado descuidado con la limpieza de la cortadora de césped.
4. Sven ya le había explicado demasiadas cosas a Langley antes de pasar a la acción.

Yo elijo la opción número 4. Sven ya ha realizado demasiados esfuerzos para indicarle a Langley lo que espera de él y, sin embargo, este se sigue mostrando descuidado. La primera pista que Sven le ofreció fue cuando le devolvió la cortadora sin limpiar y sin gasolina. Quizá Langley ignorara las ventajas de limpiar correctamente una cortadora, pero todo adulto debe saber que es preciso reemplazar los consumibles que se han utilizado, ya sea la gasolina de una máquina o la leña utilizada para hacer una barbacoa en el patio trasero. No podemos aprovecharnos de la generosidad de un amigo y permitir que él se haga cargo de lo que nosotros hemos gastado y que nos ha reportado un beneficio.

¿Cómo podría Sven haber establecido un límite en la primera ocasión que Langley le devolvió la cortadora de césped?

«Langley, te has olvidado de volver a llenar el depósito de gasolina de la cortadora de césped. La próxima vez que quieras que te la preste, tráeme media lata de gasolina y acuérdate de limpiarla antes de devolvérmela. Si no lo haces, será la última vez que te la preste.»

¿Debería Sven explicarle detalladamente a Langley cuál es la forma correcta de limpiar la máquina? En absoluto. Langley ya ha demostrado ser una persona que utiliza a los demás. Alguien que simplemente se ha olvidado de la gasolina respondería algo semejante a: «Caray, había pensado volver a llenar el depósito y luego se me olvidó. Te traeré la gasolina inmediatamente. Sinceramente, Sven, a mí me parece que la cortadora está limpia. ¿Qué más es preciso hacer?».

Esta respuesta revelaría que tiene interés en respetar a su amigo y también demuestra que asume de buen grado la responsabilidad de aprender algo que ignora.

Algunas veces caemos en la trampa de pensar que deberíamos haber explicado todas nuestras expectativas por anticipado; y, al no hacerlo, ya no tenemos el derecho de pedir algo diferente. Es como si nos consideráramos culpables por no habernos anticipado a algo que ha sucedido, en vez de responsabilizar a la otra persona por no ocuparse de ciertas tareas básicas que, de haberlas realizado, indicarían que no tiene ninguna intención de aprovecharse de nosotros. Para decirlo brevemente, podemos ser tan justos con la otra persona que terminamos por ser injustos con nosotros mismos.

Una clave para conocer que usted ya ha hecho demasiado es observar si usted está enseñando a la otra persona una y otra vez la misma cosa. Sven le indicó repetidas veces a Langley cuál era la forma correcta de limpiar una cortadora de césped, sin embargo no tenía en cuenta la situación global; es decir, que Langley no se preocupaba por lo que Sven esperaba en relación con su cortadora de césped. Langley solo estaba interesado en quitarse de en medio la mayor parte del trabajo.

Usted siempre tiene el derecho de echarse atrás al advertir que su generosidad es exagerada. Hágalo en cuanto vea los signos de que la otra persona no tiene ninguna intención de aceptar sus propios límites.

«Maddie, cuando te dije que tus amigos podían llamarte a mi número de teléfono hasta que tuvieras tu propio teléfono, no pensé que tus amigos te llamarían incluso después de medianoche. En este caso tengo que anular mi oferta.»

«Sun Li, ¿cómo podía saber que uno de mis amigos haría precisamente eso? No me castigues por lo que ha hecho Cal.»

«Simplemente me estoy resguardando. Nunca te lo hubiera propuesto si hubiera sabido que tus amigos te llamarían tan tarde.»

«Le advertí que no lo hiciera y, sin embargo, no me hizo caso.»

«Mira, si él no respeta lo que tú le pides, con toda seguridad menos respetará lo que yo diga.»

«Podríamos poner tu teléfono en mi habitación. De este modo no te molestaría.»

«De ningún modo, es mi teléfono y lo quiero en mi dormitorio. Cuando quiero dormir, simplemente bajo el volumen del timbre.»

Usted también tiene el derecho de desdecirse si las cosas no suceden como a usted le gustaría; incluso aunque la otra persona le responda con respeto y consideración.

«Hawk, ya sé que te dije que podías utilizar mi ordenador, pero ahora debo retractarme. No estás haciendo nada malo. Has respetado todo lo que te he pedido. Lo que pasa es que cuando te ofrecí esta alternativa no me di cuenta de que no me vendría bien. Toda mi vida está metida en ese ordenador. Aunque tú eres mi mejor amigo, siento como si alguien estuviera caminando dentro de mi cerebro cuando lo usas.»

«Lo siento muchísimo, Donna, he hecho todo lo que me has pedido.»

«Lo sé, Hawk, no se trata de ti sino de mí. He ofrecido más de lo que puedo dar y simplemente no me he dado cuenta hasta que ya estaba hecho.»

«Esto me hace polvo. Ahora tendré que ir al cibercafé para escribir estas cartas.»

«Lo sé y lo siento de veras.»

¿Debería Donna pagarle algo a Hawk por tener que ir al cibercafé a escribir sus cartas? No. Si ella nunca le hubiera ofrecido su ordenador, Hawk de cualquier modo tendría que haber encontrado uno en alguna otra parte.

¿Debería Donna averiguar si su amigo podría usar de forma gratuita un ordenador en la biblioteca? De ningún modo, es a Hawk a quien corresponde hacer ese trabajo. Donna no tiene ninguna obligación de hacer algo por su amigo simplemente por haber descubierto que no podía mantener en pie su oferta.

Hawk no se encuentra en ninguna situación grave como resultado de la decisión de Donna. Ya se ha beneficiado al utilizar su ordenador hasta este momento. Con suerte, pronto se le pasará la irritación y recordará que Donna le ha hecho un favor y que debe estar agradecido.

¿Y si?

Si usted se ha comprometido a cuidar el perro de su amiga cuando ella se marche de vacaciones, y se ha peleado con ella justamente antes de que salga de viaje, ¿qué es lo correcto?

1. Cuidar el perro aunque no se sienta muy inclinada a hacerlo.
2. Darse cuenta de que el perro es inocente y merece que lo cuiden bien.
3. Desentenderse de su amiga y del perro.
4. Decirle que no puede hacerse cargo de él aunque ella debe tomar el vuelo de las cinco de la mañana siguiente.

La respuesta correcta es la número 2. No es justo que, por causa de un desacuerdo humano, el perro resulte víctima de la situación. Tampoco es justo para su amiga (aunque ahora sea su ex amiga) que usted reniegue de un compromiso que ha hecho de buena fe cuando está muy próxima la fecha de partida.

Si no puede hacerse cargo de la mascota, acaso pueda encontrar a alguien que lo haga o contribuir con algún dinero para llevarlo a una residencia canina, si su amiga tiene tiempo para solucionar la situación.

LÍMITES POSITIVOS PARA LAS POSESIONES

- Proteja las cosas que aprecia.
- No se desprenda de objetos que son significativos para usted aunque un ser querido intente imponérselo.
- Establezca los límites para los objetos que son demasiado personales como para prestarlos a los demás.
- Imponga sus propios límites cuando advierta que la otra persona tiene una forma diferente de hacer las cosas.

- Anule un ofrecimiento cuando sienta que ya no le resulta cómodo.
- Cuando la otra persona demuestra su intención de aprovecharse de su generosidad, no le ofrezca demasiadas cosas.
- Defina el modo en que quiere que traten a sus posesiones. Si alguien no puede o no tiene ningún interés en respetarlas, no le permita que tenga acceso a ellas.
- Si la relación que tiene con una persona se modifica, es adecuado desdecirse de las ofertas que ya no se adecuan a la relación. Sin embargo, si la otra persona depende de su oferta y su negativa podría crearle un perjuicio, intente encontrar otra forma de satisfacer los términos de su oferta o de compensar a dicha persona.

Capítulo 18

Límites para los padres

D ESPUÉS de morir su esposo, Maidie se sentía sola y asustada, de manera que decidió que su hijo durmiera en su misma cama. Lo buscaba para consolarse cuando se sentía muy afligida. Se aferraba a él y lloraba día y noche debido al vacío que sentía.

Pero el hijo de Maidie solo tenía seis años y era demasiado pequeño para soportar esta carga. Evidentemente no tenía la madurez necesaria como para asimilar emociones tan intensas. También era demasiado pequeño para negarse a que su madre lo sometiera a esta conducta abusiva.

Aunque la necesidad y el dolor de Maidie estaban completamente justificados, era desde todo punto de vista incorrecto que utilizara a su hijo de este modo. Los niños no pueden negarse a la voluntad de los adultos. Por este motivo, es por lo que se los debe proteger de situaciones que requieren más recursos de los que ellos poseen.

En 1998 se estrenó una película llamada *La vida es bella* que cautivó los corazones y recibió varios premios. La película mostraba de un modo extraordinario los esfuerzos que realizaba un padre para proteger a su hijo de una situación totalmente incomprensible. Un ejemplo semejante nos ofrece una conducta a la que debemos aspirar.

Nosotros los adultos nos desesperamos, nos sentimos solos y asustados, pero tenemos los recursos y las oportunidades para superarlo. Siempre hay alguien que puede brindarnos ayuda. Somos adultos y podemos tomar decisiones.

Los niños tienen recursos limitados y sus decisiones son todavía más restringidas. Su perspectiva no va más allá de sus familias. Cuanto más pequeños son, menos capacidad tienen de advertir que pueden decir «no», que pueden pedir ayuda, que la actitud de sus padres no es correcta.

Los padres dibujan un círculo en la arena con su comportamiento. Todo lo que está dentro del círculo es considerado normal, y todo lo que queda fuera de él se considera anormal. Los niños son influenciados por estas diferencias que determinan su forma de ver el mundo, sus ideas acerca de las relaciones y su propia imagen.

Si el círculo contiene el respeto por las diferencias, la amabilidad y el amor, los niños pueden convertirse en adultos que tendrán la capacidad de crear su propio círculo de amor y tolerancia. Si el círculo contiene cólera, amenazas, abusos, desconsideración, los niños crecen olvidándose de sí mismos y/o de los demás. Cuando dichos niños llegan al estado adulto, consideran que la generosidad y la amabilidad son cualidades anormales e incluso sospechosas.

Un círculo que contiene rechazo, explotación, control, críticas y enajenación produce un niño solitario que carece de una sensación de pertenencia, que está insatisfecho, que no se siente digno de ser amado y que tiene dificultad para relacionarse con los demás. Este niño puede convertirse en un adulto que considera que la tolerancia es algo anormal.

Los niños están tan impregnados de la educación que le ha brindado su familia que, una vez que se convierten en adultos, les resulta difícil deshacerse de ella. Como resultado, pueden criar a sus propios hijos con esos patrones culturales. De este modo cualquier distorsión se transmite a través de las generaciones.

Aceptar la responsabilidad

En este punto es donde brilla la terapia, ya que puede ser la forma más rápida y efectiva de desmantelar el conflicto que se transmite de una a otra generación. Los adultos que se liberan de la programación recibida en la infancia son capaces de educar mejor a sus propios hijos. Pueden crear una nueva cultura familiar: una cultura que promueve el goce y la felicidad para sus hijos.

Como los niños no saben distinguir lo normal de lo que no lo es, es responsabilidad de los adultos de la familia disciplinarse con el fin de conservar su conducta dentro de unos límites sanos y buscar otros adultos para satisfacer sus necesidades físicas y emocionales.

LOS LÍMITES CON LOS NIÑOS, PRIMERA PARTE

1. No explotar a los niños.
2. No buscarlos para hablar de sus necesidades o sentimientos ni de los complejos temas que solo comprenden los adultos.
3. No intentar consolarse físicamente con ellos obligándolos a dormir con los adultos durante un periodo de tiempo prolongado.
4. No gratificarse sexualmente de ninguna manera con ellos.
5. No tener acercamientos sexuales ni usar sus cuerpos de ninguna forma para obtener un alivio sexual.
6. No mirarlos de una manera sexualmente provocadora.
7. No hacerles comentarios sobre la sexualidad.
8. No hablar de temas sexuales con otras personas en presencia de ellos.
9. No permitirles observar materiales, publicaciones ni dispositivos sexuales.

Grados apropiados de responsabilidad

Yolanda Race había querido tener un perro desde que era pequeña. Finalmente, sucedió lo improbable: cuando tenía once años, su madre accedió a su deseo. Le permitiría tener un perro con la condición de que se hiciera absolutamente responsable de él.

Yolanda cuidaba perfectamente a Woofer. Sin embargo, en el condado en el que vivía era obligatorio que todos los perros tuvieran una licencia y estuvieran vacunados. La factura del veterinario ascendía a 64 dólares.

La señora Race se negó a pagarla. Desde el comienzo le había comunicado a Yolanda que debía asumir toda la responsabilidad por su mascota. Insistió en que la factura era el problema de Yolanda.

Pero Yolanda no tenía paga ni tampoco la edad suficiente como para trabajar de canguro, de manera que no tenía ninguna forma de ganar dinero. Por lo tanto, nadie pagó la factura y al poco tiempo la familia recibió un aviso de citación para en el juzgado.

En el juicio, la señora Race explicó al juez que la factura era responsabilidad de Yolanda. El juez miró a la pequeña y frágil niña que tenía ante sí, dio un golpe con el mazo y decidió que los padres de Yolanda debían hacerse cargo de pagar la factura.

La señora Race estaba tan furiosa que, como castigo, dejó a Yolanda en el centro de la ciudad de Seattle para que volviera sola a casa.

¿Qué es lo que realmente sucede en esta situación?

1. Yolanda tenía la responsabilidad de pagar la factura y no lo hizo.
2. Se le adjudicó una responsabilidad que ella no era capaz de cumplir.
3. El castigo infligido es demasiado peligroso para un niño.

La respuesta correcta es obviamente la número 2.

Es evidente que no deberíamos abandonar a un niño en una situación peligrosa aunque estemos furiosos, agobiados o tengamos graves problemas en ese momento. Lamentablemente esta historia es verdadera y demuestra que se le asignó a Yolanda una responsabilidad que no era capaz de satisfacer. Una forma rápida de enseñar a los niños que son incompetentes es darles una tarea que no son capaces de realizar.

A los niños a quienes se les da este tipo de tareas se les pide que hagan felices a sus padres, que protejan a uno de sus padres, que resuelvan las dificultades que sus padres tienen en el mundo, que les ofrezcan una razón para seguir vivos o que cumplan los sueños de sus padres, están condenados a fracasar.

Todas estas son tareas imposibles. Nadie puede contribuir a la felicidad de otra persona. Todos tenemos que encontrar nuestras propias razones para mantenernos vivos. Debemos materializar nuestros propios sueños.

Sin embargo, los niños absorben y aceptan cualquier expectativa de los adultos, o cualquier tarea que estos les ofrezcan (aunque no sean verbalizadas), y tratan de materializarlas, algunas veces durante toda la vida. Como no tienen ninguna posibilidad de éxito, es posible que incluso durante toda su vida crean que no dan la talla.

Cuando estos niños se convierten en adultos, continúan llevando sobre sus hombros los mismos roles y rara vez toman consciencia de que pueden abandonarlos. Acaso se sientan obligados a apartarse de sus padres o a buscar un nuevo grupo familiar, pero es muy probable que continúen intentando desempeñar la misma tarea para las nuevas personas que han entrado en su vida. Puede resultarnos muy difícil y llevarnos mucho tiempo modificar nuestra conducta cuando hemos sido entrenados para ser demasiado responsables cuando éramos pequeños.

Rechazo emocional

Son pocas las criaturas que pueden salir adelante con poca comida, agua y cobijo. Los peces nadan en cardúmenes, los pájaros vuelan en bandadas y los animales se reúnen en rebaños; incluso algunos insectos tienen un comportamiento basado en la cooperación. Los lagartos viven de forma independiente, pero la mayoría de las demás criaturas necesitan el contacto con los de su especie.

Los niños necesitan muchas más cosas que simplemente alimento, agua y cobijo. Necesitan seguridad física y emocional, que los acaricien sanamente, que les pongan límites, que la comunicación sea clara y coherente, que los eduquen y también necesitan disfrutar de un contacto habitual con los adultos.

El rechazo emocional tienen lugar cuando los padres están tan absortos en sus propios proyectos de adultos que sus hijos reciben pocas atenciones. Cuando se deja de lado a los niños, se los hace esperar una eternidad para pasar un rato con alguno de los padres o se los obliga a soportar promesas incumplidas debido a las infinitas demandas de trabajo de sus padres, aprenden que ellos son menos importantes que el dinero, los logros y los beneficios materiales. El rechazo emocional, en última instancia, perjudica enormemente la autoestima de un niño y su capacidad para establecer y mantener relaciones sanas.

No se comporte como un lagarto. Hable con sus hijos. Escúchelos. Juegue con ellos. Organice eventos y actividades que pueda compartir con ellos. Enséñeles cómo funciona el mundo. Muéstreles cómo es una conducta ética y sincera. Demuéstreles que pueden manifestar sus enfados de un modo sano. Negocie con ellos. Ayúdelos a expresar sus sentimientos, sus aflicciones y a comunicarse.

Prepárelos para su emancipación (cuando tengan la edad suficiente) enseñándoles a manejar el dinero, a mantener un coche, a agradecer los regalos, a preparar comidas sanas, a cuidar la ropa, a practicar ejercicio físico, a responder a las invitaciones, a iniciar relaciones con los demás y todas las demás habilidades que los adultos necesitan para disfrutar de la vida.

LÍMITES CON LOS NIÑOS, SEGUNDA PARTE

1. Atender a las necesidades físicas, emocionales, psicológicas y espirituales de los niños.
2. Enseñarles el amor, la aceptación y la tolerancia.
3. Ayudarlos a desarrollar su sentido de pertenencia tanto dentro de la familia como respecto de otros grupos a los que se pueda incorporar.
4. Enseñarles a manejar sus sentimientos, resolver los conflictos y a negociar.
5. Prepararlos para el estado adulto.

Capítulo 19

Límites espirituales

A lo largo de la historia humana, los apóstoles de la pureza, aquellos que han afirmado poseer una explicación total, han creado una gran confusión entre los seres humanos que estaban simplemente desorientados.

SALMAN RUSHDIE

BECKAH perdió a sus padres en un accidente de coche y a los doce años se vio obligada a vivir con su tía. La tía Van era religiosa hasta el aburrimiento y se caracterizaba por su sentido de la justicia. Era uno de esos seres humanos que cumplen incluso la menor de las reglas. Quitaba el polvo de los dinteles de todas las puertas. Pagaba sus impuestos el 5 de enero. Preparaba el equipaje para un viaje cuatro semanas antes de hacerlo (y desembalaba solo unos minutos después de haber llegado a casa).

La primera semana que Beckah pasó con su tía no hizo más que empeorar el estado en el que se encontraba la niña. Beckah se sentó en un sofá y su tía le indicó que se sentara en una silla cubierta por un plástico. Cuando intentó servirse una segunda ración de judías recibió una conferencia sobre la glotonería. Por la noche no dejó de temblar de frío en la dura cama que le habían adjudicado, temerosa de pedir otra manta. Un día cuando volvió a casa del colegio descubrió que faltaban los accesorios de su muñeca Nancy Drew. Vaciló en preguntarle a su tía si los había visto, pero cuando lo hizo fue solo para recibir un vendaval de palabras en contra de la depravada cultura popular. Beckah recibió el mensaje de que estudiar cualquier cosa que no fueran los libros sagrados era desaprobado por Dios.

Su tía le leía la Biblia diariamente y rezaba en voz alta por los defectos de Beckah. La tía Van era absolutamente indiscreta y cruel al expresar que Dios le había arrebatado tempranamente la vida a su hermana, la madre de Beckah, por haber cometido el gran pecado de no casarse por la Iglesia. Pero a la inflexible religiosidad de su tía se agregó un Dios que le había robado a sus amados padres, y Beckah decidió que prescindiría de una religión que ocasionaba sufrimiento.

A los niños les resulta difícil separar su propia visión de Dios de las distorsiones de algunos de sus seguidores. Cuando los niños se crían en hogares donde abundan las sentencias y una rígida piedad, cuando se les golpea en la cabeza en el nombre de Dios, cuando reciben mensajes que los hacen condenar sus intereses e instintos positivos, cuando se les enseña a odiar su cuerpo y su humanidad, solo se logra construir barricadas que se interponen en el camino hacia Dios.

Estar en contacto con la propia naturaleza espiritual y aprender cómo es posible acceder a Dios son aspectos esenciales del ser humano. Cualquier persona o grupo que intenta bloquear esa conexión con Dios comete una violación de los límites espirituales.

Si usted se siente sofocado o censurado por su religión, analice qué es lo que está sucediendo. ¿Acaso su comunidad religiosa no le está permitiendo sentirse más cerca de Dios, mejorar su relación con el Supremo, ampliar su comunión con las demás personas incluidas las que no son creyentes? Si este es el caso, su particular grupo religioso podría estar violando sus límites espirituales de una forma muy sutil.

Tener una relación con Dios es vivificador. Abre y expande la conciencia y la percepción. Aprendemos que ciertas conductas pueden perjudicar esta relación sagrada, pero no porque Dios nos abandone sino porque cuando cometemos ciertos errores, albergamos la intención de apartarnos de Dios.

La verdadera espiritualidad nos obliga a encontrar el terreno increíblemente inestable que hay entre las pasiones humanas y los límites que mantienen nuestro respeto no solo por Dios, sino por toda su Creación, incluida la Tierra y todas sus criaturas.

«El Señor dejó en mi corazón el mensaje de que debéis donar vuestro dinero a la iglesia y trasladaros a Gustavus.»

«El Señor se me ha aparecido en un sueño y me ha dicho que serás mi esposa.»
«Mi religión es la única religión verdadera.»
¿Cuál es el problema con este tipo de afirmaciones?

1. El nombre del Señor se utiliza para controlar a otra persona.
2. Alguien se sitúa en una posición de superioridad espiritual en relación con otra persona.
3. Se violan los límites de Dios.

Todas las afirmaciones mencionadas son reales. El Creador es el que manifiesta un mayor respeto por los límites, nos presenta revelaciones, modelos y senderos claros para ir en su búsqueda; pero Él jamás atenta contra la voluntad. De todos los seres del universo, el Ser Supremo es el único que tiene el poder último para hacer las cosas a su modo. Y nunca se aprovecha de él. Nos ha otorgado el libre albedrío y, por Dios, que Él se atiene a ello, pase lo que pase.

Reconozco absolutamente que me irrito cuando alguien tergiversa mis palabras. Me pregunto qué es lo que siente el Altísimo cuando alguien lo utiliza de este modo. Él mencionó que no quería que se utilizara su nombre en vano. Quizá esto lo explique. De cualquier modo, se ha hecho mucho en el nombre de Dios —se desataron guerras, se doblegó a mujeres y razas, se sacrificaron personas y se ejerció influencia sobre los políticos y los gobiernos.

Ocasionalmente nos encontramos con personas que parecen tener todas las respuestas, que creen tener una conexión interna con la mente de Dios. He conocido personas que han llamado a mi puerta para hablarme de su particular relación con Dios. Creo que se necesita mucho coraje para deambular por los vecindarios y arriesgarse a obtener toda una gama de respuestas de cada uno de los hogares que dichos predicadores visitan. A veces he invitado a alguno de estos apóstoles a entrar en mi casa y me he sentido realmente impresionada por la absoluta imposibilidad de conversar realmente sobre Dios con estas personas.

Como ambos tenemos a Dios en nuestro corazón, parecería posible compartir el goce de nuestras respectivas relaciones con Él, sin embargo, he descubierto que mis intentos por mantener una conversación se estrellaban contra un muro inflexible. Su propósito es obviamente otro, el de convencerme que su grupo es el único que conoce el camino correcto que nos lleva hasta Dios.

Yo fui educada en un ambiente religioso en el cual se insistía en la importancia de mantener una relación de amor con Dios y con las demás personas, pero que no se ocupaba mucho de la doctrina. Sin embargo, me transmitieron el claro mensaje de que el cristianismo era la única vía que llevaba directamente a las puertas del cielo.

Hice un viaje por Italia con un grupo de buscadores espirituales que utilizaba formas poco convencionales de conectarse con el espíritu, tal como la danza, los dibujos y los sueños, y que tomaba prestadas ciertas prácticas de otras religiones además del cristianismo. En ocasiones me decía que estaba aventurándome en un camino que no me llevaba a ninguna parte al haber traspasado definitivamente los márgenes de la religión de mi infancia.

En Sicilia entramos en una catedral construida sobre los pilares de un templo levantado en honor a Apolo que, a su vez, había sido edificado en un lugar de adoración de una diosa madre. Había sido una meca para los buscadores espirituales durante cuatro milenios. Me detuve junto a un pilar y, al apoyar mi frente sobre él, instantáneamente me sentí transportada por una visión.

Vi columnas doradas, como pilares de luz que se extendían desde la Tierra hasta el reino espiritual y que eran producto de las oraciones y meditaciones de todas las personas que se entregaban a Dios. Las plegarias se desplazaban como rayos de sol dorados que, cuando se conectaban con el Todopoderoso, producían respuestas que retornaban vibrando a través de senderos igualmente dorados. Esta pulsación de oraciones y respuestas creó unos cables relucientes que se extendieron sobre el mundo.

En una dimensión que se encontraba más allá de las palabras comprendí que no se trataba de una doctrina ni de una secta, sino de la devoción de los creyentes. Todo aquel que buscaba realmente a Dios, independientemente de la religión que profesara, estaba participando en esta brillante sinergia.

Son esos dones que nos regala ocasionalmente el Supremo Creador los que me revelaron cuán limitada es nuestra perspectiva terrenal y cuán superior es el Creador para que pensemos una y otra vez en Él con renacido entusiasmo. Tomemos un pequeño fragmento de un texto e intentemos otorgarle un sentido y, antes de que pase mucho tiempo, tendremos una religión llena de reglas y suposiciones que puede distar mucho de ser la verdadera naturaleza e intención de Dios.

Los humanos a veces pretendemos utilizar el nombre de Dios para controlar a otras personas. A veces nos sentimos forzados a aceptar los conceptos que los demás tienen sobre Dios. Esto es una violación de los límites espirituales del que recibe el mensaje. Dios ya ha demostrado cuál es su forma de hacer las cosas.

El Creador nunca impone la espiritualidad ni la bondad. Puede ofrecerle muchas oportunidades, y usted puede estar ciego y pasarlas por alto, sin embargo jamás se verá obligado a aceptarlas. Si usted pregunta, aunque sea de una forma sesgada, el espíritu de Dios se presentará ante usted en un instante, pero usted debe formular la pregunta.

La Biblia está llena de ejemplos del trabajo de Dios. Cuando las personas religiosas perdían la compostura, Dios sabía cómo encontrar modos creativos para corregirlos. Saulo (Pablo) se había enceguecido con el mensaje de deshacerse de los primeros cristianos, Pedro recibió la orden de ser más flexible con las restricciones alimenticias y a David se le indicó que no apresara a las mujeres. Jesús, que tenía una conducta interior, nunca obligó a nadie a pensar del mismo modo que Él. Se enfadó con los fariseos por abusar de su posición de liderazgo, y todos hemos recibido la advertencia de que el abuso por parte de los líderes religiosos no está de acuerdo con la Conciencia Divina.

Dios nunca forzó a un profeta ni a un santo potencial para que tomaran el camino sagrado. Dios se limitó a enviar invitaciones ocasionales. A María se le preguntó si quería concebir al hijo de Dios. A José se le ordenó que la apoyara aunque las cosas parecieran poco seguras. Noé fue señalado para que trabajara como carpintero. A Samuel se le ordenó rendirse ante Dios. Cada una de estas personas podían haberse negado.

Obsérvese que a ninguno de estos individuos se les pidió que utilizaran su conexión espiritual para ejercer coerción sobre otras personas. Moisés estableció los primeros límites (después de que

Yaveh trazara una línea alrededor del árbol del Edén), pero incluso en ese momento tampoco intentó obligar a nadie a que los respetara. En vez de hacerlo, se limitó a advertir cuáles serían las consecuencias. Y desde entonces hemos aprendido, una tras otra, todas las consecuencias que se derivan del hecho de ignorar los límites de Dios.

Los seres humanos estamos llamados a trabajar nuestra propia conexión con Dios. Es una relación individual entre Dios y nosotros, una línea directa. En cada generación se nos ofrecen sabios consejos y destacados ejemplos que ilustran cómo hacerlo, sin embargo las decisiones y las acciones deben ser personales.

Así pues, ¿qué puede hacer usted cuando alguien presume de ser un embajador personal de Dios enviado para indicarle cuál es el camino recto? (Evidentemente no estoy hablando de un cura, un pastor, un ministro, un rabino ni un teólogo, al que es posible recurrir cuando se necesita una guía espiritual.) Establezca un límite que indique cuál es su propio territorio espiritual.

«Gracias por su intención. Yo mismo arreglaré este asunto con Dios.»

«Dios me ha dicho que usted debería ocuparse de sus propios asuntos.»

«¿Acaso su mensaje está aún en su contestador telefónico? Me encantaría escucharlo personalmente.»

«¿Qué le ha dicho Dios que haga con su propia vida?»

«Es extraño, Dios me transmitió un mensaje bastante diferente.»

«Estoy seguro de que no tenía usted la intención de violar ningún límite espiritual, pero ahora que lo ha hecho, haga el favor de no transmitirme este tipo de mensajes nunca más. Yo tengo mi propia relación con el Creador, que me ofrece muchos consejos y me reporta una gran alegría. Es una falta de respeto interponerse entre nosotros, entre Dios y yo. Si tiene algún juicio sobre mi espiritualidad, recuerde que Dios dijo que no debíamos juzgar, no vaya a suceder que sea Él quien deba juzgarlo a usted.»

Capítulo 20

Límites para el orden

E L ORDEN, o su ausencia, crea a las personas todo tipo de problemas. ¿Cuál es el nivel adecuado de orden para un hogar? ¿Con qué presteza se debería reaccionar frente al desorden? ¿De qué forma respeta un invitado los límites que impone el orden de su anfitrión? ¿Acaso un jefe puede pronunciarse sobre el orden de un empleado? ¿Y un empleado puede dar su opinión sobre el orden de un jefe?

A medida que he acumulado experiencia con mis clientes a través de los años, he llegado a creer que el orden no es un tema que se relaciona con las tareas de la casa, sino que es una expresión externa de una gran variedad de importantes procesos internos. La medida de nuestro orden se puede relacionar directamente con nuestra energía, salud, claridad emocional, valores culturales, prioridades, educación, miedo, ocupaciones, compulsión, perfeccionismo y valoración del hogar.

Las culturas tienen diferentes percepciones sobre qué es lo que constituye el desorden y la confusión. Cuando me mudé a Seattle, alquilé una habitación durante seis meses en el hogar de una familia de origen chino. En todo momento las habitaciones estaban perfectamente ordenadas y los muebles estaban cuidadosamente colocados en el espacio. Sin embargo, había dos miembros de la familia que aspiraban a ser lo más norteamericanos que les fuera posible. Ellos habían adquirido mucho más artículos que los demás, y sus dormitorios estaban bastante abarrotados de objetos.

Evidentemente, el orden no está determinado por el número de elementos que hay en una habitación. He visto estancias repletas de objetos que, sin embargo, estaban organizadas de una forma exquisita y habitaciones prácticamente vacías que parecían estar muy sucias porque había platos con restos de comida y migas encima de los muebles. Sin embargo, cuando el volumen de objetos satura el espacio, en cuanto se sobrepasa un cierto punto crítico se produce el caos.

¿Existe un modelo norteamericano de orden? Estoy francamente sorprendida por los resultados de un sondeo informal que he estado realizando durante años. En casi todos los barrios existe una casa en perfecto orden. Está recién pintada. Los vehículos están correctamente aparcados en línea o guardados; la hierba está perfectamente cortada; los macizos de flores remilgadamente ordenados. También en la mayoría de los vecindarios existe al menos una casa en completo desorden. Las malas hierbas se han apoderado del jardín. Los cubos de la basura están tumbados y todo tipo de desechos se acumulan en la propiedad.

También me he dado cuenta de que, salvo raras excepciones, las personas suelen disculparse por el estado de sus hogares, independientemente de lo ordenados que puedan estar. He llegado a la conclusión que, como regla general, creemos que debemos ser más ordenados de lo que somos. La mayoría de los norteamericanos creen que no se esmeran lo suficiente en mantener el orden.

El orden tiene grandes ventajas. Podemos encontrar las cosas que buscamos. La cantidad de tiempo que invertimos en mantener el orden será recompensado a la hora de no tener que buscar las cosas.

El arte oriental del feng shui se basa precisamente en organizar el espacio para mejorar la salud y potenciar la comodidad. Como he aplicado estos principios, he descubierto que cuando una habitación está recogida y ordenada, realmente aumenta la energía que hay en ella.

Todos estamos en algún punto de la línea que va desde un hogar peligrosamente abarrotado de objetos hasta otro que es casi tan estéril como un quirófano. Si usted vive solo, es totalmente aceptable que se desplace a lo largo de esta línea. Un límite se traspasa solamente en el momento en que su comodidad o su salud están amenazadas, o cuando el orden que usted mantiene (o su ausencia) es realmente una defensa que lo protege de algún miedo interior.

Por ejemplo, si usted está tan ocupada ordenando y limpiando que se olvida de vivir una vida variada y rica, es indudable que está violando sus propios límites. Ese orden desenfrenado podría ser un intento de crear una sensación de control en un mundo caótico, una reacción comprensible pero muy costosa en términos de calidad de vida. Al otro lado de la escala, un desorden grave podría espantar a determinadas personas. Algunos individuos pueden evitar una casa que no ofrece ningún lugar limpio donde sentarse o que está impregnada de olores desagradables.

La integridad de su vida hogareña resulta comprometida cuando los temas relacionados con la limpieza bloquean su capacidad para mantener el ambiente en el que vive tal como a usted le gusta. Si algo en su interior está atentando contra el estilo de vida que le apetece tener, ¿sabe usted qué es lo que se oculta detrás de esta interferencia? Intentar descubrir cuál es el problema latente por medio de una terapia puede ser de gran utilidad.

Se necesitan dos para enredar las cosas

El tema del orden es considerablemente más importante cuando dos personas conviven. Seguramente han escuchado hablar de la ley de la gravedad y conocen instintivamente la ley del calcetín izquierdo (el calcetín abandonado cuando su compañero se escapa a través del tubo de la secadora y brinca alegremente hacia el campo de los calcetines).

Ahora permítanme que les presente una ley que es prácticamente inviolable, la ley de la Heteroprolijidad. Esta ley decreta que una persona muy ordenada generalmente se casa con otra que tiende al desorden. De este modo se promueve la supervivencia de las especies en un intento por mantener el equilibrio del hogar entre los extremos de morir ahogado entre los desechos y los gritos de: «¡Oh, no, he tirado aquello y ahora lo necesito!».

Li, que es muy organizada y adora el orden, suele estar constantemente irritada con Fan, que deja las herramientas en el lugar donde las utilizó la última vez. El punto de vista de Fan es que ser un buen padre, hacer bien su trabajo y vivir una vida plena, tiene más importancia que una pila de objetos. Li necesita que las cosas estén en orden para poder tener su energía disponible para los niños y para su marido, por lo tanto se siente frustrada cuando hay desorden. Fan cree que el nivel de orden de Li es arbitrario y se siente muy limitado por su actitud.

Tengo algunos clientes que fueron rechazados cuando eran niños, y no por una madre ausente o borracha, sino por una madre que tenía la compulsión de mantener un escrupuloso orden. Estas madres tenían tanta devoción por mantener perfectos sus hogares que no reparaban en la solitaria mirada de sus hijos. Habiendo aprendido a través de dolorosas experiencias que la casa era más importante para su madre que ellos mismos, estos niños no eran capaces de encontrar un lugar propio dentro de la casa ni tampoco en el corazón de su madre.

No es sorprendente que al convertirse en adultos hayan tenido dificultades para mantener el orden en su hogar. Otra consecuencia es que muchos de ellos viven solos y tienen la sensación de estar solos en el mundo. Algunas comunicaciones esenciales estuvieron ausentes mientras mamá estaba lustrando los muebles.

Así pues, ¿cuáles *son* los límites apropiados para el orden?

En primer lugar, se debe respetar las necesidades de cada una de las personas que viven en la casa teniendo en cuenta sus propias posesiones y su propio espacio privado. Si Shanna mantiene sus herramientas en perfecto orden, entonces será preciso guardarlas después de habérselas pedido prestadas. Si Harold se siente turbado cuando usted mueve los objetos que hay sobre su escritorio, absténgase de tocarlos.

En segundo lugar, si fuera posible, destinar un lugar inviolable para cada miembro de la casa: una habitación, un armario, un hueco u hornacina que puedan quedar ocultos, un rincón en el que cada persona pueda ser ordenada o desordenada. Manténgase alejado de esos espacios y no se ocupe de los objetos que pertenecen a esa persona. Cierre la puerta o corra las cortinas si va a recibir visitas.

Y en tercer lugar, cuando usted sea el huésped de alguien, adecue su sentido del orden a lo que ve a su alrededor. Si su anfitrión ordena la casa al final del día, no deje sus calcetines en el salón. Si lleva los platos al fregadero, imítelo.

Si usted es más ordenado que su anfitrión, cree el orden que necesita en la zona que le han adjudicado y no vaya más allá de esos límites. Pida permiso a su anfitrión antes de poner en orden o limpiar su casa. Es una grave violación de los límites, independientemente de sus motivos, ordenar el armario de otra persona u organizar sus cajones; obviamente, a menos que haya obtenido de dicha persona una entusiasta autorización.

Cuando esté en el trabajo, negocie los límites para el orden que usted sabe que favorecen su productividad. Si su jefe insiste en que mantenga ordenado su escritorio y, sin embargo, una superficie despejada tiene un efecto negativo para usted porque bloquea la parte creativa de su cerebro, comuníquele a su jefe las condiciones en que necesita trabajar para ser competente. Si, por el contrario, necesita que haya orden para tener la cabeza despejada, explique claramente que si alguien vacía un cajón sobre su escritorio lo pondrá fuera de combate por un par de horas. (Es evidente que un espacio de trabajo terriblemente desordenado no causará buena impresión a los clientes. Y, por otro lado, acechar a los clientes con una mopa en la mano es una forma de transmitir un mensaje intimidatorio.)

Un límite adecuado para el orden es aquel que protege la integridad del ambiente y de las personas que lo utilizan. Los límites para el orden excluyen de igual modo cualquier posición extrema que viole el espacio de los otros, interfiera con la calidad de vida de alguna persona, amenace la salud o atente contra la intimidad.

Mi hermana sirve en este caso como un buen ejemplo. Su casa siempre resulta cómoda. Es muy sencillo encontrar un espacio para jugar, conversar o compartir una comida. Hay lugares para sentarse y espacio para moverse, y la casa está lo suficientemente limpia como para que sea sana. Cuando alguien viene a visitarla, ella se sienta y le dedica toda su atención. No persigue a los invitados con una aspiradora en la mano ni espera hasta completar veintitrés tareas antes de disponerse a conversar con ellos. Toda su casa está diseñada y mantenida de acuerdo con dos prioridades: vivir confortablemente y tener espacio para comunicarse.

Capítulo 21

Límites para la forma
de vestir y la apariencia personal

*Sería interesante descubrir hasta qué punto los
hombres conservarían su relativa categoría si
fueran privados de sus ropajes.*

THOREAU

NUESTRA APARIENCIA y nuestra forma de vestir son las primeras señales que enviamos a las otras personas. A través de
nuestro atuendo revelamos quiénes somos, qué es lo que nos
preocupa y, en algunos casos, cuál es nuestra ocupación actual.

La ropa siempre ha sido una forma de anunciar una conexión tri-
bal. En la actualidad esto puede aplicarse sin faltar a la verdad tanto
a los que asisten a la ópera en Manhattan como a los extravagantes
adolescentes que se ven en el centro comercial, tal como lo fue hace
miles de años cuando los seres humanos hacían dibujos sobre las
pieles de animales que usaban como vestidos.

La ropa y la apariencia pueden indicar un límite o su ausencia.
Pueden ser como una luz de neón que señala la posición que usted
ocupa en el mundo y la forma en que espera ser tratado. También
podemos usar la ropa como una defensa y vestirnos deliberadamente para asustar al resto de las personas u obligarlas a desistir de
acercarse a nosotros.

Por otro lado, la ropa puede ser una invitación para que algunas
personas se acerquen. Una prenda que es demasiado sugestiva o
escueta puede transmitir que no existe un límite y constituir una
propuesta de acercamiento para cualquiera que tenga en su agenda
un apartado de explotación sexual.

¿Cuáles son los límites positivos de la ropa? ¿Dónde están los límites adecuados que mantienen el equilibrio entre las necesidades de la cultura y la expresión individual? ¿Hasta qué punto deberían discutir los padres y sus hijos adolescentes por el tema de la ropa?

Moda adolescente u oximoron

Cada nueva generación adolescente es increíblemente creativa para encontrar formas de vestirse que logran que los mayores tengan buenos motivos para preocuparse. Los adultos sienten de un modo instintivo que ellos rechazan su propia cultura y se produce entonces una fricción que parece confinar al adolescente que está deseando emanciparse en una zona especial donde podrá terminar su desarrollo y convertirse en un individuo.

En estos días los peligros que existen en dicha zona parecen mayores de lo que solían ser en el pasado. Este hecho supone una tarea más complicada para los responsables de los adolescentes. Debemos permitir a los jóvenes encontrar su propio camino, pero no deseamos que mueran en el intento, ni que destruyan su cuerpo ni su cerebro en esa transición.

Gritar a los jóvenes o hacer comentarios peyorativos no es una forma aceptable de intentar que ellos acepten su punto de vista. Una adolescente probablemente se rebelará frente a un padre que la llama «zorra» y se vestirá incluso más provocativamente. Un hijo no estará de acuerdo con su madre si ella afirma que parece un tonto con esos vaqueros que caen como bolsas desde sus rodillas. El enfado latente bajo estos comentarios solo conseguirá un mayor distanciamiento y desdén.

Recuerde que los adolescentes son muy sensibles y vulnerables y desean ser aceptados por sus padres. Encuentre formas de comprometerlos. Cuando usted desee que su hijo o hija se relacione con miembros de su propio entorno, sugiérale (y en algunas ocasiones incluso puede insistir) que se vista de acuerdo con lo que usted considera adecuado. Pero si va a salir con sus amigos, permítale que se vista de la forma que más le gusta.

Me acuerdo de algo muy bonito que hizo mi abuela cuando yo era una adolescente. Había ido a una fiesta en nuestra parroquia. Al atravesar la puerta, advertí que todas las niñas llevaban zapatos bajos. Yo llevaba tacones. De inmediato me di la vuelta, me dirigí hacia el teléfono, llamé a casa y pedí a mi abuela que me trajera unos zapatos de tacón bajo.

Cualquier padre hubiera reaccionado con un comentario que restara importancia a la situación. «Por el amor de Dios, eso es una tontería. No hay ningún problema en el hecho de que tú lleves zapatos diferentes.» Pero fui afortunada, mi abuela comprendió que yo tenía una enorme necesidad de ser aceptada por aquellas chicas y que hubiera preferido perderme la fiesta antes que sentirme diferente. Me trajo inmediatamente los zapatos a pesar de que vivíamos a varios kilómetros de distancia. Y yo la esperé en el vestíbulo hasta que llegó. Con los zapatos adecuados pude sumarme a la fiesta y disfrutarla sin sentirme mal conmigo misma.

La moda de los adultos

La forma más rápida de introducirse en una cultura es adoptar su moda. Si usted usa un estilo de ropa francamente diferente a la del grupo a la que desea pertenecer, estará afirmando su individualidad, pero no conseguirá que lo acepten completamente hasta lo conozcan en profundidad. Cuando nos vestimos de una forma muy distinta que las personas de nuestro entorno, no facilitamos que los demás nos conozcan. Jamás he visto a un cirujano o a un juez que lleve varios *piercing*. Un biquini llamaría mucho la atención en un concierto de Navidad en un iglesia de Montana. Un traje de tres piezas en Hawai nos mantendría apartados de los demás y resultaría muy incómodo.

Si usted se viste de forma muy diferente a la norma en su lugar de trabajo, vecindario o comunidad, con esa actitud está afirmando algo. ¿Qué es lo que pretende decir? ¿Acaso desea mantenerse apartado de los demás compañeros? (Quizá sea precisamente eso lo que pretende y no existe ningún problema en tanto usted acepte las consecuencias de dicha decisión.)

En un ambiente laboral, una ropa muy informal o sensual puede impedir una promoción. En una entrevista de trabajo, una apariencia que lo distinga de los demás puede hacer surgir dudas en los entrevistadores. Vestirse de un modo poco usual en un ambiente comercial puede producir como efecto que un grupo de clientes se sientan atraídos mientras que otros experimenten un rechazo. Tenga cuidado de no ahuyentar a aquellos que podrían estar interesados en comprar sus productos.

La ropa y la presentación pueden constituir un vehículo para que usted se incluya en una situación determinada o, por el contrario, se sienta excluido. De vez en cuando, reflexione sobre los mensajes que transmite a las demás personas. ¿Son congruentes con lo que usted desea conseguir?

Aceptar las diferencias

Hace veinte años, cuando visitaba a mi abuela en una institución, todas las mujeres llevaban lo que llamamos batas. Mi abuela jamás usó pantalones ni vaqueros en toda su vida. Recuerdo que intentaba imaginarme aquellas personas mayores llevando vaqueros y me parecía sumamente gracioso. Ahora, todas las personas que conozco usan vaqueros, independientemente de su edad. Es más común ver a una abuela en vaqueros que a un niño.

A medida que cada generación avanza, genera nuevas modas para una nueva generación de personas mayores. La generación que usó tejanos en los sesenta, los llevaba también para ir a trabajar y en las comunidades en las que se retiraron. La generación que usaba camisetas en los años de la adolescencia siguió haciéndolo durante la edad adulta. Hoy en día las camisetas son incluso confeccionadas con los tejidos más delicados.

Antes de criticar el atuendo de otra persona es preciso tener en cuenta las diferencias culturales y regionales. La primera vez que pasé el Día de Acción de Gracias en el Noroeste, me vestí para la cena como lo hago en el Sur. Yo era la única que llevaba vestido largo. Todas las demás mujeres llevaban vaqueros. Seis años atrás tuve que comprarme un par de zapatos de tacón para asistir a la boda de una amiga, pues ya no usaba ese tipo de calzado.

Se dice que la moda en el Noroeste es un oxímoron. El uniforme del Noroeste se adapta bien a mis preferencias (y aparentemente a las de muchos otros que dan prioridad a la comodidad y a la flexibilidad por encima del estilo).

Cada región tiene sus propios parámetros de lo que constituye la propiedad. En el Sur y en el Medio Oeste, ciertos grupos sociales tienen costumbres muy estrictas en relación con la forma de vestir. Los zapatos y los bolsos deben hacer juego. No se debe usar zapatos blancos entre el Día del Trabajo y el Día de los Caídos en la Guerra. En ciertas partes de Appalachia, se considera una señal de respeto regalar al invitado un delantal limpio.

Cuando usted le da la bienvenida a un visitante que pertenece a otra región, recuerde que aunque su estilo de ropa le pueda parecer excéntrico, es muy posible que represente la costumbre del territorio del que proviene. Su propia apariencia puede parecerle igualmente peculiar al visitante.

Las personas reaccionan de una forma instintiva (y a menudo negativa) ante unas prendas de vestir que parecen excéntricas para su cultura o generación. Debemos ser inteligentes para tener esto en cuenta cuando aspiremos a pertenecer a un determinado grupo. Por otro lado, cuando ya pertenecemos a un grupo y estamos en posición de recibir a un recién llegado, podemos aceptar la excentricidad con una mayor tolerancia. Podemos aceptar las diferencias y transformar el juicio y la crítica en una actitud de fresco interés por lo que puede revelarnos la individualidad de la otra persona.

Congelados por la moda

El tema de la apariencia constituye un problema cuando interfiere con la vida. Cambiarnos de ropa seis veces porque deseamos dar una buena impresión en una primera cita es comprensible, pero perdernos una fiesta porque no nos sentimos atractivos es una situación bastante más seria.

En cualquier momento en que nos privamos de disfrutar de una experiencia, hacer un viaje o emprender una nueva aventura porque nos consideramos poco atrayentes o físicamente inaceptables en algún sentido, estaremos dominados por la imagen. Si desmerecemos nuestra apariencia y somos muy críticos con nosotros mismos por no tener el perfecto modelo que nos propone Hollywood, posiblemente perderemos la posibilidad de establecer un contacto o de expresarnos de una forma natural y transmitiremos un mensaje incorrecto que atenta contra una relación que puede ser muy valiosa.

No se trata en realidad de la apariencia, sino de la actitud que usted tiene en relación con su aspecto lo que puede afectar la respuesta de otra persona. Clara Oaks se avergonzaba de su gordura. Tenía varios kilos de más pero un corazón cálido y generoso y un enfoque sensato de la vida. Era una amiga maravillosa. Cada vez que conocía a alguien, ya fuera hombre o mujer, consideraba que los demás solo veían sus dimensiones corporales. Y por lo tanto expresaba muy poco de sí misma y asumía una actitud con un cierto aire de rigidez. Es como si enviara un mensaje de: «No te acerques».

La mayoría de las personas no se acercaban a ella. Clara pensaba que se debía a su cuerpo, sin embargo era lo que ella misma provocaba mediante la actitud que asumía en relación con su cuerpo.

Si usted se muestra retraída porque ese día lleva el pelo fatal o porque su ropa está anticuada o sus zapatos están gastados, la otra persona percibirá su energía, pero probablemente interprete mal el motivo de la misma. Usted conseguirá la distancia que esperaba, pero no debido a su aspecto. Ellos recibirán el mensaje de que usted no tiene el menor interés de estar con ellos y por eso mantiene una actitud de frialdad. De este modo evitará que los demás se acerquen a usted.

La verdad es que la mayoría de las personas no se fijan en nuestro aspecto. Cuando conocemos a alguien, en principio nos fijamos en su apariencia —esencialmente para poder identificarlos en otra ocasión— y luego comenzamos a ocuparnos de lo que esa persona tiene en su interior. Si alguien lo juzga o lo desvaloriza por su aspecto exterior, usted no habrá perdido nada. Una persona tan superficial no merece su amistad.

Viva plenamente su vida. No se pierda una fiesta por culpa de una espinilla. No se abstenga de ir a una gala porque no puede comprarse un vestido nuevo. Lo importante en la vida es experimentar toda la rica variedad de cosas buenas que tiene para ofrecernos.

Capítulo 22

Límites para las enfermedades y las situaciones crónicas

Las enfermedades

NORA enfermó de una grave neumonía que persistió durante semanas. Ella vivía en una residencia y recibía muy buenos cuidados, pero como estaba postrada en la cama, mientras duró la enfermedad la trasladaron a la zona donde se encontraba el hospital.

Una amiga, que también vivía en la misma residencia pero que tenía movilidad y disponía de un apartamento individual, la llamó para decirle que por la noche iría al hospital para ver juntas el programa *60 minutos*.

Nora estaba muy ilusionada con aquella visita. Cuando se sintió un poco más fuerte, movió su silla para estar mejor ubicada con respecto a su amiga. Se preparó para recibirla incorporándose en la cama y buscando la cadena en la que daban el programa y reservando su energía para aquella ocasión.

Al empezar la programación, Nora se dio cuenta de que ya la había visto, pero en honor a su amiga se quedó viendo esa misma cadena en vez de buscar otro programa que le interesara más.

Finalmente, vio todo el programa mientras esperaba a su amiga, que apareció una hora y media más tarde diciendo: «¿Qué te gustaría que hiciéramos?»

Nora no sabía qué responder. Había reservado toda su energía para esa cita, pero ahora ya se sentía cansada otra vez. La visita había tomado más de lo que le había dado.

La curación necesita un montón de energía. Cuando una persona está luchando contra una enfermedad o recuperándose de una operación, tiene sus recursos limitados para las situaciones sociales. Cuando una persona enferma espera que alguien la visite dentro de un cierto periodo de tiempo, trata de reservar toda su energía para ese determinado momento. Si usted no acude a la hora esperada, la perjudicará enormemente. Su energía estará apunto de extinguirse cuando usted llegue por fin a visitarla, y además estará enfadada o desilusionada porque usted no ha cumplido con su palabra, y todo esto consumirá aún más la energía de la que dispone. Pero eso no es todo, quizá se encuentra en una situación tan vulnerable que no se siente inclinada a expresar su enfado y su decepción, y su actitud solo les procura otra situación ingrata.

A veces pensamos que como las personas enfermas están todo el día tumbadas, no tiene ninguna importancia el momento que elegimos para acompañarlas. Sin embargo, para alguien que se ve obligado a guardar cama y depender de los demás, su tiempo es muy importante y pasa muy lentamente, en especial si está esperando con ansia una visita que le despierta su interés porque le deparará una alegría. Cada minuto que usted se demore, dicha persona estará mirando el reloj y perdiendo un minuto de energía. Si usted llega demasiado tarde —o, lo que es peor, no llega—, quizá no sea capaz de recuperar la energía que ha gastado por sentirse poco importantes u abandonada mientras lo esperaba.

Cuando las personas dependen de los demás, las pequeñas cosas son muy importantes, de modo que mantenga sus promesas, porque ellos las tomarán muy en serio.

Si usted llega una hora tarde y la persona dice: «Estoy contenta de que haya venido», se trata de una cortesía. No lo dé por sentado y pregúntele: «¿Te ha perjudicado mucho que haya llegado tarde?». «¿Te vendrían mejor que no te dijera exactamente a qué hora vendré a visitarte y que acordáramos un intervalo de tiempo más amplio?»

Las enfermedades físicas crónicas

Janet padecía diversas enfermedades autoinmunes que dictaban los parámetros de su vida. Su energía aumentaba y disminuía como las mareas, sin embargo no existía ningún gráfico que le indicara a Janet cuándo habría marea alta o cuándo se sentiría absolutamente agotada.

A pesar de esto, se las arreglaba para trabajar media jornada, asistir a la iglesia, mantener su apartamento y ocuparse de las responsabilidades que exige la vida cotidiana. Sin embargo, Janet hacía todo esto teniendo en cuenta meticulosamente sus recursos internos.

Organizaba cuidadosamente sus tareas a lo largo de la semana. Si deseaba asistir a un *picnic* organizado por su parroquia, tenía que abstenerse de ir al servicio religioso. No podía salir corriendo a la tienda si necesitaba algo; combinaba las salidas de manera que un traslado en su coche o la visita a una tienda sirvieran para más de un solo propósito. Toda su vida estaba organizada según una sabia organización de sus energías.

Ocasionalmente se sentía afligida por las actividades que tenía que sacrificar con el fin de realizar aquellas que más necesitaba o deseaba. A veces su vida parecía más dura porque no tenía una pareja con quien compartir la carga de las tareas cotidianas y las decisiones.

De vez en cuando sus amigos participaban en su vida. Al principio podían prestarle una enorme ayuda, pues estaban deseosos de echarle una mano y subían y bajaban con gran energía las escaleras que llevaban hasta su apartamento. Cuando la transportaban en su propio vehículo y la ayudaban, Janet era capaz de hacer muchas más cosas y estaba encantada al comprobar cómo se ampliaban sus posibilidades cuando la gente colaboraba con ella.

Pero finalmente muchos de estos amigos desaparecían porque se agotaban después de haberse ofrecido a hacer demasiadas cosas. Cuando ella dudaba a la hora de tomar una decisión, sopesando cuidadosamente su capacidad para una determinada actividad, ellos podían considerarlo como una manipulación. Como la mayor parte del tiempo parecía una mujer normal —lo cual era el resultado de su forma metódica y cuidadosa de administrar su energía—, algunos de sus amigos creían que si realmente lo intentara sería capaz de superar su discapacidad con la actitud adecuada.

La gran línea divisoria

En los Estados Unidos vivimos a un ritmo que constantemente nos demanda un óptimo rendimiento de nuestro cuerpo (y de nuestras herramientas, de los empleados, los coches, los ordenadores, los niños y las parejas). Nos impacientamos cuando el teléfono móvil no nos conecta de inmediato con quien deseamos hablar. Hacemos tamborilear nuestros dedos si el ordenador tarda un segundo más para procesar unos datos.

No tenemos espacio para la enfermedad, el cansancio ni la vejez. Muchos de nosotros tratamos a nuestros cuerpos como si fueran máquinas, demandando una resistencia inquebrantable de nuestros recursos. No cabe duda de que la incidencia de una enfermedad crónica y autoinmune está creciendo a un ritmo alarmante.

Cuando las personas se enferman, cruzan la gran línea divisoria. Mientras tanto, las personas sanas se dan prisa. Han encontrado la forma de mantenerse apartadas de aquellas que están enfermas.

Por una parte se trata simplemente de la naturaleza de la vida. Mientras estamos vivos, deseamos todo aquello que nos ofrece la vida. Pero lo que me pregunto es si existe algún otro motivo —una negación ante la posibilidad de una enfermedad o el miedo de que esto ocurra— que aumenta esa separación.

En general las personas que sufren enfermedades crónicas y autoinmunes desean participar en todo aquello que pueden tolerar sin demasiado esfuerzo ni sufrimiento. La mayoría no quiere que los consideren diferentes ni que los aíslen, y pueden tener dificultades para pedir ciertas concesiones que les facilitaría su participación. Si todo el mundo está de pie, acaso le resulte difícil pedir una silla.

A Janet le gustaba mucho asistir a las reuniones de su grupo religioso, sin embargo a veces la casa donde se celebraba la reunión estaba demasiado lejos y ella carecía de la energía necesaria para conducir hasta allí. Por esta causa se perdió algunas de las reuniones. Estaba tan empeñada en que no la consideraran diferente, que prefería que nadie la llevara. Sin embargo, en cierta ocasión se obligó a decir que tenía mucha ilusión por asistir a una reunión, pero que no se sentía capaz de conducir hasta allí.

Al tener el coraje de hablar, todos advirtieron repentinamente cuál era su dilema. Tuvieron una maravillosa conversación en la que Janet compartió el goce que le producía estar en grupo y las dificultades que tenía que afrontar cuando ni siquiera tenía energía para asistir a las reuniones. Incluso les comunicó que le resultaba muy duro tener necesidades diferentes a las de los demás.

Todos comprendieron su situación y decidieron hacer turnos para que no tuviera que perderse ninguna reunión, independientemente de dónde se celebrara. Ella se sintió querida, incluida y cálidamente apoyada. Con el paso del tiempo, el grupo advirtió que el cuidado y la paciencia que todos habían manifestado ante la enfermedad de Janet también les había procurado un poco de sabiduría.

Todos hemos ganado un poco de sabiduría al recorrer nuestro camino singular y único. Todos tenemos algo para ofrecer. Al intentar ocultar a los que están crónicamente enfermos, nos privamos de pensar cosas que pueden ayudarnos a ir más despacio y ofrecernos nueva información.

El dilema de las personas que están postradas en una cama

No había pasado ni un minuto desde que sus nietos habían atravesado la puerta, cuando Elsie los bombardeó con una extensa lista de cosas que necesitaba que hicieran por ella. «Mona, llévate mis camisones para lavar. No tengo energía. La próxima vez que vengas tráeme algunos libros. Cambia de cadena la televisión. Acércame el teléfono, la criada lo ha dejado demasiado lejos.»

Ted y Mona a veces se sentían invisibles para ella como si fueran sus sirvientes y no sus familiares. Sentían que no eran importantes para su abuela y, como resultado, no la visitaban muy a menudo.

Una persona que debe guardar cama es completamente dependiente de los brazos y las piernas de cualquiera que atraviese la puerta de su habitación. Como resultado, con excesiva facilidad puede acostumbrarse a saludar a sus familiares con una lista de necesidades debido al miedo creciente de tener que esperar otro día, semana o mes antes de que alguien pueda ayudarlos.

Si usted goza de buena salud, no se olvide que las personas que están postradas en una cama siempre deben esperar que otro solucione sus necesidades, y esto es verdaderamente duro. Si son capaces de escribir, ayúdelos a confeccionar una lista con las cosas que necesita. Si están conscientes, ofrézcales una pequeña grabadora y enséñeles a grabar sus necesidades en el momento en que surjan.

Cada vez que los visite, anúncieles cuánto tiempo pasará en su compañía. Si saben que tienen mucho tiempo por delante, no se sentirán compelidos a hacerle todos los pedidos en los primeros cinco minutos. También puede ser muy útil que en cuanto llegue les asegure que se ocupará de la lista que han elaborado.

Mantenga un contacto físico para ayudar a la persona que está enferma a superar su terrible aislamiento. Agárrele las manos, cepíllele el cabello, tóquele un brazo (a menos, por supuesto, que esto le resulte dudoso). Al tocarla la ayudará a relajarse y a estar más presente.

LÍMITES CON LAS PERSONAS QUE ESTÁN POSTRADAS EN UNA CAMA

- Si usted advierte que un determinado gesto amable puede beneficiarlas, actúe en consecuencia.
- Cuando llegue, no se olvide de especificar cuánto tiempo permanecerá a su lado. Cumpla con su compromiso.
- Mantenga las promesas realizadas. Si usted dice que volverá a visitarlas en dos semanas, hágalo.
- Ofrézcase para escuchar sus experiencias. Sentirse comprendidas puede otorgarles la energía que necesitan y fortalecerlos durante la siguiente semana. Permítales hablar de lo que les sucede, expresar su opinión de las personas que las atienden, contarle quién es su cuidador favorito, etcétera.
- Tenga cuidado de ofrecerles solo aquello que es capaz de dar y no se comprometa tanto como para tener que arrepentirse más tarde.
- Observe sus propios (y a menudo automáticos) juicios y críticas sobre las personas en cuestión. Intente detectar cualquier

suposición injusta o automática. Intente no actuar basándose en sus suposiciones y responder a la persona única que vive y respira junto a usted.

MANTENGA LOS LÍMITES POSITIVOS SI ES USTED QUIEN PADECE UNA ENFERMEDAD CRÓNICA

- Salude a sus visitantes antes de entrar en ninguna discusión acerca de lo que le pueden ofrecer y de qué modo pueden ayudarlo.
- Cuando una persona viene a visitarlo por primera vez, pregúntele cuánto tiempo piensa quedarse para prepararse para su visita.
- Pida directamente lo que necesita o desea. Recuerde que usted es el mayor experto en esta situación. Quizá tenga que explicar exactamente lo que necesita a aquellas personas que no están familiarizadas con su enfermedad.
- Exprese su agradecimiento por lo que los demás le ofrecen. Si alguien le concede su tiempo y su ayuda, considérelo un regalo.
- Recuerde que cualquier persona que lo atienda lo hace por su propia voluntad. Nadie está obligado a hacerlo y debe considerarse afortunado de que otros le ofrezcan la colaboración que usted necesita.
- No manipule a los demás para obtener lo que necesita. Las personas presienten la energía de la manipulación y luego comienzan a levantar sus defensas.
- Tenga siempre a mano una lista de las cosas que necesita. Puede escribirlas o grabarlas.
- Su mundo se ampliará cuando empiece a conocer detalles sobre la vida y las actividades de sus visitantes. Pregúnteles en qué ocupan su tiempo y cuáles son sus intereses.

Trastornos emocionales crónicos

Antes de que Kevin se casara con Marra, ella le explicó que durante la mayor parte de su vida había padecido graves y súbitos cambio de humor que finalmente fueron diagnosticados como un trastorno bipolar que fue tratado con éxito mediante una medicación.

Unos años después de su boda, Marra tuvo que dejar de tomar su medicación durante unos pocos meses debido a una intervención quirúrgica a la que se tenía que someter. Kevin de repente tuvo que enfrentarse con una mujer que era como una extraña para él.

En su camino hacia la fase maníaca, Marra estaba tan distraída como una adolescente. Si llevaba el coche al taller mecánico, no prestaba ninguna atención a lo que le habían hecho. Fregaba la mitad de los platos y dejaba el resto. Más tarde, cuando comenzaba a sumirse en la depresión, decía toda clase de mezquindades a su marido. Se comportaba de un modo hostil y cortante.

Pasó el tiempo, y Marra pudo volver a tomar la medicación. Kevin volvió a encontrar a la mujer con la que se había casado. Sin embargo, él todavía estaba afligido por las cosas que ella le había dicho en un estado de furia y se mostraba retraído. Intentó hablar con ella, pero Marra era incapaz de recordar ninguna de las cosas terribles que había hecho de modo que ni siquiera podía reconocer ni apreciar por lo que había pasado.

Con el tiempo él decidió olvidar las cosas y comenzó una etapa agradable de su relación.

Más adelante, durante unas vacaciones, Marra comenzó a revelar cierto resentimiento hacia Kevin sin ningún motivo especial. Él se vio enredado en absurdas discusiones que eran un círculo vicioso. Por fin se dio cuenta de que Marra se había quedado sin pastillas y no se había ocupado de pedir una nueva receta.

Estos cambios súbitos de humor continuaron durante años y Kevin, finalmente, aprendió que en cuanto su mujer abandonaba la medicación, él se veía obligado a imponer límites. Solo cuando ella se topaba con las consecuencias de su conducta —que él solo se limitaba a indicar— volvía a tomar la medicación.

Después de dichos episodios, Marra padecía de amnesia y no lograba recordar su conducta errática. Por lo tanto, no tenía la menor idea de que cuando ella cambiaba, toda su forma de actuar se modificaba. Marra literalmente ignoraba los ajustes que Kevin tenía que hacer cuando ella se encontraba mal.

En cierta ocasión, poco después de recuperarse de una nueva recaída, Kevin le preguntó: «¿Has dado de comer al perro?».

Ella se ofendió y contestó: «Por supuesto. ¿Acaso crees que no soy una persona responsable?».

Él se encontró en una situación embarazosa. Marra ignoraba que, durante sus recaídas, *no* era una persona responsable. Kevin se sentía muy solo al no poder conversar con ella de todo lo que sucedía.

Cuando alguien sufre un trastorno que afecta su pensamiento, su conducta, su actitud o su humor, a veces lo único que puede salvar la situación —además de un tratamiento efectivo— son los límites.

Algunas personas se resisten a seguir tomando una medicación que les permite disfrutar de la vida. Una y otra vez he presenciado cómo algunos clientes rechazan la meditación incluso en los casos en que se torturan mentalmente.

Si usted está muy cerca de alguien que necesita tomar una medicación pero que se resiste a hacerlo, puede establecer un límite que consiste en no volver a tener contacto con ella cuando no se encuentre en un estado mental sano.

Esto no se hace con el objetivo de controlar a la otra persona, sino para determinar el tipo de experiencias que usted deja entrar en su vida. Usted tiene que restringir las relaciones que resultan hostiles, abusadoras o enajenantes.

Kevin descubrió que al poner límites podía ayudar a Marra a conocer los estados en los que sucumbía con el propósito de ayudarla a comprender que necesitaba seguir tomando su medicación. Antes de recurrir a los límites, se había empeñado en intentar hablar con ella, animarla, manipularla, lisonjearla y controlar si tomaba sus pastillas. Pero nada había funcionado. De hecho, solo había conseguido alimentar su enfermedad y aumentar su manipulación. Únicamente cuando decidió cuidarse a sí mismo, ella reaccionó de una manera saludable.

En mi propia práctica he aprendido que cuando un cliente tiene un trastorno debido al cual intenta manipular a los demás, no le hago un buen servicio si cedo frente a sus manipulaciones. La manipulación solo alimenta la enfermedad. En contraste, atenerse a unos límites firmes es una forma de animar y fortalecer a la persona sana que está enterrada bajo el trastorno emocional.

¿Y si fuera *usted* el que sufre el trastorno que le hace perder la memoria y tratar mal a alguien a quien aprecia de verdad?

No se esconda detrás de su trastorno emocional ni lo esgrima como una excusa. «Bueno, lo hice porque no estaba en mi sano juicio.» Recuerde que la otra persona ha sufrido, independientemente de que su conducta haya sido intencionada o no, o de que usted haya podido evitarla o no. La otra persona se siente dolida por la forma en que usted ha actuado.

Asuma la responsabilidad de su conducta. Repare los daños producidos y reconozca la generosidad de la persona que elige seguir a su lado y mantener su compromiso con la relación.

No espere que los demás vuelvan a confiar en usted automáticamente después de que usted se haya recuperado de una recaída. No pueden simplemente apretar un botón para sentirse seguros otra vez. Incluso aunque *usted* no pueda recordar lo que ha sucedido, a ellos les llevará un tiempo reconocer que usted está de nuevo atento y que puede ser considerado como una persona responsable otra vez.

En algunas ocasiones, el mejor regalo que puede hacerle a la otra persona es simplemente escuchar cuando le cuentan su difícil experiencia. Cuando usted asuma la responsabilidad de su propio tratamiento y haga todo lo posible para estar sano, tendrá una mayor capacidad para escuchar lo que siente la otra persona sin que ello afecte su autoestima.

Establecer los límites

La mayoría de las personas responden frente a las consecuencias. Al fijar unos límites firmes en relación con las acciones que uno está dispuesto a aceptar, se puede ejercer influencia sobre el curso de la relación que se mantiene con cualquier persona.

La madre de Siobhan ha estado pendiente de sí misma desde que ella nació. Ahora, a sus 86 años y aquejada de Alzheimer, es aún más mezquina. Siobhan va a su casa todos los lunes y la lleva a pasear y a comer a un restaurante. Tiene que soportar una continua letanía de quejas y críticas antes de volver a llevar a su madre a casa.

Ella ha pagado un precio terrible por permitir que su madre sea abusadora. Se ha sentido mal consigo misma; estaba llena de ira y de pena; odiaba los lunes; se atiborraba de dulces todos los lunes por la noche para olvidarse de su tristeza.

Decidió hacer una psicoterapia gracias a la cual Siobhan fue capaz de ponerle límites a su madre. Cierto lunes, cuando se dirigían hacia el restaurante, su madre empezó a despotricar. Siobhan la interrumpió diciendo: «Mamá, si vas a continuar criticándome, se acabó el almuerzo. Te llevaré a casa». Para su sorpresa y deleite, la madre repentinamente abandonó su torrente de críticas.

Aquel día disfrutaron del almuerzo. Una hora más tarde, cuando estaban en la verdulería, su madre le hizo una observación cortante. Siobhan la cogió de un brazo, dejó la cesta que tenía en la mano y la sacó de la tienda.

«¿Qué estás haciendo?», preguntó la madre a los gritos.

Siobhan respondió: «Te llevo a tu casa».

«¿Por qué?»

«Has estado muy grosera conmigo.»

«No ha sido mi intención.»

«De cualquier modo, te llevo a tu casa.»

«Pero quiero comprar naranjas.»

«Voy a llevarte a tu casa.»

Al imponer un límite con firmeza y no aceptar ninguna excusa, Siobhan fue capaz de controlar y proteger su espacio emocional. Y su madre, a pesar de su enfermedad, aprendió a no criticarla. Al comprender que en cuanto empezaba a criticar a su hija cualquier actividad se interrumpía, pronto dejó de hacerlo.

(¿Pueden aprender las personas que sufren de Alzheimer o este es un caso especial? Cuando el cerebro se deteriora, la habilidad para aprender, procesar y recordar disminuye. Sin embargo, me ha sorprendido ver que personas afectadas por todo tipo de condiciones físicas o emocionales podían repetir una conducta que era recompensada y abandonar otra que les suponía renunciar a algo que deseaban.)

Nunca acepte que abusen de usted. El coste es demasiado elevado y la otra persona nunca se beneficia.

Capítulo 23

Cuando alguien se está muriendo

UNQUE todos sabemos que algún día dejaremos este mundo, es muy diferente cuando nos comunican el tiempo aproximado que nos queda de vida. En ese momento todo cambia y comenzamos a considerar tanto la vida como la muerte de una forma diferente.

Cada persona tiene una forma singular y única de afrontar la muerte. La mayoría de nosotros atravesamos las típicas etapas del duelo —la negación, la tristeza, la ira, la depresión y la aceptació—, lo que varía es la cantidad de tiempo que dura cada una de dichas etapas, y algunas personas repiten los ciclos experimentando los sentimientos en niveles aún más profundos.

Además, las personas moribundas a menudo deben afrontar desafíos físicos. Pueden sentirse muy enfermos o doloridos o estar medicados. Pueden tener una movilidad o una energía muy limitadas y unas alternativas muy restringidas. Acaso tengan que afrontar el hecho de abandonar su hogar, sus actividades, su trabajo y su estilo de vida.

Debe ser la misma persona la que establezca sus propios límites en lo que se refiere a la frecuencia y la sinceridad con que se puede hablar de su muerte. Sin embargo, usted debe dejar bien claro que está disponible para esa conversación.

«¿Gram, quieres realmente que hablemos de esto? Estoy dispuesto a hacer cualquier cosa que necesites.»

«Tía Jessie, si estás pensando algo acerca de la muerte o estás preocupada porque tendrás que abandonar tu casa, puedes hablarlo conmigo. Me ocuparé de todo lo que necesites, pues ya has tenido que pasar por un montón de cambios.»

Si necesita transmitir sus propios sentimientos acerca de la enfermedad y la inminente muerte de esa persona, deje que sea ella la que elija el momento oportuno. Por ejemplo: «Carrie, cuando te apetezca me gustaría que conversáramos un poco».

No introduzca el tema de su próxima muerte en una conversación casual. Cuando alguien está a punto de morir, normalmente trata de vivir lo máximo posible. Si está disfrutando de la belleza de una rosa, no se le ocurra mencionarle que probablemente será su último verano. Esto es como sumergirla en agua helada. Un comentario indiscreto o que carezca de tacto puede interrumpir una experiencia rica y profunda, y apartar a esa persona completamente de lo que estaba experimentando en ese momento.

Sarah estaba atravesando una fase terminal. Le encantaba mirar las brillantes hojas de un arce que había junto a la ventana de su dormitorio. Sin embargo, se dio cuenta de que el árbol estaba perdiendo las hojas demasiado rápido. Cierta tarde presenció que su hermana estaba sacudiendo el árbol.

«¿Qué estás haciendo?», gritó Sarah con horror.

«Estoy recogiendo las hojas. Quiero que se caigan todas de una vez para terminar de rastrillarlas.»

Si usted vive con una persona moribunda, no se apresure a clausurar las estaciones del año. No tenga prisa para guardar los adornos navideños. ¿A quién le importa si el árbol de Navidad sigue en su sitio unas pocas semanas más? Si el ser amado obtiene placer al admirar una hermosa decoración, no se lo arrebate imponiendo límites arbitrarios de tiempo.

Tenga cuidado con ciertas afirmaciones del tipo de «Tienes un aspecto estupendo» o «No pareces enferma». Mientras que alguien que está preocupado por su aspecto puede sentirse mejor por un comentario semejante, otra persona puede sentirse insultada, como si usted realmente pensara que la apariencia es importante, cuando en realidad están sucediendo cosas que son mucho más trascendentales. Sin embargo, otra persona puede sentir que usted tiene dudas acerca de su diagnóstico o que está invalidando su proceso de muerte.

También debe ser muy discreto a la hora de ofrecer alguna información sobre los recientes descubrimientos relacionados con la enfermedad. Solemos estar atentos a esta información porque pretendemos asegurarnos de que alguien muy querido gozará de todas las oportunidades para recuperarse. No obstante, en ese momento el moribundo quizá ya sea un experto en relación con su enfermedad. Probablemente sabe mucho más de ella que usted y ha estado considerando sus opciones en profundidad. Si el enfermo ya ha terminado el proceso de sopesar los pros y los contras y ha tomado la difícil decisión de cómo luchar con su enfermedad, la nueva información puede realmente perturbarlo. Si está en paz con la decisión que ha tomado, su bien intencionado entusiasmo en relación con un nuevo tratamiento que ha conocido a través de una revista semanal puede resultar muy doloroso. Quizá se sienta obligado a tenerlo en cuenta cuando en realidad ya ha superado la etapa de tomar decisiones y está concentrado en otro tema. Una actitud semejante podría hacerlo retroceder en vez de avanzar.

En ocasiones una sentencia de muerte puede ser un alivio para alguien que ha tenido una vida muy dura. Es el permiso para abandonarse y dejar de luchar. Independientemente de lo mucho que amemos a esa persona, a ella le corresponde la decisión de morir. Cada uno de nosotros tenemos una absoluta soberanía sobre este tema primordial. Tratar de decirle a alguien cuál es la mejor forma de luchar contra la enfermedad puede suponer una pesada carga.

Algunas personas luchan para vivir. Están interesadas en cualquier remedio, en cualquier artículo de investigación e incluso en cualquier detalle que se relacione con su enfermedad. Esa persona seguramente recibirá de buen grado lo que usted quiera comunicarle. La manera más simple de hacer las cosas es preguntar. Por ejemplo: «¿Quieres saber cuál es el remedio que ha sido útil para otras personas que tienen tu mismo problema?».

No es fácil perder a un ser querido, independientemente de que el proceso de su muerte sea rápido o lento. Cada aspecto de la pérdida nos golpea con dureza. No obstante, la forma que elegimos para manejar nuestros sentimientos pueden transmitirle nuestro respeto y protegerlo de cargas aún más pesadas.

* * *

Cuando mi querida abuela estaba a punto de morir, quería asegurarme de que ella supiera cuánto significaba para mí. Sin embargo, expresarle directamente mis sentimientos sin tener en cuenta sus propias necesidades hubiera supuesto una experiencia insatisfactoria para ambas.

Ella pertenecía a la generación de mujeres del Medio Oeste que no hablaban de los sentimientos ni de las experiencias dolorosas o intensas. Estaba acostumbrada a que las personas afrontaran la vida con buena cara, independientemente de lo que estuviera sucediendo en realidad.

Ella murió lentamente, su vida se fue apagando durante varios años. Me resultaba muy difícil presenciar que se estaba muriendo. Cada vez que perdía una parte de su vida —cuando ya no era capaz de montar en coche, cuando ya no podía hablar por teléfono, cuando no conseguía que comiera— me sumía en una profunda aflicción. Cada pérdida me producía el mismo dolor que si me hubiera quemado con fuego.

No le pedí que me ayudara en el proceso de duelo que estaba realizando. Yo quería ser muy cuidadosa y evitar todo aquello que pudiera hacerla sufrir. Por lo tanto, me limité realmente a demostrarle mi amor en vez de hablar de él —leyéndole, acariciándole la mano, inventando alguna actividad que pudiera interesarle.

Dicho esto, me gustaría destacar que puede ser un gran alivio que dos personas muy afines compartan su aflicción. Para algunas personas, poner buena cara frente a los acontecimientos puede resultar muy duro. Si alguien prefiere expresar francamente sus sentimientos, permítale hacerlo; de hecho, anímelo a que lo haga. Llorar en los brazos de otra persona puede ser una experiencia revitalizante para pasar a otro episodio de la vida.

Cuando la persona que está a punto de morir ha hecho daño

El padre de Mary había aterrorizado a su familia y más tarde la había abandonado. Si estaba ganando mucho dinero debido a su trabajo en la fábrica, se emborrachaba y golpeaba a su madre, a Mary y a sus hermanas menores. Si lo habían despedido, se emborrachaba hasta que se le acababa el dinero, golpeaba a todo el mundo y luego se iba de pesca con sus amigos. Mary tenía quince años cuando a su padre lo echaron de la fábrica definitivamente por cometer un error que resultó muy caro. El hombre buscó las alhajas de plata de la familia y se escapó en el tren de medianoche.

Para Mary fue una liberación, pero su madre comenzó a trabajar limpiando casas para educar a sus hijas y ofrecerles una vida mejor. Finalmente murió de agotamiento. El padre de Mary no asistió al funeral ni a ningún otro acontecimiento importante desde entonces.

Mary se transformó en una mujer, se casó con un hombre que no golpeaba a las mujeres y formó una familia. Era generosa y afectiva, pero el miedo a los gritos y a los golpes nunca la abandonó. Ese miedo la privó de aprovechar oportunidades para estudiar música y hacer algo con la preciosa voz melosa que tenía. También le impidió aventurarse para hacer *rafting* con su grupo de montaña, algo que le hubiera encantado pero que no se atrevió a hacer. El miedo limitaba su vida como si fuera una caja de plexiglás y tenía influencia en todas sus decisiones.

Finalmente, su padre volvió a aparecer; fue cuando estaba a punto de morir a causa de un cáncer de hígado y un enfisema. Estaba ingresado en el hospital y pidió a sus hijas que lo atendieran.

Un día Mary le acercó un vaso de agua y en un arranque de irritación le golpeó el brazo y el vaso se estrelló contra el suelo. Yo probablemente me hubiera marchado en ese mismo instante. Aunque una persona se esté muriendo, tenemos que seguir protegiendo nuestros límites. No debemos rendirnos ni arriesgar nuestra seguridad en nombre de una persona enferma.

Mary lo agarró por la muñeca, se inclinó hacia él y, acercándose lo máximo posible a su cara, le dijo: «No me golpees. No se te ocurra volver a hacerlo jamás». Su tono era firme y contundente. Él nunca volvió a intentarlo.

Sin embargo, su vida tuvo influencia en su forma de morir. Sus otras hijas y sus nietos no querían saber nada de él y no fueron siquiera a visitarlo. En sus últimos años de vida estuvo completamente solo.

Mary intentó hablar con él de todo lo que había pasado. Hubiera logrado solucionar muchas cosas de su vida si hubiera podido expresar en voz alta que él le había hecho vivir una infancia muy triste. Su padre no hubiera sido capaz de responder ni de reconocer ninguno de sus actos. No hubiera podido ayudarla. Ella tuvo que abandonar la esperanza de que él se convirtiera en un padre cariñoso.

En los últimos días de su vida, ella permaneció a su lado. Justo antes de morir le dijo: «Te perdono». No había superado su enfado ni su tristeza por todo lo sucedido pero lo dejó marchar de un modo espiritual.

Manejó este proceso de un modo honorable y mantuvo unos límites positivos. No permitió que él volviera a abusar de ella. Ella tampoco abusó de él. Intentó hablar de las cosas realmente importantes, y cuando él la ignoraba, comprendió que nunca reconocería lo que ella necesitaba y decidió protegerse evitando seguir intentándolo.

Nos quedamos estancados en una situación cuando nos empeñamos repetidamente en obtener de otra persona lo que ella no puede dar. Obstinarse en lograrlo es una forma de violar sus límites y los nuestros. Violamos a la otra persona porque ejercemos presión sobre un límite emocional. Y nos violamos a nosotros mismos al invertir nuestra energía en una persona que no puede responder a nuestros pedidos.

Al perdonar a su padre, Mary lo liberó espiritualmente. Cortó el cordón con él al abandonar su empeño por conseguir que su padre solucionara los problemas que había entre ellos. En algunos casos un perdón prematuro puede obstaculizar el proceso de curación, pero en esta ocasión, después de haber intentado resolver las cosas correctamente, el hecho de haberlo perdonado la liberó de sus sufrimientos.

LOS LÍMITES QUE SE DEBEN MANTENER CON UNA PERSONA MORIBUNDA QUE HA SIDO ABUSADORA

- No hacerle daño.
- No violar sus límites. Esto solo supondrá un alto coste para usted.
- No permitirle que viole sus propios límites.

- No ofrecerle más de lo que usted puede dar.
- No sacrificar su tiempo, su salud, su familia ni su seguridad financiera por la persona moribunda.
- Encontrar formas de conseguir lo que usted necesita de la otra persona para poder clausurar esa relación. Si ella es incapaz de responder, no se empeñe demasiado.

Los límites para buscar una solución

Realice un esfuerzo para hablar de aquello que le haya provocado sufrimiento. Encuentre formas alternativas para poder hablar de las cosas que tiene pendientes con esa persona. Si se niega rotundamente, pregúntele si le parece bien hablar más tarde. (Es adecuado sugerir la idea de hablar más de una vez, pero no se confunda cuando no existe ninguna esperanza de que la otra persona esté dispuesta a conversar abiertamente con usted.)

Si no puede hablar con ella del modo que usted desea, piense de qué forma puede conseguir pequeñas cosas. Hay ocasiones en las que una persona no puede hablar de una serie de abusos, pero sí puede hacerlo de un incidente en particular. Algunas veces puede resistirse a una discusión que incluya las palabras adecuadas para aclarar una determinada situación, pero puede mantener una conversación metafórica.

Si la persona no es capaz de asumir ningún nivel de honestidad, en algún momento usted deberá protegerse abandonando la idea de conseguir lo que ellos no son capaces de ofrecer.

Algunos moribundos desean limpiar su pasado. Ante la proximidad de la muerte, la niebla se disipa y algunas personas pueden evaluar sus errores con absoluta franqueza. Si esa persona se decide a hablar, a expresar su remordimiento por los actos dañinos que ha cometido en el pasado, permítaselo. Escúchela. Algunos parientes con buena intención intentan quitar importancia al tema: «No te preocupes. Todo está bien.»

No cometa esta equivocación. Admitir los daños causados es una forma de liberarse espiritualmente. Una limpieza en el último momento puede liberar a las personas de una forma increíble.

Es maravilloso para toda la familia que la luz brille en medio de la oscuridad. Considerando que un abuso supone muchos años de sufrimiento, es sorprendente la rapidez con la que puede producirse la curación cuando se habla de la verdad.

Capítulo 24

Límites para la autonomía

D ESPUÉS de tres semanas de trabajo intenso, Sunny finalmente terminó una serie de complicados informes que le había solicitado su empresa. Había estado tan concentrada en esta tarea que casi se había olvidado de si era invierno o primavera.

Cuando por fin entregó los informes, la invadió una ligereza de ánimo, y cuando salió de la oficina y se dirigió a su coche tuvo la sensación de estar flotando. Estaba ansiosa por ver a Clint y ponerse al día con él después de tanto tiempo de dedicación a su trabajo.

En el camino hacia su casa se imaginó una noche a solas con su marido. Decidió invitarlo a su restaurante favorito y conversar largamente con él durante una cena íntima. Tenía a su disposición un fin de semana prolongado para gozar de todo el tiempo para sí misma. No vendrían los niños, no había ninguna fiesta —un tiempo delicioso para dedicar al jardín, al descanso y a la lectura.

Cuando entró en su casa, él la recibió con un animado: «¡Hola, qué bien, ya estás aquí!».

Ella estaba a punto de responder con una frase parecida, pero no tuvo tiempo de hacerlo, pues de inmediato Clint continuó: «Tengo que llevar el coche al taller esta noche. Sígueme con el tuyo y luego volveremos juntos».

Mientras ella seguía el rastro de sus faros traseros a través de las oscuras calles de la ciudad, aún se imaginaba la cena maravillosa que compartiría con él. Lo vio aparcar y luego introducir las llaves de su coche a través de una ranura en la pared del taller de reparaciones que estaba cerrado. Se deleitó mirando a Clint que regresaba al coche con un paso largo y despreocupado. Cuando se sentó a su lado le dijo:

«Tengo que comprar algunas cosas en Payback y también necesitamos un poco de comida. ¿Qué te parece si me dejas en el mercado y luego sigues hasta Payback y te ocupas de la lista que he hecho?».

Ella cogió la lista y lo dejó en la tienda de comestibles que estaba abierta toda la noche y luego volvió a Payback.

¿Qué es lo que falta en esta serie de transacciones?

- Algún tipo de reconocimiento mutuo y de la relación antes de ocuparse de las tareas.
- La voz de Sunny.
- La cena.

En efecto, faltan las tres cosas mencionadas, sin embargo lo que más me preocupa es el silencio de Sunny. ¿Dónde ha quedado su voz? Las necesidades de Clint no eran urgentes. Iba a dejar el coche en un taller mecánico que ya estaba cerrado. Ella hubiera tenido tiempo suficiente de comentarle lo que había pensado para aquella noche y comprobar si él estaba de acuerdo.

A medida que avanzaba el fin de semana, Sunny siguió tomando decisiones interesantes. Los sábados ella normalmente asistía a la reunión del taller de doce pasos. Sin embargo, aquel día renunció a la reunión para ir a jugar al tenis con Clint que tenía pasión por ese deporte. Ella estaba encantada de estar con él, y además se lo pasaron muy bien durante el partido. Por la tarde cada uno se dedicó a sus tareas y fueron al cine por la noche.

Sunny se imaginaba que el domingo iba a ser su día. Podría dedicarse a hacer punto y mirar viejas películas, una de sus combinaciones favoritas.

Después del desayuno del domingo se dispuso a coser, pero Clint quería ver la película con ella y le pidió que lo esperara. Ella accedió y tuvo que esperar largo rato antes de que Clint volviera. Dos horas más tarde él se acomodó en el sofá y Sunny le preguntó qué película quería ver, aunque a ella le apetecía ver una película de Cary Grant. Él se pronunció a favor de una película histórica y ella aceptó su propuesta.

La película estaba grabada en dos vídeos, pero después de haber visto la primera cinta Clint dijo que necesitaba dormir la siesta. Solo se echaría media hora, y por eso le pidió que lo esperara para ver la segunda parte. Ella aceptó.

Tres horas más tarde él volvió al sofá, pero para entonces ya era demasiado tarde para ver el resto de la película antes de que transmitieran los premios de la Academia.

Sunny estaba irritada y resentida y no se liberó de estos fastidiosos sentimientos durante el resto del día.

¿Cuáles fueron las decisiones que causaron que ella renunciara al fin de semana que había decidido dedicarse a sí misma? ¿Puede usted indicar en qué momento de la historia dejó que sus decisiones se le escaparan de la mano?

Decisiones de Sunny:

- Sustituir la reunión de doce pasos y el encuentro con sus amigos por el partido de tenis con Clint.
- Esperar durante horas a Clint y no establecer un límite de tiempo u ocuparse de sus propios deseos cuando él se demoraba.
- Preguntarle qué película deseaba ver en vez de comunicarle cuál era la que ella había elegido.
- Aceptar la película que él eligió en vez de negociar la decisión.
- Esperar que Clint durmiera la siesta en vez de seguir viendo la película o hacer cualquier cosa que le apeteciera, en vez de negociar una decisión que fuera satisfactoria para ambos.
- Seguir esperándolo cuando ya habían pasado los treinta minutos que él anunció que dormiría la siesta en vez de hacer lo que quería o comunicarle que ya no lo esperaría.

Su decisión de renunciar a la reunión de recuperación de los doce pasos con el fin de pasar la tarde con él podía haber sido muy positiva; pero en este caso, ¿por qué no podían hacer ambos lo que les apetecía? Si ella hubiera decidido que iría a la reunión y luego jugaría con él al tenis, podrían haberse encontrado en la pista de tenis después de que ella asistiera al taller de los doce pasos.

A lo largo de toda la semana, Sunny se abstuvo de comentar sus ideas y preferencias. Sin embargo, su matrimonio no se caracterizaba por los abusos. A Clint le gustaba estar con ella y le apetecía compartir las actividades. No se trataba de una lucha de poder entre ellos ni él intentaba controlarla. Ella se sometía a él una y otra vez cuando Clint ni siquiera se lo pedía. Parecía como si se olvidara de lo que le apetecía hacer cuando él tenía algún plan.

Sunny también solía ocuparse de sí misma solo después de atender las necesidades de los demás. Esperó tres semanas hasta acabar el trabajo de los informes antes de pensar en pasar un tiempo con su marido. Luego dio prioridad al tiempo que pasaría con su marido y no al tiempo que deseaba dedicarse a sí misma. Decidió complacerlo y jugar al tenis con él en vez de hacer lo que realmente le sentaba muy bien que era reunirse con sus amigos —unos amigos que la hubieran ayudado a centrarse y a tomar mejores decisiones. Finalmente decidió dedicarse el último día que tenía libre, pero luego no fue capaz de cumplirlo y se sacrificó para atender las preferencias de su marido.

Sunny no mantuvo los límites para defender sus decisiones. Dejó que se evaporaran. Renunció a su autonomía al no levantar la voz para defender sus decisiones. Algo tan simple puede tener enormes consecuencias.

Sunny perdió algo más de un día que le hubiera servido para recuperarse. Perdió la fuerza interior que surge del respeto que tenemos por nuestra propia persona y por todo aquello que nos permite salvaguardar nuestra integridad.

Nos debilitamos cuando no realizamos las actividades que sabemos que nos revitalizan, y nos fortalecemos cuando hablamos claramente de nuestras preferencias y somos capaces de realizar las actividades con las que nos recreamos. La autonomía significa que podemos dirigir nuestra vida y que funcionamos en el mundo desde un espacio de independencia.

Nuestra forma singular de hacer las cosas

Sonya tiene un método que le permite tener la mente libre para ocuparse de cosas más importantes. Se imagina cuál es la forma más eficaz de hacer algo y luego la lleva a la práctica hasta que logra hacerlo de una forma automática.

Odia tener que buscar las llaves o su bolso, de manera que ha colocado un pequeño gancho en la puerta del garaje y se ha entrenado para colgar el bolso y las llaves en cuanto llega a su casa. Gracias a esta costumbre ya no tiene que volver a pensar en eso. Ella ha desarrollado una serie de hábitos que le sirven para mantener su mente libre. Es sumamente organizada para hacer la colada, limpiar, hacer la compra y manejar el dinero. De esta forma goza de más tiempo y de más espacio mental para concentrarse en su verdadera pasión que es la diseñar jardines.

Sonya está casada con una persona bastante desorganizada que es capaz de guardar los alicates en el mismo cajón que un mazo de cartas o el rollo de plástico transparente, y que coloca los vasos en cuatro armarios diferentes y los cereales junto a las copas de cristal.

Ella ni siquiera se percató de la escalada gradual del desdén de Lang. Sus primeras bromas relacionadas con las costumbres de Sonya tenían cierta gracia. Sin embargo, con el tiempo, sus observaciones se convirtieron realmente en algo insultante que incluían palabras como *compulsiva, maniática y robótica.* Ella comenzó a sentir que no era correcto organizarse la vida como lo hacía. Era verdad que tenía que realizar ciertos pasos antes de salir de la casa para hacer la compra, pero, por otro lado, nunca se olvidaba de llevar bolsas de tela para traer los productos que compraba, siempre llevaba las botellas al contenedor de reciclaje y jamás se veían obligados a tomar una sopa de letras a la hora de la cena.

A pesar de que Lang se beneficiaba de las costumbres de Sonya, siempre se burlaba de ella. Sonya comenzó a sentir que era demasiado rígida.

Intentó cambiar sus costumbres y ser más flexible. A veces se sentaba en el coche y se marchaba sin su abrigo o la lista de la compra. Muy pronto las cosas comenzaron a desorganizarse. Sonya comenzó a sentirse desorientada mientras se empeñaba en concentrarse para recordar lo que había olvidado. Dejó de tener tiempo para mirar las revistas de decoración y finalmente su mente estaba demasiado embotada como para crear.

¿Qué fue lo que sucedió?

Sonya fue víctima de una forma sutil de abuso que sabotea la autonomía y causa desorientación. Fue atacada por su forma de hacer las cosas.

Cada uno de nosotros tenemos una forma singular de ocuparnos de las tareas cotidianas. Una persona sigue una determinada rutina. Otra actúa espontáneamente. Alguien se beneficia al ser organizado mientras que otra persona puede sentirse agobiada con esa conducta.

Lana comienza a disfrutar del tiempo libre en cuanto llega el fin de semana. El domingo por la noche súbitamente recuerda que se tiene que preparar para el trabajo y tiene que darse prisa para hacer la colada mientras mira la película de la noche. Hellen necesita terminar todas sus tareas antes de poder relajarse. En su camino a casa desde el trabajo se detiene en el banco y en el mercado. El sábado por la mañana limpia la casa y hace la colada y luego se siente libre.

Todos tenemos nuestra propia forma de pensar. Nat piensa en línea recta. Bill lo hace como si saltara a la soga. A veces es difícil seguirlo, pero normalmente es muy divertido —y a menudo es muy sensato con el dinero.

Cuando alguien ataca nuestros procesos automáticos, nuestra forma de trabajar, de pensar o de vivir la vida, perdemos nuestra autonomía si no lo frenamos. Al permitir que otra persona continúe maltratándonos, perdemos nuestra propia dirección y nuestra independencia emocional. Perdemos nuestro centro, debido a que intentamos mantener un proceso que nos es extraño, y podemos sentirnos confundidos y desorientados. Ya no somos tan eficientes, cometemos más errores y muy pronto perdemos la confianza en nosotros mismos. Esta espiral descendente conduce a una pérdida progresiva de nuestra dirección interna.

El problema con este tipo de violación de los límites es que es muy sutil. Todos somos inconscientes de nuestros procesos. Nuestra forma de pensar y de organizar nuestra vida es algo natural y forma parte de nosotros mismos hasta el punto que nos resulta absolutamente transparente.

No acepte observaciones sarcásticas relacionadas con su forma de hacer las cosas. Defienda su posición si alguien lo ataca o lo critica (a menos que, por supuesto, con su forma de actuar esté perjudicando a otra persona o se interponga en su camino). El tema no es convencer a la otra persona (quien, por otra parte, lo está utilizando como chivo emisario), sino transmitirle a su cuerpo y a su psique el mensaje de que usted mantendrá su propia forma de ser en el mundo.

Si alguien se burla de usted y no precisamente de una forma cariñosa, deténgalo. Adviértale que deje de hacerlo; quizá pueda preguntarle si está enfadado o si ha sufrido alguna vejación que acaso esté expresando a través de esa burla.

¿Es usted el que tiene tendencia a burlarse? En este caso asegúrese de que lo hace por amor o por el aprecio que siente por la forma que tiene la otra persona de hacer las cosas. Si percibe que está enfadado, es muy probable que sus burlas se deban a su descontento. Deténgase y obsérvese para identificar la verdadera razón de su malestar. Si tiene relación con algo que le ha sucedido con la otra persona, no dude en expresarlo directamente. Si no tiene nada que ver con ella, y en realidad usted se siente ansioso por algún otro motivo, repare los daños y pida ayuda para resolver su ansiedad.

Sonya descubrió qué era lo que la estaba sumiendo en una absoluta confusión y decidió poner un límite a su marido. Le dijo: «Lang, tengo mi propia forma de hacer las cosas y a mí me sirve. No vuelvas a hacer esas despreciativas observaciones sobre mis costumbres. Ni siquiera te das cuenta de que mi eficacia te beneficia. Pero, independientemente de eso, no quiero que vuelvas a hacerme ningún comentario sobre mi forma de actuar».

«Eres muy susceptible, Sonya. Solo era una broma.»

«Lo único que quiero es proteger mi forma natural de hacer las cosas. Esta soy yo. Estos son mis límites y quiero que los respetes.»

«Te estás comportando de una forma desproporcionada. ¿Cuál es el problema?»

«Veo que no entiendes lo que te estoy diciendo. Da igual, no volveré a tolerar comentarios de ese tipo nunca más. Me marcharé de la habitación antes de volver a soportar algo semejante.»

«Eres muy controladora.»

«Ya has vuelto a hacerlo. Me marcho.»

«¿Y qué pasa con la cena?»

«Tengo la intención de disfrutar de la cena en alguna otra parte.»

Lang reaccionó esgrimiendo una defensa detrás de otra sin asumir la responsabilidad de haber violado los límites de su mujer. Pero Sonya se mantuvo firme hasta que, finalmente, Lang tuvo que afrontar ciertas consecuencias negativas derivadas de su conducta que lo afectaban personalmente.

Cuando usted establezca un límite, manténgalo. Algunas personas solo cambian cuando tienen que afrontar ciertas consecuencias provocadas por sus actos. Deje que se produzcan esas consecuencias naturales. No proteja a la otra persona de los efectos de su falta de consideración. De lo contrario solo logrará interferir con lo que ellos deben aprender.

Capítulo 25

Límites para la comida

T RISHA DONAHEY había asistido a una conferencia para maestros de escuela. Durante varios años se había sometido a un tratamiento de recuperación por su adicción a la comida y se había convertido en una experta sobre su propio cuerpo. Sabía perfectamente cuál era su tolerancia a diversos alimentos.

Cuando se anunció un descanso, Trisha abandonó la sala de conferencias para comprar una 7-Up y salió a la terraza para tomar el aire. En ese momento se le acercó otra maestra. Solo tardó un momento en reconocer a aquella persona con quien había compartido muchas reuniones del grupo de recuperación. Había pasado más de una década desde entonces.

Inmediatamente la maestra comenzó a contarle su propio programa de recuperación. Se había unido a un grupo derivado de Bulímicos Anónimos. Hablaba de esa experiencia con fervor, y Trisha expresó su genuina alegría al saber que el programa era tan adecuado para ella.

Sin embargo, mientras hablaban, aquella maestra persistió en una actitud que la hacía sentir cada vez más incómoda. Miraba fijamente la bebida que Trisha tenía en la mano y asumía un gesto de superioridad que se traducía en su tono de voz y en su postura corporal, como si ella fuera más virtuosa que Trisha porque no estaba bebiendo un refresco.

He estado investigando la adicción a la comida durante casi veinte años. Es una adicción complicada que la mayoría de la gente solo comprende de un modo superficial. Si usted es adicto al alcohol, cualquier tipo de licor o bebida alcohólica disparará una serie de reacciones adictivas que lo conducirán inevitablemente a la dependencia de la botella. De un modo similar, la cocaína o el *crack* resultan rápidamente adictivos para quien los lleva en su cuerpo.

La adicción a la comida danza a nuestro alrededor oculta entre velos. Para una persona vulnerable a la adicción a la comida, el azúcar resulta fácilmente adictivo, aunque no sucede en todos los casos. Durante años, los que promocionan los programas de doce pasos se han referido a las palomitas de maíz como el aperitivo perfecto, sin embargo resulta muy adictivo para muchas personas. Antes se pensaba que las proteínas eran absolutamente seguras, pero ahora sabemos que para algunas personas ciertas proteínas pueden aumentar el apetito. Una mujer puede ser adicta a un alimento en particular a los veinte años y ya no tener ningún problema a los cuarenta o después de tener un bebé o una vez concluida la etapa de la menopausia. Aunque siga siendo una adicta a la comida, es posible que se modifiquen las reacciones que ponen en marcha determinados alimentos.

Entonces, ¿por qué incluir este capítulo sobre los límites para la comida? ¿Por qué destacar la adicción a la comida cuando existen tantas otras adicciones?

Ninguna otra adicción es tan incomprendida y produce tanta confusión como la adicción a la comida. Suponemos con muy buen tino que es desaconsejable ofrecer a un alcohólico un vaso de vino, pero sin embargo no solemos tener tanto acierto cuando se trata de alguien que se está recuperando de una adicción a la comida. Alguien que no conoce el tema no puede saber cuál es la mejor opción para un adicto a la comida que está en franca recuperación.

No nos atreveríamos a invitar a un ludópata que se está recuperando a una sesión de bingo de nuestra parroquia, pero, no obstante, podemos invitar a un comedor compulsivo a unirse a nosotros para una cena fría. La gente confunde la recuperación de un trastorno de la alimentación con estar a dieta, cuando en realidad se trata de procesos muy diferentes.

Además, un gran porcentaje de personas parecen pensar que es correcto comentar lo que comen otras personas. Raramente diríamos: «Esa camisa te sienta fatal», pero algunas personas suelen hacer juicios sobre lo que comen los demás.

Los alimentos desempeñan un papel muy importante en nuestra vida. Son mucho más que nuestro sustento. Si realmente queremos disfrutar de un rato con otra persona, solemos compartir una comida. La comida es con frecuencia la forma más habitual de celebrar los acontecimientos más variados. Determinados alimentos tienen un significado religioso, mientras que otros están prohibidos. Ofrecemos la comida como una muestra de nuestro amor. No cabe duda de que existen muchos límites diferentes que pueden ser necesarios con respecto a la comida.

Los adictos a la comida no son las únicas personas que sufren el control. Hay quienes pueden ser muy conocidos por hacer que los miembros de su familia coman lo que a ellos les gusta. Otros obligan a los demás a comer. Hay quienes constantemente hacen juicios sobre los alimentos que elige otra persona. Y para disfrutar de una experiencia verdaderamente alucinante están aquellos que critican el peso de una persona mientras simultáneamente le sirven una segunda ración.

Vamos a analizar de qué trata este problema de la alimentación. Imaginemos la siguiente situación:

Una madre y su hija de mediana edad, Karenna, han hecho un descanso en su día de compras y están almorzando. La hija pide un bocadillo de atún, patatas fritas y un refresco. La madre pide medio bocadillo y una ensalada verde. Cuando llega la comida, la madre mira con desaprobación el plato de su hija y dice: «No te vas a comer todo eso, ¿verdad? Las patatas fritas engordan».

¿Cuál de las siguientes reacciones de la hija sería la más probable?

1. «Oh, Dios, no tenía la menor idea. Gracias por advertírmelo», y diciendo esto, agarra su plato y lo aparta como si fuera veneno.
2. «Lo sé», dice con un tono abatido. Aparta su plato. A pesar de que tiene hambre, se siente demasiado vulnerable para comer en presencia de su madre. Mas tarde, sola en su coche, se dirige a un *drive-in* y pide una cantidad de comida que sería adecuada para dos obreros de la construcción.
3. No dice ni una palabra, pero hierve de furia mientras mira a su madre picar un poco de ensalada y comer nada más

que la mitad de su medio bocadillo. Dos horas más tarde, come dos barras de caramelo, toma un aperitivo y discute con su marido.

4. Le responde, «Mamá, mi cuerpo es asunto mío. Si comentas algo más sobre lo que como, no volveré a almorzar contigo en mucho tiempo».

La cuarta reacción es un ejemplo de cómo se pueden imponer unos límites sanos cuando se trata de la comida. La segunda y tercera reacciones se acercan mucho a cómo responderíamos la mayoría de nosotros. Cuando nos critican por lo que comemos, podemos enfadarnos por la interrupción o sentirnos resentidos, mal con nosotros mismos, abatidos, incomprendidos o maltratados.

¿Acaso la madre de Karenna tendrá alguna posibilidad de que ella vea la luz y modifique su comportamiento? Esto es realmente muy improbable, y por ello me cuestiono los motivos de aquellas personas que se empeñan en comentar los hábitos alimenticios de otra persona cuando no responden de una forma que correspondería a la primera respuesta.

Si controlar lo que otra persona come fuera positivo, yo podría considerar el valor de esa actitud. Sin embargo, la mayoría de las veces dicha conducta solo consigue que la otra persona coma más, y nunca menos. En realidad, la madre de Karenna simplemente intenta controlar a su hija al hacer comentarios sobre su forma de comer. Se siente a gusto logrando instalar entre ambas una distancia emocional debido al «error» cometido por Karenna, igual que lo haría con cualquier relación superficial.

Su cuerpo es asunto suyo

¿Qué es lo que debe hacer un comilón? Si usted se encuentra con un nazi de la comida, establezca un límite en cuanto se produzca el primer incidente. En el improbable caso de que alguien incurra en un error en relación con sus límites de una forma aparentemente inocente, será mejor que se lo haga usted saber cuanto antes con el fin de que las demás personas estén a salvo. Si el deseo de controlar a los demás se oculta tras una piel de oveja, muy pronto se pondrá de manifiesto y entonces usted podrá manejar el problema directamente.

«Mamá, te lo he pedido antes y te lo vuelvo a pedir ahora. No hagas ningún comentario sobre lo que como. Lo que yo hago es asunto mío. La próxima vez que hagas alguna observación sobre lo que pido, me sentaré en otra mesa y esa será la última vez que almorzaremos juntas durante un mes.»

«Solo intento ayudarte. No sé por qué tienes que armas tanto jaleo.»

«Haz el favor de decirme qué es exactamente lo que me has oído decir.»

«Que te disgusta que tu pobre madre simplemente intente ayudarte a mejorar.»

«Inténtalo otra vez. No era exactamente eso.»

«Que me privarás de hacer una de las cosas de las que más disfruto, y que es almorzar contigo cuando salimos de compras.»

«¿Y qué costumbre tuya puede hacerme tomar esa decisión?»

«Que haga algún comentario sobre lo que tú pides para comer.»

«Correcto. Gracias por escucharme. Vale, ¿a qué planta quieres ir cuando terminemos de almorzar?»

Obsérvese que Karenna en ningún momento se enreda con los intentos que hace su madre por desviarla del tema. Como resultado, ella conserva su poder de decisión. Si hubiera caído en alguna de las trampas que le tiende su madre, hubiera cedido terreno ante ella. Por el contrario, impone unos límites claros y bien definidos y se mantiene firme, insistiendo una y otra vez hasta que su madre finalmente la escuche.

La madre de karenna no logró su propósito. Incluso cuando de mala gana reprodujo las palabras de su hija, que había comprendido perfectamente, tuvo que incluir la expresión «pobre víctima» al referirse a sí misma. Karenna hizo bien en insistir hasta obtener de ella una franca confirmación de que respetaría sus límites.

Los que te obligan a comer

¿Qué haría usted si el día de Navidad la tía Mabel no deja de insistir para que usted coma otro de sus dulces confitados? Usted debería simplemente fijar un límite.

«Tía Mabel, simplemente ya no puedo comer ningún dulce más. De cualquier modo, muchas gracias.»

Y si ella no respeta el límite que usted le ha indicado, la próxima vez deberá ser aún más firme.

«Tía Mabel, deja ya de insistir para que siga comiendo. Es difícil resistirse y francamente me sentaría mal.»

O: «Tía Mabel, escúchame. No quiero comer más dulces. Ya no vuelvas a insistir, por favor».

Si usted la quiere mucho y no pretende contrariarla, acaso esté dispuesto a hacer algo más por ella. Piense qué significa para ella que usted siga comiendo sus dulces.

- ¿Acaso ella demuestra su amor a través de los platos que prepara?
- ¿Es el día de Navidad un día especialmente feliz para ella, el día que abandona una vida solitaria para entregarse a la energía familiar?
- ¿Quizá insiste porque lo quiere mucho?
- ¿Son sus dulces confitados su mayor logro en la vida, pues con ellos ha ganado los mayores elogios en la feria del condado y todo el mundo la conoce por ellos?

Las siguientes respuestas revelan que usted ha comprendido las verdaderas intenciones de la tía Mabel sin que usted se vea obligado a comer más alimentos aunque no le apetezca.

- «Tía Mabel, te quiero mucho. Sé que tú también me quieres, pero simplemente ya no puedo comer más dulces.»
- «Tía Mabel, me lo estoy pasando muy bien aquí contigo. Me encanta el día de Navidad porque es una ocasión para estar juntos, pero ya no puedo comer más dulces.»
- «Tía Mabel, eres muy generosa. Siempre me estás ofreciendo cosas e intentando complacerme. Gracias por quererme tanto. Créeme, me siento muy feliz de estar aquí contigo y de saborear tu exquisita comida. Pero ya estoy satisfecho.»

- «Estos son los mejores dulces del mundo. Voy a escribir una carta a la NASA y sugerirles que envíen tus dulces a Marte para que sean nuestro mejor regalo para cualquier otra forma de vida. Pero ahora simplemente ya no puedo comer más, gracias.»

Cuando usted perciba la genuinas intenciones de otra persona y esté dispuesto a reconocerlas, el símbolo —en este caso, la comida— es lo menos importante.

«Tía Mabel, te quiero un montón pero si sigo comiendo dulces, ya no podré probar tu pastel y eso sería la mayor tragedia del día de Navidad desde que los indios enseñaron a los ingleses a fumar.»

La tía Mabel responde: «Oh, calla de una vez», mientras agita un paño de cocina junto a usted y luego se sienta con los ojos húmedos. El mensaje ha sido recibido y devuelto; la relación se ha fortalecido.

Límites para las comidas religiosas y étnicas

Lo que es sustancioso para algunos puede ser sagrado (o un sacrilegio) para otros. *Siempre* resulta inadecuado desafiar, insultar, despreciar o presionar a alguien que está tomando un determinado alimento (o que lo está comiendo de una forma especial) debido a motivos religiosos o ancestrales.

Saúl era fiel a la dieta judía según lo que dictaban las leyes de *kashrut*. Para él formaban parte de una importante relación espiritual. Sin embargo, otros compañeros de trabajo de su mismo departamento lo consideraban exagerado y, aunque nunca habían hecho ningún comentario antisemita, algunas veces se burlaban de él por ser demasiado puntilloso con los alimentos que consumía.

Él se mantuvo en su línea y no dejó que sus comentarios lo afectaran. Se negó a discutir acerca de lo que comía y se limitaba a sacudir la cabeza cada vez que le hacían preguntas ligeramente irrespetuosas relacionadas con su escrupulosidad para tomar solo los alimentos correctos.

Cierto día decidieron hacerle una jugarreta. Aprovecharon un momento en que se ausentó de la habitación para introducir una loncha de jamón en su bocadillo.

Durante el almuerzo lo observaron disimuladamente para ver qué es lo que hacía. Al morder su bocadillo de inmediato sintió el sabor del alimento prohibido y lo escupió.

A partir de ese momento llevó a su oficina el almuerzo en una fiambrera que tenía un pequeño candado. Ya nunca volvió a considerar que tenía una buena relación con sus compañeros de trabajo.

Aquellos hombres fueron afortunados porque Saúl era un hombre muy piadoso y no hizo ningún intento de devolverles aquella mala pasada y tampoco sintió odio por sus colegas. Pero jamás volvió a confiar en ellos ni a ofrecerles la ayuda que siempre había estado dispuesto a dar.

Capítulo 26

Límites para Internet

RECIENTEMENTE estaba trabajando *on-line* con un cliente cuando de repente llegó un «mensaje de alta prioridad». El remitente aparentemente había añadido mi nombre profesional a la lista de sus amigos (y a través de ella podía saber cuándo estaba en la red). Yo no conocía a esa persona, de manera que le pregunté por su identidad. Ella eludió la respuesta.

Esta actitud nos colocó inmediatamente en diferentes niveles de vulnerabilidad. Ella conocía mi identidad, sin embargo se reservaba la suya. Yo no estaba dispuesta a mantener ninguna conversación en aquellas condiciones.

Internet es un vasto terreno de juego para muchas personas. Usted puede asumir cualquier identidad de la misma forma que se pondría un disfraz y entrar en cualquier *chat* o juegos *on-line*. Puede ser muy divertido introducirse en dimensiones que serían inaccesibles para usted en la vida real debido a su edad, género, movilidad o apariencia.

Cuando todas las personas que integran un *chat* son anónimas, están en un mismo nivel. Sin embargo, cuando un extraño se introduce en un *chat* privado donde se encuentran los amigos, esto resulta tan amenazador como cuando un ladrón entra en una casa.

Quizá nunca ha habido un entorno tan carente de límites como Internet y muchos de nosotros hemos saboreado esta libertad. Ahora puedo conocer investigaciones médicas sin tener que salir de mi casa. Puedo trabajar con mis clientes en cualquier parte del mundo. Un cliente puede enviarme un mensaje a medianoche —en el momento en que está sufriendo una crisis— en vez de esperar una semana hasta su próxima cita.

Hemos creado un mundo que es todo mente, todo pensamiento. Viajamos instantáneamente sin necesidad de mover el cuerpo y podemos satisfacer cualquier interés que tengamos.

Pero no todos los que usan Internet están jugando. Muchos lo utilizamos para trabajar. De manera que si usted envía un mensaje de alta prioridad a alguien, debe apelar al mismo tipo de cortesía que se suele utilizar al hablar por teléfono. Por ejemplo: «Hola, soy Suni. ¿Estás trabajando? ¿Tienes tiempo para hablar?».

El frenesí del correo electrónico

Los mensajes del correo electrónico pueden ser una bendición o una maldición. Cuando comenzamos a trabajar *on-line,* enviar mensajes era muy divertido. Podías enviar un chiste a la velocidad de la luz y a todas partes del globo. En este momento podemos recibir tantos mensajes por día que sea imposible leerlos todos. Es evidente que no estamos obligados a hacerlo. Podemos considerarlos simplemente como correo basura y eliminarlos. O podemos instalar un límite basado en quién envía el mensaje. (Tengo un estrecho grupo de amigos cuyos mensajes leo en todos los casos, no solo porque a menudo son graciosos y de buen gusto, sino también porque deseo mantenerme al corriente de la cultura de nuestra comunidad. Tengo otra amiga que siempre está muy enterada de los temas sociales. Siempre leo sus mensajes, porque es como tener un boletín personal de los acontecimientos políticos más importantes. Y al resto de los mensajes simplemente les hecho un vistazo.)

Comunique a sus relaciones si no le apetece recibir mensajes o indíqueles qué tipo de mensajes está dispuesto a recibir. «Puedes enviarme chistes, pero que no sean verdes, por favor.» «Solo aceptaré información política. No me envíes chistes.»

Si alguien se empeña en no respetar sus límites, usted sabrá algo verdaderamente importante sobre esa persona, y a partir de este momento podrá protegerse de ella según crea conveniente.

Un mensaje a través de la red no es comunicación

Una persona de la que no sabía absolutamente nada desde hacía años recientemente me envió un mensaje a través de Internet. En él manifestaba su intención de renovar nuestra amistad a través de la red. Yo estaba dispuesta a hacerlo y así se lo comuniqué.

A partir de entonces recibí una cadena de mensajes, pero ninguno de ellos contenía una información personal ni ningún material destinado a revitalizar nuestra relación. Supongo que para muchas personas un mensaje de este tipo significa un contacto; y lo es, aunque en un sentido superficial. No obstante, estos mensajes no son personales, no son una verdadera comunicación entre seres humanos.

En las relaciones que se producen a través de Internet es fácil medir y mantener la paridad. Si una persona afirma que realmente desea mantenerse en contacto con usted y, sin embargo, sabe algo de ella dos veces al año, le estará revelando que pretende tener una cita regular con usted, pero que no desea comprometerse más seriamente.

Si usted le escribe semanalmente a un amigo y él le responde cada cuatro meses, cada uno de vosotros estará comprometido en la relación en un diferente nivel. Usted puede mencionar este hecho y discutirlo con su amigo o puede adecuarse al nivel de compromiso de esa persona.

Sin embargo, en casi todas las relaciones sucede que la persona que se compromete menos es la que establece el nivel de intimidad. Si usted desea una relación íntima con alguien, pero dicha persona prefiere mantener una relación casual, la relación será casual. Usted podrá hacerle alguna propuesta, proponer un modelo de relación o pedirlo, pero si la otra persona solo desea un vínculo superficial, eso es todo lo que podrá ofrecerle, independientemente de lo que usted haga. En efecto, no tener en consideración el límite que define la otra persona provocará que se retraiga aún más.

El verdadero nivel de interés de una persona se torna obvio en Internet porque todo lo que usted puede conocer de la otra persona es su comportamiento. He comparado la conducta que manifiestan las personas en la red con la que tienen en los encuentros cara a cara, y he descubierto que en ambas situaciones se observa una actitud similar aunque son más francas a través de Internet.

Cuando nos relacionamos personalmente, podemos ocultar la falta de disponibilidad con palabras bonitas y gestos grandiosos, pero *on-line* una persona sencillamente responde o no responde, reconoce lo que decimos o no lo reconoce, es capaz de comprometerse en una verdadera conversación o no lo es.

LÍMITES PARA INTERNET

- Decida cuáles son sus límites a la hora de relacionarse a través de la red con personas que deciden permanecer en el anonimato. En general, proceda lentamente y con mucha precaución.
- Comunique sus preferencias en relación con los mensajes que le envían.
- Preste atención a la falta de afinidad con las personas con las que se comunica. Si está manteniendo un contacto más frecuente de lo que desea, exprésalo. Si el compromiso de la otra persona es muy inferior al suyo, puede enviarle un e-mail para comunicárselo o abstenerse de responderle para no invertir su energía en algo que no le supone ningún beneficio.
- Hágase cargo de su propio nivel de riesgo, tanto con sus amigos como con los desconocidos, y muy especialmente en este último caso.
- Tome conciencia de las situaciones en las que usted se arriesga más o menos que la otra persona y decida cuál es el nivel de relación que desea mantener con ella.
- Trate los mensajes de alta prioridad con la misma cortesía que utiliza en las llamadas telefónicas, preguntando si la otra persona está disponible para mantener una conversación con usted.

Capítulo 27

Límites para el terapeuta

S YLVIA sugirió a Maurice que hicieran una terapia de pareja. Él se sintió agradecido al descubrir que estaba junto a una mujer dispuesta a trabajar para sanear su relación. Inició la experiencia dispuesto a confiar en su terapeuta y respetarla.

Sin embargo, en alguna ocasión se sintió sutilmente obligado a hablar de lo que Sylvia deseaba. Aquello era más una sensación que una situación evidente que él pudiera señalar con el dedo —excepto que algunas veces cuando terminaba la sesión sentía que nadie estaba de su lado.

Finalmente decidió preguntarle a Samantha, su psicoterapeuta: «¿Tiene usted algún tipo de relación con Sylvia fuera de este despacho?».

Samantha se rio y le devolvió la pregunta. «¿Tiene usted a menudo la sensación de que las mujeres se alían en contra de usted?»

Maurice se echó a reír también, y admitió que a veces le parecía que las mujeres pertenecían a un club exclusivo en el que él no tenía autorización para entrar.

La terapia continuó durante unos pocos meses, y en cierta ocasión, en medio de una discusión con Sylvia, ella repentinamente le soltó las siguientes palabras: «Eres un quisquilloso. Hasta Samantha dice que eres como una pulga en una parrilla.»

«No estoy de acuerdo. Acepto que algunas veces me siento ansioso, pero es una reacción cuando no consigo...» De pronto se detuvo en la mitad de la frase. «¿Qué quieres decir? ¿Cuándo ha dicho Samantha semejante cosa?»

«Fue la otra noche, mientras salíamos de la reunión del Club de Libros.»

«¿Quieres decir que tú y Samantha sois miembros del mismo Club de Libros?»

«En efecto, ¿cuál es el problema?»

«¿Y desde cuándo?»

«Oh, no lo sé. Pero creo que por lo menos varios años.»

«¿Y habláis de mí?»

«Bueno, no precisamente», respondió Sylvia, «pero de vez en cuando te nombramos. Escucha, tengo hambre. Vamos a comer algo».

Maurice estaba enfadado y no tenía ningunas ganas de volver a la terapia con Samantha. Ya no tenía confianza en su terapeuta, aunque se daba cuenta de que Sylvia quizá había «adornado» algo de lo que había dicho Samantha, por el simple deseo de fortalecer su propia posición.

En la siguiente sesión, Maurice se enfrentó con ambas mujeres. Descubrió que eran miembros de un Club de Libros desde hacía unos cuantos años y que Samantha había hecho realmente algunos comentarios sobre él a Sylvia.

¿Cuáles son las violaciones de los límites que ha cometido la terapeuta en la situación que acabamos de mencionar? Señale cuáles son las acciones de Samantha que constituyeron verdaderas violaciones.

1. Samantha tiene una relación social con Sylvia.
2. Samantha ocultó esta relación a Maurice.
3. Samantha habló de Maurice fuera de la relación terapéutica.
4. Samantha no le ha revelado a Maurice que ha hablado de él con Sylvia, y mucho menos le ha comunicado el contenido de dicha conversación.

Las cuatro acciones constituyen una violación de los límites de la psicoterapeuta.

En general, considero que no existe ninguna necesidad de que me ocupe de los límites que deben respetar los terapeutas; pero cada cierto tiempo escucho una historia sobre un terapeuta que viola burdamente los límites de sus clientes.

De modo que a continuación expondré una serie de sucesos que se consideran «fuera de los límites» de la relación que mantienen los terapeutas —entre los que incluyo a los psicoterapeutas, psicólogos, psiquiatras, trabajadores sociales, médicos y enfermeras psiquiátricas— y sus clientes:

- Mantener otro tipo relación social.
- Salir a cenar.
- Salir a almorzar.
- Encontrarse para desayunar.
- Salir a bailar.
- Intercambiar caricias sexuales.
- Mantener relaciones sexuales.
- Flirtear.
- Compartir las mismas actividades deportivas en un mismo equipo todas las semanas.
- Compartir una actividad de ocio.
- Viajar juntos y sin otra compañía.
- Pasar solos el fin de semana.
- Fomentar una amistad.
- Asistir juntos a fiestas.
- Mantener largas conversaciones telefónicas por la noche de un modo regular.
- Que el terapeuta sea un buen amigo del marido o de la esposa del cliente.
- Que el cliente sea un buen amigo del marido o la esposa del terapeuta.
- Que el cliente corte la hierba del jardín del terapeuta.
- Que el cliente limpie la casa del terapeuta.
- Que el cliente proporcione un servicio personal al terapeuta.
- Que el cliente asista a los padres ancianos del terapeuta.
- Que el cliente sea el masajista del terapeuta.
- Que el terapeuta de una pareja se convierta en el amante de uno de ellos.

¿Por qué son tan estrictos estos límites? Porque los clientes necesitan seguridad y para ello tienen que estar seguros de que la relación terapéutica es un espacio privado en el que se preserva su intimidad.

La relación terapéutica es como un túnel que conduce hacia la parte más profunda de nuestro ser. Allí se encuentran las heridas más antiguas que tienen influencia en nuestra vida. Allí, en el mismísimo manantial del miedo o de la aflicción que influyen sobre nuestras decisiones y nuestros actos, existe un territorio terapéutico.

El despacho del terapeuta se convierte en la antesala de ese túnel sagrado, y el terapeuta es el guía. Con el paso del tiempo, si el terapeuta es digno de confianza, tiene experiencia y está atento (y si el cliente está dispuesto), el cliente accede a su tierno ser interior. El terapeuta enseña al cliente, a través de ejemplos y de una interacción guiada, la forma de recibir las poderosas verdades que estaban enterradas y cómo debe cuidar su alma.

El foco de la relación entre el cliente y el terapeuta es el ser interior del cliente. No obstante, para añadir a este delicado proceso otro tipo de vinculación sin que la relación terapéutica resulte saboteada (con o sin intención) se requeriría un cliente muy especial —y también un terapeuta muy especial.

Añadir un segundo vínculo a la relación terapéutica —ya sea a través de un deporte, de una amistad o de una relación de trabajo— incluye una nueva dimensión que cambia el foco de la relación. El delicado viaje interior que es la terapia supone un importante desafío como para agregar además este tipo de complicaciones.

El terapeuta también puede sufrir consecuencias negativas al mezclar las relaciones. Puede ver afectada su privacidad, su flexibilidad e incluso su libertad para responder o reaccionar. ¿Y qué pasa si su cliente, a quien ha contratado para que corte el césped del jardín, arranca una clemátide que había plantado su madre hace cincuenta años porque la confundió con una mala hierba? ¿Y si, en el campo de golf, su cliente le hace una observación sobre su golpe inicial que lo deja totalmente abatido (y le cuesta los tres próximos golpes?) ¿Y si su cliente yerra un tiro y pierde la bola que suponía ganar el campeonato? ¿Y si usted está disfrutando de una fiesta junto a su pareja y su cliente comienza repentinamente a llorar?

Cuando un terapeuta y un cliente se relacionan en otros ámbitos, le agregan a una relación que potencialmente produce cambios en la vida y que ya de por sí es compleja y sutil, todo tipo de situaciones incómodas. Esto de ningún modo es comparable con que usted sea amigo de su pediatra, del pastor de su parroquia o del mecánico que repara su coche (aunque incluso en estas otras relaciones profesionales a veces mezclar las cosas puede crear algunos problemas).

La violación más obvia de los límites es la de tener cualquier tipo de acercamiento sexual con un cliente. ¿Por qué es incorrecto? Porque los clientes son vulnerables en una relación terapéutica. Ellos invisten al terapeuta con su confianza. Están abiertos a un nivel más profundo que en las situaciones sociales ordinarias. Un terapeuta que explota esa confianza para gratificarse sexualmente está infringiendo un daño a un nivel muy profundo. Es el mismo tipo de violación que comete un padre con un hijo. La persona que goza de la posición de poder está robando la seguridad, la comodidad y la confianza de alguien que es vulnerable. Y esto es incorrecto.

De modo que si su terapeuta intenta abusar de usted en algún sentido, apártese de inmediato de esa persona. No intente enseñarle cuál es la conducta adecuada. No espere hasta tener pruebas suficientes para demandarlo. No vale la pena desviarse de su propio progreso. Ante cualquier insinuación sexual, abandone de inmediato la relación y encuentre otra persona.

Un buen terapeuta posee tres atributos: sus límites tienen una base ética, tiene una experiencia comprobable y una buena empatía. Si cualquiera de estas cualidades está ausente, usted puede tener sesiones utilitarias, pero no gozará del verdadero potencial de una terapia de calidad. Si el terapeuta carece del aspecto ético, usted puede estar en peligro. No conozco ningún programa educativo que prevenga este tipo de situaciones abusivas debido a un vacío moral, de modo que está en sus manos protegerse.

Límites para la pastoral

Todos aquellos que se han formado como consejeros pastorales están estrechamente vinculados con los ministros de la iglesia. Su perspectiva es la misma de los pastores cuidando a sus rebaños. Ellos consideran que su territorio está compuesto por todos los ámbitos de la vida de una persona: su familia, su hogar, su trabajo, su vida social. Están acostumbrados a un contexto donde las personas rinden culto, se unen a la Cena del Señor, crían a sus niños, juegan, rezan y aprenden juntos.

Incluso en este tipo de terapia se deben respetar ciertos límites. De hecho, debido a la naturaleza combinada de las relaciones pastorales, es incluso más importante mantener una conducta con límites muy precisos. Un consejero pastoral debe tener cuidado de no revelar los secretos de uno de los miembros de su parroquia. Y además, debido a su función, tiene un papel incluso más amplio que el de un terapeuta privado. Las insinuaciones sexuales hacia cualquiera de los miembros de la parroquia están completamente fuera de lugar (toda excepción debería satisfacer las siguientes condiciones: tanto el consejero como la persona que es miembro de la parroquia son solteros; ambos se han conocido primero como amigos; el consejero no está involucrado en ningún tipo de relación directa con dicha persona ni con ninguno de sus familiares que también asisten a la misma iglesia; hay un consentimiento mutuo).

Los psicoterapeutas, los psicólogos, los psiquiatras y los consejeros pastorales se comprometen a respetar un contrato cuando aceptan a un cliente, a utilizar sus mejores recursos en nombre del cliente y a mantener sus necesidades personales fuera de la relación. Estos límites con el cliente ayudan a preservar la integridad de una relación vital.

La relación terapeuta-cliente se refleja en otras relaciones cuando una de las personas está en la posición de mentor, autoridad, empleador, director o es el padre o la madre de la otra persona. Aquellos que ejercen el poder tienen ciertas responsabilidades respecto de las personas a quienes sirven, asisten, enseñan, supervisan, aconsejan o guían. La persona que tiene el poder asume el mandato ético de no sacar provecho de su posición, de no abusar de un subordinado con el fin de obtener ganancias personales.

Los límites de un terapeuta sirven tanto para proteger al cliente como para dar el ejemplo de lo que es una autoridad digna de confianza y sincera. Por lo tanto, de todos los límites que necesitamos, los límites para los terapeutas, consejeros y líderes espirituales se encuentran entre los fundamentales; y pueden causar el mayor de los daños cuando son violados. Esto no solo se debe a que el cliente o seguidor es vulnerable y está más abierto y receptivo que en ninguna otra relación, sino a que a partir de la experiencia terapéutica, los clientes pueden vislumbrar los límites que se aplican a otras situaciones en las cuales ellos invisten a una tercera persona con autoridad.

Aparentemente he definido estos límites con una particular mano dura, pero esto se debe a que hay mucho en juego. Es mucho lo que se puede perder a través de una violación de límites ya sea accidental o intencionada.

Al tomar conciencia de los límites, usted puede juzgar acertadamente cuándo una persona merece que usted haya depositado su confianza en ella. Cuando alguien a quien usted considera una autoridad se comporta de un modo que excede los límites éticos apropiados, usted puede retirar la confianza, la generosidad y la energía que ha depositado en esa persona e incluso apartarse de la relación.

Al preservar los límites positivos, podemos aprender a leer entre líneas la ética de las otras personas. Conocer los límites correctos para cualquier situación nos permite elegir qué tipo de relación mantendremos con los demás. Los límites nos liberan de la tiranía de los roles fijos que se dan en las relaciones.

Capítulo 28

Su país seguro

U N CAMBIO notable puede producirse en su vida en tanto practique usted el arte de definir los límites. Su vida gozará de una mayor definición. Usted se conocerá mejor. Tendrá tiempo y energía para los proyectos que usted elija. Las personas le mostrarán su respeto.

Mientras usted establece límites claros para diferentes situaciones, puede comenzar a descubrir otros beneficios. Cuando los límites comienzan a formar un tejido, podemos tener un sentido más claro de nuestra presencia espiritual en el mundo. Aunque establecer los límites requiere práctica y una conducta definida, también nos permiten acceder a un espacio más amplio dentro de nosotros mismos, un lugar donde descubrimos qué significa realmente nuestra vida.

Harbra creció en una familia fracturada. Su padre era alcohólico y su atención siempre estaba pendiente de asuntos ajenos a la familia. Su madre, Cilla, era una mujer narcisista y manipuladora. Su interés esencial con respecto a los niños se centraba en lo que ellos eran capaces de hacer por ella. Harbra hizo un trabajo asombroso para apartarse de la cultura en la que había crecido. Se educó a sí misma, consiguió un buen trabajo y se comprometió en una terapia. Con el paso del tiempo, se sintió menos confusa y fue capaz de establecer límites más firmes con su madre y el resto de sus familiares, pero ellos aún ocupaban un rincón de su vida y todas las semanas dedicaba una cierta cantidad de tiempo y energía a protegerse de ellos o a recuperarse de sus ataques.

Finalmente, su madre rompió el último de los hilos al permitir que su amante abusara de la sobrina de Harbra. Cilla se defendió proclamando su inocencia y testificó en la corte en nombre de su amante. Su nieta podía haber sido arrojada a los lobos si Harbra y su hermana no hubieran defendido con vehemencia a la niña, a quien pagaron una terapia y ofrecieron toda su protección.

Harbra decidió que los límites tenían que ser aún más fuertes. Escribió una carta a su madre, afirmando que no quería ningún contacto más con ella. Resultó muy difícil separarse de su madre pero tenía muy claro que ella nunca sería capaz de hacer ningún esfuerzo por tener una relación positiva con sus hijos y nietos.

Dar este paso supuso una gran liberación para Harbra. Una parte de ella que siempre estaba en guardia comenzó a relajarse. Después de recuperarse de su tristeza por tener que separarse de su madre, se ocupó de despachar otras relaciones manipuladoras que había en su vida y que agotaban toda su energía.

A partir de ese momento, las únicas relaciones que hubo en su vida eran totalmente sanas. Como sus defensas ya no eran necesarias se desvanecieron. Se sintió más fuerte y más sana. Su mente estaba más clara. Se centraba más en su propia vida. En un plazo de dos meses tuvo una inspiración respecto del trabajo que realmente deseaba hacer. Un mes más tarde ya se había enterado qué era lo que tenía que estudiar para conseguirlo y al siguiente mes ya había organizado toda su vida para ser capaz de financiar sus nuevos objetivos educativos.

No pueden imaginar cuánta energía se consume para mantener las defensas hasta que se consiguen límites suficientemente fuertes como para mantener alejadas a las personas que se alimentarían de nuestra sangre si se lo permitiéramos. Los límites son mucho más que una excelente técnica para poder disfrutar de un sábado tranquilo en casa. Cuando se aplican en los lugares correctos y con la cantidad adecuada de firmeza, abren el camino para una amplia gama de posibilidades que ni siquiera existen hasta que no somos libres.

Cada vez que usted establece un límite y elimina una defensa, está abriéndose camino hacia su propio país seguro, su propio y único territorio que representa la realización de su vida y de su misión.

Espero que a lo largo de este libro haya podido descubrir todos los muros o reglas, los roles o las costumbres que lo han confinado en un determinado espacio, impidiéndole ocupar otras dimensiones más amplias. También espero que haya tomado conciencia de cuáles son las formas de abrir las fortalezas que lo han restringido, que sea capaz de eliminar a cualquier persona abusiva que exista en su vida y dar la bienvenida a las personas positivas que pueden aportarle algo. Pero, por encima de todo, deseo que se haya aventurado en la empresa de crear su propio país seguro.